MA VIE (PAS SI) PARFAITE

DU MÊME AUTEUR

Sophie Kinsella :

Confessions d'une accro du shopping, Belfond, 2002 ; rééd., 2004 ; Pocket, 2004
Becky à Manhattan, Belfond, 2003 ; Pocket, 2005
L'accro du shopping dit oui, Belfond, 2004 ; Pocket, 2006
Les Petits Secrets d'Emma, Belfond, 2005 ; Pocket, 2008
L'accro du shopping a une sœur, Belfond, 2006 ; Pocket, 2007
Samantha, bonne à rien faire, Belfond, 2007 ; Pocket, 2010
L'accro du shopping attend un bébé, Belfond, 2008 ; Pocket, 2009
Confessions d'une accro du shopping suivi de *Becky à Manhattan*, Belfond, 2009
Lexi Smart a la mémoire qui flanche, Belfond, 2009 ; Pocket, 2011
Très chère Sadie, Belfond, 2010 ; Pocket, 2013
Mini-Accro du shopping, Belfond, 2011 ; Pocket, 2012
Poppy Wyatt est un sacré numéro, Belfond, 2013 ; Pocket, 2014
Nuit de noces à Ikonos, Belfond, 2014 ; Pocket, 2015
L'Accro du shopping à Hollywood, Belfond, 2015
L'Accro du shopping à la rescousse, Belfond, 2016

Madeleine Wickham *alias* Sophie Kinsella :

Un week-end entre amis, Belfond, 1995 ; rééd., 2007 ; Pocket, 2009
Une maison de rêve, Belfond, 1999 ; rééd., 2007 ; Pocket, 2010
La Madone des enterrements, Belfond, 2000 ; rééd., 2008 ; Pocket, 2010
Drôle de mariage, Belfond, 2001 ; rééd., 2008 ; Pocket, 2011
Des vacances inoubliables, Belfond, 2002 ; rééd., 2009
Cocktail Club, Belfond, 2012 ; Pocket, 2013
Un dimanche au bord de la piscine, Belfond, 2013 ; Pocket, 2015

Vous pouvez consulter le site de l'auteur à l'adresse suivante :
www.sophiekinsella.fr

SOPHIE KINSELLA

MA VIE (PAS SI) PARFAITE

Traduit de l'anglais
par Daphné Bernard

belfond

Titre original :
MY NOT SO PERFECT LIFE
publié par Bantam Press, une marque de Transworld Publishers, Londres

Retrouvez-nous sur www.belfond.fr
ou www.facebook.com/belfond

Éditions Belfond,
12, avenue d'Italie, 75013 Paris.
Pour le Canada,
Interforum Canada, Inc.,
1055, bd René-Lévesque-Est,
Bureau 1100,
Montréal, Québec, H2L 4S5.

ISBN : 978-2-7144-7584-8

Belfond | un département **place des éditeurs**

place
des
éditeurs

Pour Nicki Kennedy

PREMIÈRE PARTIE

1

Premièrement, ça pourrait être pire. Le reste du trajet pourrait être bien pire, je dois garder ça en tête. Et deuxièmement, ça vaut le coup. C'est ma décision de vivre à Londres. Ma décision d'y travailler. Le trajet fait partie du boulot autant que de l'aventure londonienne. Comme la Tate Modern.

(En fait, la Tate Modern n'a rien à voir. Oublions.)

Mon père a l'habitude de dire : « Si tu ne peux pas courir avec les gros chiens, reste sur le perron. » Mais moi, je veux courir avec les gros chiens. C'est pour ça que je suis ici.

Marcher vingt minutes pour aller à la gare ne me pose pas de problème. Non, je vous jure, c'est sympa. L'air de ce mois de décembre grisouille me glace les poumons mais je me sens en super forme. C'est le matin. Je suis en route.

Et puis, même s'il n'a coûté que 9,99 livres sur le marché, mon manteau est bien chaud. À l'intérieur était cousue une étiquette « Christin Bior ». Évidemment, je l'ai retirée dès que je suis rentrée à la maison. Impossible de travailler là, dans ma boîte, et d'avoir une étiquette « Christin

Bior » dans son manteau. Une véritable étiquette « Christian Dior », ça oui, bien sûr ! Une marque de créateur japonais, d'accord ! Ou pas d'étiquette du tout parce qu'on fait ses vêtements soi-même dans des tissus vintage dénichés chez Alfie's Antiques. Mais « Christin Bior » ? Pas question.

Je sens que ma nervosité augmente à mesure que j'approche de Catford Bridge. Je veux vraiment arriver à l'heure aujourd'hui. Ma boss a commencé à faire des remarques sur les retardataires, alors je suis partie avec vingt minutes d'avance. Au cas où.

Eh bien, c'est mal barré. La journée commence mal.

Ces temps-ci, il y a en permanence des problèmes sur la ligne, avec des trains supprimés au dernier moment. Comment peut-on supprimer des trains pour Londres aux heures de pointe ? Les passagers sont censés s'évaporer ?

Je franchis le portillon électronique pour découvrir ce qu'ils font en réalité : massés sur le quai, les yeux fixés sur le tableau d'affichage, ils essaient de se mettre en pole position pour grimper dans le prochain train, en alerte, et ils jettent des regards mauvais autour d'eux.

Punaise ! Ils ont dû annuler au moins deux trains parce que la foule empressée pourrait en remplir trois. Tout le monde s'est regroupé en bordure de quai, aux points stratégiques. On a beau être mi-décembre, on cherche encore l'esprit de Noël. Les gens sont tendus, avec leur tête du lundi matin. La seule note festive ? Quelques pauvres guirlandes électriques et des annonces sur les changements d'horaires pendant les fêtes.

Les nerfs en pelote, je me joins à la foule. Et soupire de soulagement quand le train arrive enfin. Non pas que j'espère monter dedans. (Dans le premier ? La bonne blague !) Il y a des passagers agglutinés contre les fenêtres embuées. Quand la porte s'ouvre, une seule femme descend après s'être frayé un passage à grand-peine.

Pourtant la foule part à l'assaut. Pas mal de gens parviennent à entrer et le convoi s'ébranle. J'avance d'un cran vers le bord du quai. Pas question de laisser le mec aux cheveux gris poisseux de gel prendre ma place. J'ai retiré mes écouteurs pour ne pas louper une annonce. Vigilance et concentration.

Aller au boulot à Londres, c'est comme traverser un champ de bataille. On doit constamment surveiller son territoire, batailler pour gagner chaque centimètre, ne jamais relâcher son attention. Parce que, sinon, quelqu'un vous passera devant. Ou dessus.

Onze minutes plus tard exactement, un nouveau train arrive. J'avance avec le flux en ignorant les remarques désagréables qui fusent. « Avancez ! » « Il y a de la place à l'intérieur ! » « Faut juste qu'ils se bougent ! »

Vous avez remarqué que les gens installés dans les wagons n'ont pas la même tête que ceux qui attendent sur le quai ? Surtout ceux qui ont réussi à s'asseoir. L'épreuve a dû ressembler à l'ascension du mont Blanc. Ils gardent les yeux baissés et – par gêne et par défi – leur visage fermé semble dire : *Je sais que vous êtes dehors. C'est d'autant plus moche que moi, je suis à l'intérieur. Mais j'ai conquis mon siège de haute lutte, alors pas la peine de me culpabiliser. Laissez-moi lire en paix. D'accord ?*

Les gens n'arrêtent pas de pousser. Quelqu'un me bouscule – je sens la pression d'une main dans mon dos – et je suis soudain propulsée dans le wagon, mais à quatre pattes.

Il faut absolument que j'agrippe une barre, une poignée ou n'importe quoi d'autre pour me redresser. Une fois debout, c'est tout bon.

Derrière moi, il y a un type très en colère qui déverse ses cris et ses jurons droit dans mes oreilles. Soudain, une espèce de raz-de-marée se produit, comme un tsunami humain. Deux fois dans ma vie, j'ai été témoin de ce phénomène et, croyez-moi, c'est terrifiant. Je me retrouve catapultée, mes pieds ne touchant plus le sol, entre deux mecs – l'un en costume, l'autre en jogging – et une fille qui mange un panini.

Les portes se ferment. On est tellement comprimés que le panini se trouve à cinq centimètres de mon nez. Chaque fois que la fille mord dedans, je reçois une bouffée de pesto. Mais je m'efforce de ne pas y faire attention. D'ignorer aussi la fille. Et les mecs. Pourtant je sens la chaleur de la cuisse du jogging contre la mienne. Je peux même compter les poils de sa barbe de trois jours. Le train commence à prendre de la vitesse, nous projetant sans arrêt les uns contre les autres. Mais interdiction de se regarder : dans le train, croiser un regard équivaut presque à un crime.

Pour me distraire, je pense à la suite de mon parcours. Une fois parvenue à Waterloo East, quelle ligne de métro vais-je emprunter ? J'ai le choix entre Jubilee-District (ça dure des heures) ou Jubilee-Central (long trajet à pied pour arriver à destination) ou encore Overground (trajet encore plus interminable).

C'est sûr, si j'avais su que j'allais travailler à Chiswick, je n'aurais pas loué un appart à Catford. Mais la première fois que je suis venue bosser à Londres, c'était pour un stage dans les quartiers est. (Dans l'annonce, ils parlaient de Shoreditch, mais, croyez-moi, rien à voir.) Catford était bon marché et pas trop éloigné. Avec mon travail actuel, vivre dans l'ouest de Londres serait plus pratique, mais les loyers sont trop chers pour moi. Et finalement, le trajet n'est pas si terrible…

— Aargh !

Une secousse me fait perdre l'équilibre pour de bon tandis que la fille est projetée, mains en avant. Je n'ai pas le temps de comprendre ce qui arrive que l'extrémité du panini atterrit dans ma bouche ouverte.

Quoi ?

Le choc m'empêche de réagir. La saveur du pain chaud et de la mozza fondue envahit mon palais. Incroyable mais vrai.

Instinctivement, je serre les dents. Grave erreur ! Mais c'était plus fort que moi. La bouche pleine, je lève nerveusement les yeux vers la propriétaire du panini.

— Désolée, je marmonne.

Ne sort de ma bouche qu'un gargouillis inintelligible.

— Putain, elle me pique mon petit déj ! hurle la fille à l'intention de tout le wagon.

Je transpire à grosses gouttes. L'effet du stress. Je suis dans le pétrin. Que faire ? Mastiquer carrément ? Non. Recracher ? Pire. En fait, il n'y a pas de solution.

Finalement, rouge de honte, je prends le parti de mâcher le bout de sandwich d'une inconnue devant des gens qui n'en perdent pas une miette.

— Je m'excuse vraiment, je dis à la fille après avoir dégluti. Mais il vous en reste plein.

— Avec vos microbes dessus ? Merci, mais j'en veux plus !

— Et les vôtres, de microbes, vous croyez que j'en veux ? De toute façon, ce n'est pas ma faute. Je suis tombée dessus.

— C'est ça ! Vous êtes tombée dessus !

— Bien sûr ! Vous croyez quoi ? Que j'ai fait exprès ?

— Qui sait ?

Elle protège le reste de son panini comme si j'allais me jeter dessus.

— Qui sait ? insiste-t-elle. Il y a toutes sortes de dingues à Londres.

— Je ne suis pas dingue, je proteste.

— Tu peux te jeter sur moi quand tu veux, ma choute, ricane le mec en jogging. Mais sans les dents, hein ?

Le wagon entier s'esclaffe.

Je pique un fard mais m'abstiens de rétorquer. Fin de l'épisode.

Pendant les quinze minutes suivantes, je regarde droit devant moi, la mine sévère, en m'efforçant de rester dans ma petite bulle. À Waterloo East, je respire enfin l'air froid avec bonheur. Je me dirige aussi rapidement que possible vers le métro, décide de prendre la ligne Jubilee-District et m'avance vers le portillon. Un coup d'œil sur ma montre m'arrache un soupir. Je suis partie de chez moi il y a déjà quarante-cinq minutes et ne suis pas près d'arriver.

Au moment où une bonne femme m'écrase le pied avec son stiletto, j'ai la vision de mon père sortant par la porte de la cuisine et s'exclamant, les bras grands ouverts comme pour embrasser l'immensité des champs et du ciel :

— Le secret, c'est de ne pas trop s'éloigner de chez soi, ma puce !

Quand j'étais petite, je ne comprenais pas ce qu'il voulait dire. Mais maintenant…

— Alors, vous allez rester plantée comme ça longtemps ? Bougez-vous, bon sang !

Encore un type énervé qui s'égosille dans mon dos. Le métro arrive et commence l'habituelle bagarre entre les passagers qui estiment que leur wagon est déjà archi-bondé et les nouveaux venus qui évaluent l'espace vacant d'un œil expert avant de décider que vingt personnes supplémentaires peuvent s'y trouver à l'aise.

Nouveau changement à Westminster puis je continue vers Turnham Green. En quittant la station, je m'aperçois qu'il ne me reste plus que dix minutes pour être dans les temps. Merde ! Je commence à courir.

Je travaille dans un grand immeuble blanc appelé Phillimore House. Je ralentis à son approche, le cœur battant à toute allure, une ampoule qui me déchire le talon gauche. Mais je suis à l'heure. C'est tout ce qui compte. Comme par magie, l'ascenseur arrive en même temps que moi. J'y entre en essayant d'aplatir mes cheveux – je les avais retenus par une pince pour courir, mais ça n'a pas beaucoup servi. Au total, le trajet maison-boulot m'a pris une heure et vingt minutes. Remarquez, ça pourrait être pire…

— Attendez !

Le ton autoritaire me paralyse. Je connais bien la silhouette qui avance à grands pas dans le hall : jambes interminables et bottes à talons hauts, balayage haut de gamme, blouson de motard. J'ajoute qu'à côté de sa jupe courte en tissu orange n'importe quelle fringue a l'air banale et démodée. Et particulièrement ma jupe en jersey noir – 8,99 livres sur le marché.

Elle a aussi des sourcils incroyables. Il y a des nanas qui possèdent des sourcils incroyables et d'autres pas. C'est comme ça.

— Quelle journée atroce ! s'écrie-t-elle en entrant dans l'ascenseur.

Sa voix est rauque et chaude. Une voix adulte. Pleine d'expérience. Une voix qui n'a pas de temps à perdre avec les imbéciles. Elle appuie un ongle manucuré sur le bouton et nous commençons à monter.

— Vraiment atroce, insiste-t-elle. Les feux du carrefour de Chiswick Lane étaient en panne. J'ai mis vingt-cinq minutes à venir. Vingt-cinq minutes !

Elle me jette un de ses regards d'aigle en piqué. Bien sûr ! Elle attend mon commentaire.

— Oh, ma pauvre, je te plains ! je murmure.

Elle sort dès que les portes s'ouvrent et je lui emboîte le pas, les yeux fixés sur ses cheveux qui se balancent joliment en cadence. Son parfum (créé pour elle par la maison Annick Goutal lors d'un voyage à Paris – son cinquième anniversaire de mariage) me chatouille les narines.

Je vous présente ma boss. Demeter. La fille à la vie parfaite.

Je n'exagère pas. Quand je dis que Demeter a une vie parfaite, c'est la pure vérité. *Tout ce qu'on rêve d'avoir, elle l'a.* Le job, la famille, le côté cool. Tout bien. Même son prénom. Il est tellement original qu'elle n'a pas besoin de s'embêter avec un nom de famille (pour info, elle s'appelle Farlowe). *Demeter.* Purement et simplement. Comme *Madonna.* Au téléphone, de sa voix assurée un peu plus sonore que la normale, elle s'annonce ainsi :

— Bonjour, c'est De-mêê-ter.

À quarante-cinq ans, elle est directrice de la création chez Cooper Clemmow depuis un an. Cooper Clemmow est une agence spécialisée dans l'image de marque et la stratégie de communication des sociétés. Nous avons de sacrés gros clients. C'est dire l'importance du job de Demeter. Son bureau est plein de trophées, d'échantillons des produits sur lesquels elle a travaillé et de photos encadrées qui la montrent en compagnie de gens célèbres.

Elle est grande et mince avec des cheveux châtains brillants et, comme je l'ai déjà souligné, d'incroyables sourcils. Je ne sais pas combien elle gagne, mais elle vit à Shepherd's Bush dans une maison extraordinaire qui aurait coûté plus de 2 millions de livres. C'est ma copine Flora qui me l'a dit.

D'après la même Flora, le parquet de son salon, en chêne massif importé de France, a coûté une fortune. Question hiérarchie, Flora occupe un poste proche du mien – elle est assistante de création, et une source permanente de potins.

Un jour, je suis allée voir cette maison. Pas parce que j'envie Demeter, pas du tout. Il se trouve que je passais dans son quartier, que je connaissais son adresse et que, dans ce cas, c'est normal d'aller jeter un coup d'œil sur la maison de sa boss. (Bon, j'avoue : je ne connaissais que le nom de la rue et j'ai trouvé le numéro sur Google.)

Évidemment, la maison est sublime. On dirait une maison de magazine. En fait, c'est une maison de magazine. Elle est passée dans *Living etc.*, avec Demeter au sommet de son chic créatif, posant en top imprimé rétro dans sa cuisine toute blanche.

J'ai regardé la maison pendant un moment. Pas vraiment avec convoitise. Plutôt en fantasmant. La porte d'entrée est d'un vert ravissant – peinture Farrow and Ball, ou Little Green, j'en suis sûre – avec un heurtoir ancien en forme de tête de lion. Un perron en pierres gris pâle très classe. Le reste est également impressionnant – encadrements de fenêtres peints, stores à lamelles et une cabane en bois perchée dans un arbre. Un jardin à l'arrière. Mais c'est la porte d'entrée qui m'a fascinée. Et les marches. Descendre des marches comme ça tous les jours, comme une princesse de conte de fées, ça doit donner l'impression d'être incroyablement géniale, non ?

Deux voitures étaient garées dans la cour de devant. Une Audi grise et une Volvo monospace, brillantes et neuves. Tout ce que Demeter possède est soit brillant, neuf et tendance (exemple : un blender de designer), soit ancien, authentique et tendance (exemple : un grand collier en bois rapporté d'Afrique du Sud). *Authentique* doit d'ailleurs être son mot préféré ; elle l'emploie au moins trente fois par jour.

Demeter est mariée, *bien sûr*, avec deux enfants, *bien sûr*. Un garçon, Hal, et une fille, Coco. Elle a des tonnes d'amis qu'elle connaît depuis « la nuit des temps » ; elle est en permanence invitée à des soirées, des événements mondains, des remises de prix. Parfois, elle se plaint d'avoir trois sorties dans la semaine. « C'est du masochisme », s'écrie-t-elle en enfilant ses chaussures Miu Miu (j'emporte souvent ses emballages Net-À-Porter au recyclage alors je connais ses marques. Miu Miu. Marni en solde. Dries van Noten. Et aussi pas mal de Zara). Deux secondes après, elle est en route pour une fête, le regard brillant. Ensuite on la voit sur la page Facebook et le compte Twitter de

Cooper Clemmow, et partout : tenant un verre de vin, souriant devant des créations de designer, toujours parfaite.

Il faut que je précise que je ne suis pas jalouse. Pas vraiment. Je ne veux pas être à sa place. Je n'ai que vingt-six ans. Qu'est-ce que je ferais d'une Volvo sept places ?

Mais quand je la regarde, je ressens un certain agacement en pensant : *Est-ce que ça pourrait être moi ? Ça pourrait m'arriver un jour ? Quand je l'aurai mérité, pourrai-je avoir la vie de Demeter ?* Je ne parle pas des choses matérielles, mais de confiance en soi. De style. De sophistication. De réseaux. Si ça m'arrivait dans vingt ans, je ne dirais pas non. À vrai dire, je serais folle de joie. Qu'on me dise : si tu travailles dur, dans vingt ans tu mèneras cette vie, et je relèverais mes manches pour m'y mettre sans traîner.

Bon, c'est impossible. Ça n'arrivera jamais. Les gens parlent d'ascension professionnelle, de structure de carrière, de progression dans la hiérarchie. Personnellement, je ne vois aucune échelle capable de me hisser vers la vie de Demeter, même si je bosse comme une folle.

Deux millions de livres pour une maison ?

Vous vous rendez compte ?

Je me suis amusée un jour à faire le calcul. Imaginons qu'une banque me prête cette somme – hypothèse inconcevable –, avec mon salaire actuel, je passerais cent quatre-vingt-treize années et quart à rembourser. Quand ce chiffre est apparu sur l'écran de ma calculette, je suis partie d'un rire hystérique. Vous parlez de fossé entre les générations ? C'est un gouffre, oui ! C'est le Grand Canyon. Il n'existe pas d'échelle assez haute pour me faire grimper à la place de Demeter. À moins de gagner au loto, d'avoir des parents richissimes ou de produire une idée de start-up géniale qui ferait ma fortune. (D'ailleurs, je passe mes nuits à plancher sur la question. Je rêve d'inventer un truc canon, un nouveau genre de soutien-gorge ou un caramel sans calories. Pour le moment… rien, *nada*, *nothing*.)

Pour résumer, mon but n'est pas d'atteindre le niveau de vie de Demeter. Pas exactement. Mais peut-être en partie. D'arriver à ce qui est réalisable. Je peux l'observer, l'étudier, apprendre à être comme elle.

Et aussi, fondamentalement, apprendre à *ne pas* être comme elle.

Parce que, j'ai sans doute oublié de le préciser, Demeter est un cauchemar. Elle est parfaite *et* terrifiante. Les deux à la fois.

Je viens de mettre mon ordinateur en route quand Demeter surgit dans l'open space.

— Écoutez, tout le monde ! fait-elle entre deux gorgées de latte au soja.

C'est une autre de ses expressions préférées : *tout le monde*. Quand elle débarque et lance « tout le monde » d'une voix de tragédienne, on doit lever le nez comme si elle allait faire une annonce qui nous concerne tous. En fait, la plupart du temps, elle n'a besoin que d'une information bien précise que ne peut lui donner qu'une personne en particulier. Mais comme elle se souvient à peine de ce qu'on fait et même de nos noms, elle s'adresse à l'ensemble du service.

D'accord, j'exagère un peu. À peine. Demeter est parfaitement nulle pour retenir les noms. Ma copine Flora prétend qu'elle a un problème visuel, une sorte d'incapacité à reconnaître les visages. Évidemment, plutôt mourir que de l'admettre car ce défaut pourrait nuire à son job.

Ça, c'est incontestable.

Et puis, dites-moi, quel est le rapport entre la difficulté à reconnaître un visage et l'aptitude à se souvenir correctement d'un nom ? Ça fait sept mois que je suis là et je jure qu'elle ne sait toujours pas comment je m'appelle.

Je suis Cat. Cat pour Catherine. Parce que… C'est un diminutif cool. Court et percutant. Moderne. Très Londres.

Salut, je suis Cat.

Mon vrai nom, c'est Catherine, mais appelle-moi Cat.

Rectification : ce n'est pas absolument moi. Pas encore, tout au moins. Je m'appelle Cat depuis que j'ai commencé chez Cooper Clemmow mais je n'ai pas complètement intégré ce nouveau diminutif. Il m'arrive de ne pas réagir quand on s'adresse à moi. Quand il s'agit de signer, j'hésite parfois. Un jour, il a fallu que je gratte le K que j'avais commencé à tracer sur une carte d'anniversaire pour une fille du bureau. Heureusement, personne ne s'en est aperçu. Enfin, qui peut oublier son nom ?

Mais je suis déterminée à être Cat et je le serai. Un nouveau nom pour une nouvelle vie à Londres. J'ai déjà eu trois boulots (enfin, deux stages et un boulot) et, chaque fois, je me suis réinventée. Le passage de Katie à Cat est le dernier changement en date.

Katie, c'est la maison, le Somerset, la fille de la campagne aux bonnes joues roses et aux cheveux bouclés qui vit en jean, bottes de caoutchouc et blouson en polaire offert par une marque de nourriture pour moutons. Une fille qui passe son temps libre au pub local ou, à la rigueur, au Ritzy de Warreton. Une fille que j'ai laissée derrière moi.

J'ai toujours voulu quitter le Somerset. Toujours voulu vivre à Londres. Sur les murs de ma chambre, il n'y avait pas de poster de groupes de rock, mais des affiches du London Eye, la grande roue du Millénaire, et du Gherkin, le gratte-ciel de quarante-trois étages en forme de cornichon.

Le premier stage que j'ai dégotté était à Birmingham. Une grande agglomération avec des boutiques, du glamour, de l'animation… mais ce n'était pas Londres. Il manquait cette touche spéciale qui fait battre mon cœur. Admirer la ligne d'horizon de la cité. S'imprégner de son histoire. Passer devant Big Ben et l'entendre sonner en vrai. Emprunter les stations de métro qu'on a vues des centaines de fois dans les films sur le Blitz. Sentir qu'on se trouve à l'évidence dans une des plus formidables capitales du monde. Vivre à Londres, c'est comme vivre dans un décor de cinéma, depuis ses ruelles à la Dickens jusqu'à ses hautes tours scintillantes, en passant par ses places secrètes et ses jardins cachés. À Londres, on peut être qui on veut.

Mon existence n'a rien de remarquable. Mon boulot n'est pas top. Pas plus que ma garde-robe ou mon appart. Mais je vis dans une ville qui figure au « top ten » des capitales. Un endroit où des gens du monde entier aimeraient habiter. J'y suis. Alors peu importe mes interminables allers et retours, peu importe l'exiguïté de ma chambre. J'y suis.

Le voyage n'a pas été direct. Après la fac, la seule offre de boulot que j'ai eue venait d'une petite boîte de marketing de Birmingham. Quand je m'y suis installée, je me suis créé une nouvelle personnalité. Une frange. Les cheveux raidis tous les matins et remontés en un chouette petit chignon. Des lunettes sombres à montures claires. J'avais l'air différente. Je me sentais une autre. Même mon maquillage avait changé : eye-liner noir façon années 1950 et lèvres dessinées au crayon.

(Il m'a fallu un week-end d'essais avant de parvenir à un trait d'eye-liner convenable. C'est comme la trigonométrie, ça ne s'improvise pas. Je me demande d'ailleurs pourquoi ce n'est pas enseigné à l'école. Si je gouvernais ce pays, je mettrais au programme des trucs utiles dans la vie quotidienne. Par exemple, comment appliquer son eye-liner. Comment remplir une feuille d'impôts. Que faire quand vos toilettes sont bouchées, que votre père ne répond pas au téléphone et qu'un groupe d'amis va débarquer chez vous d'une minute à l'autre ?)

À Birmingham, j'ai aussi décidé de perdre mon accent campagnard. J'étais aux toilettes quand j'ai entendu deux filles du bureau se foutre de ma gueule. *Katie la rustique*, elles m'appelaient. Sur le moment, ça m'a flanqué un coup, ça m'a blessée à mort. J'aurais pu jaillir de mon petit coin et leur balancer : *Espèces de pétasses, si vous croyez que votre accent de Birmingham est mieux, vous vous trompez !*

Mais je n'ai pas bronché. Je suis restée assise en réfléchissant. C'était l'heure de vérité. Le jour où j'ai commencé mon second stage – celui de Londres –, j'avais changé. J'avais compris. Je ne ressemblais plus à la Katie Brenner élevée dans une ferme de l'Ouest anglais. Et je ne parlais plus comme elle.

Aujourd'hui, je suis Cat Brenner la Londonienne. Cat Brenner qui bosse dans un bureau hyper cool – murs en briques patinées, tables de travail blanches, chaises design et porte-manteau en forme d'homme tout nu. (Ah, le choc des visiteurs quand ils le voient pour la première fois !)

Donc je suis Cat. Ou plutôt, je le serai complètement dès que j'arrêterai de me tromper de signature.

— OK, tout le monde, répète Demeter pour la troisième fois.

Nous sommes dix à nous partager l'espace, dix avec des jobs et des titres différents. À l'étage du dessus, il y a l'équipe qui s'occupe des événements, le service informatique et les gens qui élaborent les campagnes de com, plus un autre groupe de créatifs qui travaille directement avec Adrian, le grand patron. Et puis les bureaux du DRH, des financiers, etc. Mais cet étage-ci est mon royaume. Je suis tout en bas de l'échelle, mon salaire est le moins élevé et mon bureau le plus petit, mais il faut bien commencer quelque part. C'est mon premier boulot rémunéré et, tous les jours, j'en remercie le Ciel et ses étoiles. Et vous savez quoi ? Mon travail est intéressant.

Dans un sens.

Presque.

Tout dépend en fait de la définition qu'on donne au mot « intéressant ». En ce moment, je travaille sur un projet très excitant : le lancement d'un nouveau produit laitier de la marque Coffeewite qui transforme instantanément le café en cappuccino moussant. Je fais partie du groupe de réflexion. À vrai dire, en terme de travail quotidien, ça se réduit à…

Soyons réalistes. L'aspect amusant et glamour du job viendra plus tard. C'est ce que mon père n'arrive pas à comprendre. Il n'arrête pas de me demander si toutes les propositions géniales viennent de moi, si je rencontre des tas de gens importants, si j'ai des déjeuners chics tous les jours. Ridicule.

Agaçant. Il est à des années-lumière de tout ça. Et c'est pire quand il me demande, avec son visage crispé :

— Katie chérie, tu es vraiment heureuse dans la grande ville ?

Je suis heureuse. Ce qui ne veut pas dire que c'est facile. Papa ne connaît rien à Londres, au marché du travail, à l'économie. Il ne sait même pas combien coûte un verre de vin dans un bar. Inutile de dire que je lui ai caché le montant de mon loyer, parce que je connais d'avance sa réaction. Il dirait...

Allez, Cat, respire à fond ! Désolée ! Je ne voulais pas aborder mes disputes avec mon père. Un sujet tout à fait hors sujet. Depuis que j'ai quitté la maison, après la fac, nos relations se sont détériorées. Il ne comprend pas pourquoi je me suis installée ici et, d'ailleurs, il ne comprendra jamais. J'ai beau lui expliquer que j'adore ma vie à Londres, il n'a pas le déclic. Lui ne voit que la circulation, la pollution, les prix dingues et les cent kilomètres qui le séparent de sa fille.

J'avais le choix : suivre mes impulsions ou ne pas briser le cœur paternel. Finalement, je pense que j'ai brisé un peu de nos deux cœurs. La plupart des gens ne le comprennent pas car, pour eux, il est normal de quitter le nid familial. Mais ils ne peuvent pas se mettre à notre place. Mon père et moi, nous avons vécu ensemble, rien que tous les deux, pendant des années.

Mais revenons-en à mon statut professionnel. À mon niveau, on ne rencontre pas les clients. C'est Demeter qui les voit. Et Rosa. Elles sortent déjeuner et reviennent très excitées avec les joues écarlates et des échantillons gratuits. Ensuite, elles pondent ensemble une présentation qui implique généralement Mark et Liz, plus quelqu'un de l'informatique et parfois Adrian. En plus d'être le directeur général de Cooper Clemmow, il en est aussi le cofondateur. (L'autre fondateur s'appelle Max : il a pris une retraite anticipée dans le sud de la France.)

Adrian est assez fascinant. Environ cinquante ans, doté d'une belle chevelure grise et ondulée et souvent habillé d'une chemise en jean. Il cultive un style très années 1970. Normal vu son âge, je suppose. Il est aussi très connu. L'autre jour, j'ai vu les photos des plus célèbres diplômés du King's College de Londres : il était parmi eux.

Voilà pour les grosses huiles de l'agence. Rien à voir avec moi. Comme je l'ai déjà dit, je fais partie du groupe de recherches et donc, cette semaine, mon travail consiste à…

Avant de vous en informer, je préfère vous prévenir. A priori, ce que je fais a l'air mortel. Mais ce n'est pas aussi horrible que la description du boulot le sous-entend.

J'entre des données dans notre système informatique. Pour être précise, j'entre les résultats d'une grande étude clients que nous avons effectuée pour le compte de Coffeewite sur le café, les produits laitiers pour le café, les cappuccinos, et tout et tout. Deux mille rapports manuscrits de huit pages chacun. Sur papier ? Non, il ne m'a pas échappé que plus personne ne répond aux sondages sur papier. Mais Demeter voulait revenir à la tradition car elle a lu quelque part que les gens se montrent un quart plus honnêtes en écrivant avec un stylo qu'en tapant sur leur ordi.

Et donc, nous y voilà. Ou plutôt, me voici avec encore cinq énormes cartons de questionnaires à traiter.

Comme ce sont les mêmes questions qui reviennent tout le temps et que les participants scribouillent au feutre, leurs réponses ne sont pas toujours claires. Et la tâche est légèrement fastidieuse. Mais voyons le côté positif : le projet tout entier dépend des résultats de l'étude. Flora n'arrête pas de me plaindre :

— Ma pauvre Cat, quelle horreur, ton boulot !

En fait, il est fascinant.

Ou, du moins, je peux, moi, le rendre fascinant. Je me suis mise à deviner la tranche de revenus des gens d'après leurs commentaires sur « la densité de la mousse ». Eh bien, vous savez quoi ? Je me trompe rarement. C'est comme de la télépathie. Plus j'entre de réponses, plus j'apprends sur les consommateurs. En tout cas, j'espère !

— Hé, tout le monde, c'est quoi ce bordel avec Trekbix ?

Une fois de plus, la voix de Demeter interrompt le cours de mes pensées. Juchée sur ses talons aiguilles, une main dans les cheveux, elle arbore son expression impatiente et furibarde, genre « j'en veux à la terre entière ».

— Je sais que j'ai pris des notes sur ce budget, fait-elle, l'œil fixé sur l'écran de son téléphone.

— Je n'ai pas vu de notes, dit Sarah de sa voix douce et discrète.

Sainte Sarah, l'a surnommée Flora. C'est l'assistante de Demeter. Rousse avec de beaux cheveux qu'elle serre en queue de cheval et de ravissantes dents blanches. C'est elle, la nana qui se confectionne ses vêtements : des fringues rétro inspirées de la mode des années 1950, avec des jupes larges. Je me demande comment elle ne tourne pas folle.

Demeter est la personne la plus distraite que je connaisse. Tous les jours, elle égare un document ou se trompe sur l'heure de ses rendez-vous. Sarah reste patiente et polie en toute circonstance, mais à sa bouche on voit qu'elle est frustrée. Dans ce cas, elle pince les lèvres et une de ses commissures disparaît dans sa joue. Apparemment, elle n'a pas sa pareille pour envoyer des mails de la part de Demeter, arranger un problème, arrondir les angles, présenter des excuses.

Demeter a un gros job, c'est vrai. Il faut aussi qu'elle pense à sa vie de famille, aux spectacles et sorties d'école et autres trucs des enfants. Mais comment peut-elle être aussi tête en l'air ?

— Ça y est ! Trouvé ! Pourquoi c'était dans mes dossiers personnels ?

— Il faut le mettre dans…

Sarah fait un geste pour attraper le portable de Demeter. Sans succès.

— Je sais comment utiliser mon téléphone, merci ! De toute façon, ce n'est pas le problème. Le problème est que…

Elle s'arrête brusquement tandis que nous retenons notre souffle. C'est une autre de ses habitudes : commencer une phrase vraiment percutante et stopper à mi-parcours, comme si quelqu'un lui avait retiré ses piles. Je jette un coup d'œil à Flora qui me répond en levant discrètement les yeux au ciel.

— Oui ! Qu'est-ce qui se passe avec Trekbix ? reprend Demeter. Je croyais que Liz allait répondre à leur mail mais Rob Kincaid vient de m'informer qu'il n'avait rien reçu. Alors ?

Tout d'un coup, elle se montre ultra-professionnelle. Elle se tourne vers la personne dont elle a besoin, la dénommée Liz.

— Liz, elle est où, cette recommandation ? Tu m'avais promis le brouillon pour hier. C'est dans les notes que j'ai prises à la réunion de lundi. *Liz doit faire un projet de présentation*. Règle numéro 1 vis-à-vis d'un client, Liz ?

Répondre à ses besoins, je me dis en moi-même, en me gardant bien d'ouvrir la bouche. Pas la peine de jouer les lèche-cul.

— Répondre à ses besoins, déclame Demeter. Répondre à ses besoins tout le temps. Faire en sorte qu'il se sente pris en main sans arrêt. C'est comme ça qu'on rend un client heureux. Mais Liz, tu ne réponds pas aux besoins de Rob Kincaid. Résultat, il se sent lâché et il n'est pas heureux.

— Je travaille encore dessus, proteste Liz en piquant un fard.

— Comment, encore ?

— C'est un gros projet.

— Eh bien, mets le turbo, grogne Demeter. Et soumets-moi le projet avant de l'envoyer. Pour l'heure du déjeuner, d'accord ?

— Entendu, marmonne Liz, furieuse.

Elle ne commet pas souvent d'erreur, Liz. Elle est directrice des projets. Son bureau est impeccable, comme ses cheveux qu'elle lave tous les jours avec du shampooing à la pomme. Elle mange énormément de pommes, aussi. Tiens, je n'avais jamais fait le rapprochement. Bizarre.

— Où est passé ce mail de Rob Kincaid ? s'impatiente Demeter en faisant défiler les infos sur son écran. Il a disparu de ma boîte de réception.

— Tu as dû le supprimer sans le faire exprès, la calme Sarah. Je te le renvoie.

Encore un motif de contrariété pour Sarah : Demeter n'arrête pas d'effacer ses mails sans faire attention, avant de s'apercevoir qu'elle en a besoin et de les réclamer d'urgence. « Heureusement que je suis bien organisée, nous dit souvent Sarah, car je passe la moitié de mes journées à renvoyer des mails à Demeter. »

— Merci, concède Demeter. Mais franchement, je ne sais pas où ce mail a fichu le camp…

Cette fois, Sarah n'a pas l'air de s'intéresser au problème.

— Demeter, je file pour assister à mon premier cours de secourisme, dit-elle en attrapant son sac. Je t'en ai parlé. Je suis responsable des premiers secours à l'agence.

— Oui.

Demeter semble perplexe. Elle a complètement oublié, c'est clair.

— Bravo. Mais, avant que tu partes, il faut qu'on fasse le point…

Elle inspecte son téléphone.

— Ce soir, il y a le London Food Award. Il faut que j'aille chez le coiffeur cet après-midi…

— Impossible, l'interrompt Sarah. L'après-midi est bourré.

— Quoi ? Mais j'ai pris rendez-vous.

— Oui, pour demain.

— Demain ? répète-t-elle, atterrée. Non, j'ai pris rendez-vous pour aujourd'hui.

— Regarde ton agenda, c'est noté à mardi.

Cette fois, Sarah a du mal à contenir son énervement.

— Mais mes racines ne peuvent pas attendre. Je ne peux pas annuler un rendez-vous cet après-midi ?

— Tu vois les gens de la polenta et, ensuite, l'équipe de Green Teen.

— Merde et merde ! lance Demeter, le visage crispé de douleur. *Merde !*

— Et tu as une téléconférence dans un quart d'heure. Je peux y aller, maintenant ? demande Sarah avec des airs de martyre.

— Oui, oui, vas-y, fait Demeter en agitant la main. Merci, Sarah.

Elle réintègre son bureau cloisonné de verre en lançant quelques vigoureux « merde ».

Pour réapparaître presque aussitôt.

— Rosa ? Le logo Sensiquo. On devrait l'essayer avec une typo plus grande. L'idée m'est venue en arrivant ce matin. Et regarde ce que donne le médaillon en bleu-vert. Tu peux en parler à Mark ? Où est-il, d'ailleurs ? demande-t-elle en regardant le poste de travail du dénommé Mark d'un œil mauvais.

— Aujourd'hui, il travaille de chez lui, indique Jon, un créatif junior.

— Ah ? s'étonne Demeter. Bon, d'accord.

La boss ne croit pas aux vertus du travail à domicile. Pour elle, quand les gens disparaissent à tout bout de champ, on perd le fil de l'action. Mais comme Mark a négocié son contrat avant l'arrivée de Demeter, elle ne peut pas s'y opposer.

— Ne t'inquiète pas, je lui passe le message, dit Rosa en écrivant fiévreusement sur son bloc : Typo. Bleu-vert.

— Très bien.

Demeter sort à nouveau la tête de son bureau.

— Écoute, Rosa. Il faut parler du projet Python. Tout le monde ici devrait être capable de maîtriser le coding.

— Le quoi ?

— Le coding, s'agace Demeter. La créativité numérique. J'ai lu un article sur le sujet dans le *Huffington Post*. Mets-le à l'ordre du jour de la prochaine réunion de groupe.

Air perplexe de Rosa.

— Le coding. OK. Très bien.

Demeter ferme sa porte et tout le monde respire. Du Demeter tout craché. Complètement imprévisible. C'est épuisant de la suivre.

Rosa tape frénétiquement sur le clavier de son téléphone. Je sais qu'elle envoie un texto vachard sur Demeter à Liz. Message reçu : une minute plus tard, Liz hoche vigoureusement la tête en direction de Rosa.

Je n'ai pas tout à fait intégré la politique du bureau – ce serait comme commencer à regarder une série en milieu de saison. Mais j'ai appris que Rosa avait postulé pour le job de Demeter et qu'il lui était passé sous le nez. Je sais aussi qu'elles ont eu une énorme engueulade juste avant mon arrivée. Rosa voulait s'occuper d'un gros projet ponctuel parrainé par la ville de Londres. Il s'agissait de créer et lancer un événement sportif. À cette occasion, le maire avait engagé une petite équipe composée des créatifs venant des meilleures agences de la capitale. Ce que le *Evening Standard* avait appelé « une vitrine des talents les plus brillants ». Mais Demeter avait refusé que Rosa fasse partie de la campagne, en prétendant avoir besoin d'elle vingt-quatre heures sur vingt-quatre, ce qui était pur pipeau. Depuis lors, Rosa hait Demeter avec passion.

Flora a une théorie sur la question. Pour elle, Demeter a tellement peur d'être doublée par ses jeunes collaborateurs qu'elle ne lève le petit doigt pour personne. Essaie donc de grimper les échelons : elle t'écrasera les doigts avec ses escarpins Miu Miu. Apparemment, Rosa meurt d'envie de quitter Cooper Clemmow, mais avec ce marché morose les occasions d'embauche sont peu nombreuses. Et donc elle reste, coincée avec une patronne qu'elle ne peut pas blairer et détestant chaque minute qu'elle passe à l'agence. D'ailleurs, son dos courbé et ses sourcils toujours froncés la trahissent.

Mark a également Demeter en horreur. Là aussi, je sais pourquoi. Demeter est censée superviser l'équipe artistique. Superviser, pas tout faire elle-même. Mais il lui est impossible de se réfréner. La conception graphique, c'est son truc. Sans parler du packaging. Elle connaît un nombre inimaginable de polices de caractère. De temps en temps, elle interrompt une réunion juste pour nous parler d'une conception d'emballage qui lui plaît. Ce qui est bien dans un sens, mais qui constitue également un problème parce qu'il faut toujours qu'elle se mêle de tout.

L'an dernier, Cooper Clemmow a refait l'image de marque de Drench, une lotion hydratante très populaire. Demeter a suggéré une étiquette orange pâle avec le nom en blanc. Gros succès commercial. Et une avalanche de récompenses. Tout le monde était ravi, sauf Mark, le directeur artistique, qui avait, semble-t-il, imaginé un tout autre conditionnement. Mais Demeter avait réalisé une maquette à partir de son idée d'orange pâle et l'avait présentée directement au client. Résultat : Mark s'est senti totalement rabaissé.

Le plus affreux, c'est que Demeter n'a même pas remarqué la rage de Mark. Ce genre de choses lui passe au-dessus de la tête. Elle, c'est le genre « Génial ! Formidable ! Allez, tout le monde, on s'y met ! ». En même temps, le nouveau packaging a été une telle réussite que Mark ne pouvait décemment pas se plaindre. D'une certaine façon, il a de la chance : tout le mérite lui est revenu. Il peut l'indiquer sur son CV et ainsi de suite. Mais quand même. Cette histoire n'en finit pas de lui hérisser le poil. L'ironie avec laquelle il parle de Demeter me dérange.

Au bureau, nous savons tous que Mark est vraiment doué. Il vient de remporter un prix hyper prestigieux. Mais Demeter n'a pas l'air de se rendre compte qu'elle a un as de la conception artistique dans son équipe.

Liz n'est pas très heureuse non plus, mais elle fait avec. Flora, elle, n'arrête pas de balancer des horreurs sur Demeter. À mon avis, c'est surtout parce qu'elle adore médire, sur tout le monde. Quant aux autres, je ne connais pas leur sentiment sur la question.

Moi, je suis toujours la nouvelle. Comme je suis arrivée il y a sept mois, je fais profil bas et, en général, je la boucle. J'ai de l'ambition, des idées. Le design et la mise en pages m'intéressent, en particulier la typographie. C'est d'ailleurs de cela que nous avons parlé, Demeter et moi, au cours de mon entretien d'embauche.

Dès qu'un nouveau budget arrive à l'agence, mon cerveau entre en ébullition. J'ai cogité sur tellement de prospects pendant mes moments libres ! Logos, concepts de design, stratégies… Je n'arrête pas de les mailer à Demeter pour avoir son opinion et elle n'arrête pas de me promettre de jeter un coup d'œil dessus quand elle aura un moment.

Tout le monde m'a prévenue que, quand on la harcèle, elle pique des crises. J'attends donc le bon moment, comme un surfeur guette la bonne vague. Le surf, c'est mon truc, alors je sais reconnaître la bonne vague. Quand ce sera le moment, Demeter m'accordera son attention. Elle regardera mon travail. Un déclic se fera et ma vraie vie commencera. Je cesserai de patauger comme je le fais maintenant.

Je viens de prendre sur la pile un nouveau questionnaire quand Hannah, une autre fille de la créa, entre dans le bureau. Tout le monde soupire. Flora lève les sourcils à mon intention. Hier, la pauvre Hannah a dû quitter le bureau parce qu'elle ne se sentait pas bien. Explication : en deux ans, elle a fait cinq fausses couches. Du coup, elle est fragile et, de temps en temps, sujette à des crises de panique. C'est ce qui s'est passé hier et Rosa l'a renvoyée se reposer chez elle. En fait, Hannah est la fille de l'équipe qui travaille le plus. Le genre à envoyer des mails à 2 heures du matin. À mon avis, elle mérite de bonnes vacances.

— Hannah ! s'exclame Rosa. Tu vas bien ? N'en fais pas trop aujourd'hui.

— Ça va, répond Hannah en évitant le regard des autres. J'ai récupéré.

Elle s'assied, ouvre aussitôt un dossier et se met au travail après avoir bu une bonne rasade d'eau filtrée. (Cooper Clemmow s'est chargé du lancement de la marque, on nous fournit donc gratuitement des bouteilles de couleur fluo.)

Demeter se matérialise à la porte de son bureau.

— Hannah ! Tu es revenue ! Bravo !

— Je me sens très bien, insiste Hannah.

À l'évidence, elle veut jouer la discrétion. Mais Demeter se précipite vers son poste de travail.

— Ne t'inquiète pas, fait-elle de sa voix autoritaire. Relax ! Personne ici ne pense que tu fais du cinéma.

Après un petit signe de tête amical, elle regagne son bureau.

Nous sommes tous sidérés. Et la pauvre Hannah a l'air absolument catastrophée. Dès que Demeter a fermé sa porte, elle demande à Rosa :

— Tu crois que je fais du cinéma ?

— Pas du tout !

— Quelle salope, cette Demeter ! marmonne Liz.

— Demeter vient de te passer à sa moulinette, continue Rosa en regardant Hannah droit dans les yeux. Ce n'est pas plus grave que ça.

— Exactement, approuve Liz.

— Ça nous arrive tout le temps. C'est une garce dure à cuire qui raconte n'importe quoi. La prochaine fois, bouche-toi les oreilles. C'est formidable que tu sois revenue travailler. Crois-moi, toute l'équipe admire tes efforts. Vous êtes d'accord, hein ?

Une salve d'applaudissements éclate, à la plus grande joie d'Hannah qui pique un fard.

— Demeter, on l'emmerde, conclut Rosa.

Et elle retourne à sa table, accompagnée par d'autres applaudissements.

Du coin de l'œil, je peux voir Demeter derrière les parois vitrées de son bureau. Elle se demande sûrement ce qui se passe. Je suis presque navrée pour elle. Parce qu'elle ne se doute vraiment de rien.

2

Pendant l'heure qui suit, tout le monde travaille tranquillement. Demeter conduit sa téléconférence dans son bureau. Je rentre les données de plusieurs questionnaires. Rosa distribue des caramels.

Au moment où je pense à ma pause déjeuner, Demeter apparaît.

— J'ai besoin…

Son regard balaie notre espace pour atterrir finalement sur ma personne.

— Toi ! Tu fais quoi en ce moment ?

Je sursaute de surprise.

— Moi ? Rien ! Enfin si, je travaille…

— Tu peux venir m'aider pour quelque chose… (elle marque un arrêt typique) d'un peu différent ?

— Oui, bien sûr ! je réponds en essayant de garder mon calme.

— Dans cinq minutes, OK ?

— Cinq minutes. Absolument.

Je me replonge dans mon boulot mais ses mots dansent devant mes yeux. L'excitation me donne le tournis. *Quelque chose d'un peu différent*. Ça peut être n'importe quoi. Un nouveau budget sur lequel plancher… Un site à créer… Le concept d'une nouvelle marque révolutionnaire à imaginer. Peu importe ce que c'est, mon heure est arrivée. La vague que j'attendais se profile.

Je me sens gonflée à bloc. Finalement, je ne lui ai pas envoyé tous ces mails pour rien. Elle les a regardés. Elle a pensé que j'avais du potentiel et m'a réservé un projet spécial et idéal…

Les mains tremblantes, je sors d'un tiroir un dossier contenant quelques-unes de mes idées récentes dûment imprimées et prends mon ordi. Montrer un aperçu de mes dernières cogitations ne peut pas faire de mal, n'est-ce pas ? Une couche de rouge à lèvres, un nuage de parfum et me voilà fin prête. Brillante et bien dans ma peau. Déterminée à saisir ma chance.

Au bout de quatre minutes et trente secondes exactement, je repousse ma chaise, un peu intimidée quand même. C'est le moment de prendre la vague. Mon cœur bat fort. Autour de moi, tout a l'air plus brillant que d'habitude. Mais en m'avançant vers le bureau de ma boss, je m'efforce de rester détendue. Cool. Genre « Ouais, Demeter et moi, nous avons un rendez-vous. Pour faire un peu de brainstorming ».

Mon Dieu ! Et si c'était un méga projet ? Je nous imagine rester tard à l'agence. On se fait livrer des plats chinois et on bosse sur un projet incroyablement révolutionnaire. Peut-être même que je serai chargée de la présentation…

Enfin quelque chose à annoncer à mon père. Je l'appellerai peut-être ce soir.

Je frappe à la porte de Demeter en demandant :

— Je peux ?

— Cass ! Entre !

— En fait, je m'appelle Cat.

— Bien sûr, Cat ! Formidable ! J'espère que ça ne t'ennuie pas que je te demande de…

— Certainement pas, je l'interromps. Je suis partante pour tout. Ma formation, c'est plutôt la conception graphique mais l'image de marque, la stratégie de communication, les perspectives numériques me passionnent beaucoup… Tout, en fait…

Là, je parle à tort et à travers. Arrête, Katie !

Merde ! Je veux dire : arrête, Cat. Je suis Cat.

— Très bien, répond machinalement Demeter en terminant un mail.

Elle l'envoie, lève les yeux vers moi et enregistre avec surprise la présence de mon ordi et de mon dossier :

— C'est pour quoi, tout ça ?

Gênée, je rougis en changeant mon dossier de main.

— Oh, juste quelques idées…

— Eh bien, pose ton fourbi quelque part, fait-elle, l'air aussi peu intéressée que possible.

Elle fouille dans un tiroir de son bureau et ajoute :

— Désolée pour la corvée mais ça urge. J'ai un emploi du temps cauchemardesque. Il faut que j'assiste à ces maudits Awards ce soir. Je pourrais aller dans un de ces salons sans rendez-vous, mais mes racines sont compliquées, alors…

Je ne comprends pas un mot de ce qu'elle dit. Sans crier gare, elle brandit une boîte. De teinture Clairol ! Pendant un instant de griserie insensée, je me dis : *Nous relançons Clairol ? Et moi, je vais collaborer au projet ? My God ! C'est ÉNORME.*

Puis la réalité me heurte de plein fouet. Demeter n'a pas la tête d'une personne qui se trouve sur le point de relooker une marque internationale. Non, elle a l'air embêtée. Et vaguement impatiente. Soudain je percute. Elle a dit : *Mes racines sont compliquées.*

Je regarde la boîte plus attentivement. *Clairol Nice'n Easy. Châtain foncé. Couvre les racines. Agit en dix minutes.*

— Tu veux que je…

— Tu es un ange tombé du ciel !

Elle me sort un de ses sourires magiques.

— C'est le seul moment libre de ma journée. Si ça ne t'ennuie pas, je vais envoyer des mails pendant que tu t'en occupes. N'oublie pas les gants et, oh, essaie de ne pas en mettre sur le tapis. Trouve une vieille serviette ou quelque chose.

Ses racines. Le projet spécial et idéal consiste à teindre *ses racines.*

J'ai l'impression que la vague m'a engloutie. Me voilà trempée, loqueteuse, couverte d'algues. Complètement à la ramasse. Et, sois réaliste, Cat : elle ne t'a pas choisie spécialement. Est-ce qu'elle sait seulement qui tu es ?

Quand je retourne dans l'espace bureau en me demandant où je vais bien pouvoir trouver une vieille serviette, Liz lève les yeux de son écran avec une curiosité manifeste.

— Alors ? C'était pour quoi ?

Je me frotte le nez pour gagner du temps. Montrer ma déception m'est insupportable. Je me sens tellement idiote. Comment ai-je pu songer une seconde qu'elle allait me demander de relooker Clairol ?

— Elle veut que je lui fasse ses racines, j'avoue platement.

— Faire ses racines ? Quoi ? Les teindre ? Tu es sérieuse ?

— C'est insensé, intervient Rosa. Complètement en dehors de tes attributions professionnelles.

Toutes les têtes se lèvent. Une atmosphère de compassion m'entoure. De pitié, même.

— Pas de problème, je murmure en haussant les épaules.

— C'est pire que l'affaire du bustier, commente Liz.

J'ai entendu parler de cette histoire. Toute l'équipe réunie pour essayer de remonter la fermeture à glissière de la robe bustier de Demeter. Un modèle trop petit, ce qu'elle ne voulait pas admettre. (Ils avaient fini par la fermer en forçant à l'aide d'un cintre.) Clairement, la teinture de racines se trouve juste un cran au-dessous.

— Tu sais que tu peux refuser, suggère Rosa, la militante de service.

Pourtant, même elle ne semble pas convaincue. À vrai dire, quand on est toute nouvelle dans un job où la compétition fait rage, on est partant pour presque tout et n'importe quoi. Elle le sait. Moi aussi.

Alors, je fanfaronne :

— Pas de souci. J'ai toujours pensé que je ferais une bonne coiffeuse. En fait, c'est mon plan B.

Cette sortie me vaut un éclat de rire général. Et Rosa m'offre un de ses cookies hyper chers de la boulangerie du coin. Tout n'est pas si horrible, finalement. En prenant des serviettes en papier dans les toilettes, je décide de positiver. Ce n'est pas vraiment le rendez-vous que j'espérais, mais ça reste un tête-à-tête. Et peut-être ma vague est-elle toute proche, après tout.

Mais… Oh là là ! Beurk !

Je sais maintenant avec certitude que la coiffure ne peut pas être mon plan B. Le cuir chevelu des gens est dégoûtant. Même celui de Demeter.

En commençant à appliquer la teinture, je m'efforce au maximum de regarder ailleurs. Je ne veux pas voir la peau pâle de son crâne ni ses petites pellicules ni l'étendue de ses racines.

En fait, elles sont à peine visibles. Pratiquement pas de différence de couleur ou de cheveux gris. Ma boss est parano. Pas étonnant. Demeter est très consciente de la différence d'âge entre elle et nous. Pour compenser, elle dégotte les bonnes blagues sur Internet avant tout le monde, connaît tous les potins people, tous les groupes de rock et tout… sur tout.

Demeter est plus informée que n'importe qui, elle réagit au quart de tour. Elle est la première à adopter les gadgets dernier cri, la première à porter les modèles de la nouvelle collection capsule de H&M, quand les autres filles campent une nuit entière devant le magasin pour se les procurer. Demeter les a sur elle, purement et simplement.

Pareil pour les restaurants. À une époque, elle a travaillé sur les noms d'établissements très connus. D'où ses tonnes de contacts dans le milieu. Résultat : elle ne fréquente les restaurants qu'au moment de leur ouverture. Ou mieux, elle y va avant l'inauguration, quand ils ne servent que des gens importants comme elle. Dès qu'un endroit devient accessible au public ou qu'il reçoit une critique élogieuse du *Times*, elle n'y met plus les pieds et explique : « C'était bien avant, maintenant c'est fichu. » Et elle passe au suivant.

Tout ça pour dire qu'elle en impose un maximum. Qu'on ne l'impressionne pas facilement. Elle passe toujours les week-ends les plus merveilleux, les vacances les plus fabuleuses. Si quelqu'un raconte qu'il a aperçu telle ou telle célébrité dans la rue, vous pouvez être sûr que c'est un de ses vieux copains d'école, ou que sa filleule est sortie avec son frère. Ce genre de trucs.

Mais aujourd'hui, pas question de me laisser intimider. Je vais parler de choses intelligentes et, au moment propice, me placer. Il faut juste que je tombe sur le moment propice…

— Tout va comme tu veux ? demande Demeter, qui pianote sur son clavier en m'ignorant royalement.

— Parfaitement, je réponds en trempant à nouveau le pinceau dans la mixture.

— Si j'ai un conseil à vous donner, les filles, c'est d'éviter les cheveux gris. Trop triste.

Et, me jetant un rapide coup d'œil, elle ajoute :

— Sauf que dans ton cas, avec tes cheveux cendrés, on ne verrait pas tellement la différence.

— Ah bon ! je m'exclame, déroutée.

— À propos, comment va Hannah ? La pauvre ! J'espère que je l'ai rassurée.

Elle prend un petit air suffisant et avale une gorgée de café. *Rassuré* Hannah ? Incroyable ! Que répondre ?

— Euh ! Oui, apparemment elle va bien.

— Parfait, déclare-t-elle en tapant encore plus furieusement.

Je me sermonne en silence. *Vas-y, Katie.*

Je veux dire : *Vas-y, Cat. Cat !*

Je suis dans le bureau de Demeter, seule avec elle. C'est l'occasion ou jamais.

Je décide sur-le-champ de lui montrer mes essais de maquette pour Wash-Blu. Mais pas en les posant sur son bureau. Non, je vais agir plus subtilement. D'abord, engager la conversation. Créer un lien avec elle.

Je cherche l'inspiration en contemplant son énorme tableau d'affichage. Les rares fois où j'ai pénétré dans son bureau, je l'ai toujours examiné pour voir ce qu'il y avait de nouveau. C'est comme si la vie géniale de Demeter était entièrement résumée dans un collage d'images, de souvenirs et même d'échantillons de tissus. Il y a des photocopies des conditionnements qu'elle a créés. Des exemples de caractères typographiques inhabituels. Des photos de meubles et de céramiques des années 1950. Il y a des photos d'elle à tel ou tel événement professionnel et des coupures de presse. Des photos d'elle et de sa famille en train de skier, faire de la voile ou poser sur des plages pittoresques dans des vêtements hyper photogéniques. La perfection parfaite. Son mari est apparemment la tête pensante d'un think tank. Le voilà en smoking, immortalisé à côté d'elle sur un tapis rouge. Il la tient par le bras, l'air gentil, séduisant, intelligent.

Si je lui parlais de ses enfants ? Non, sujet trop personnel. Mon attention est soudain attirée par les piles de papiers éparpillées un peu partout. Encore une chose qui rend Sarah dingue : Demeter lui demande d'imprimer ses mails. Je l'entends souvent s'énerver : « Putain, elle ne peut pas les lire sur écran ! »

Sur une étagère, je repère une rangée de livres sur le marketing, la conception graphique et l'image de marque. La plupart sont connus mais il y en a un que je n'ai pas lu – un vieux livre de poche qui s'intitule *Notre vision*.

— Il est bon, ce livre ?

— Remarquable, répond Demeter en s'arrêtant de taper. C'est une série de conversations entre des designers des années 1980. Passionnant.

— Est-ce que je pourrais l'emprunter ?

— Bien sûr. Je t'en prie, prends-le.

Elle semble étonnée.

En prenant le bouquin, j'aperçois une petite boîte sur la même étagère. La boîte des raisins secs Redfern, avec ses minuscules poignées en ficelle rouge : un des grands triomphes de Demeter. Aujourd'hui, ce petit « plus » est entré dans les mœurs mais, à l'époque, c'était complètement avant-gardiste.

Je lance impulsivement :

— Ces petites poignées m'ont toujours intriguée. Elles doivent augmenter le prix du packaging. Comment tu t'y es prise pour persuader le client ?

— C'est vrai qu'elles coûtent un bras. Convaincre le client a été dur dur. Mais tout s'est bien terminé.

L'expression « bien terminé » est largement en dessous de la vérité. La trouvaille a fait sensation. Et les ventes de raisins secs Redfern ont crevé le plafond. Je l'ai lu dans la presse.

— Comment tu as fait ? j'insiste. Comment tu as réussi à convertir le client à ton idée ?

Je ne pose pas la question seulement pour entretenir la conversation. Je veux vraiment savoir. Parce que peut-être, un jour, quand je voudrai imposer un détail hyper cher à un client récalcitrant, je me souviendrai du conseil de Demeter et j'obtiendrai gain de cause. Je serai comme Kung Fu Panda avec son maître Shifu. Avec moins de kung-fu.

Demeter lève le nez. Elle me regarde comme si elle était intéressée par la question.

— Notre boulot comporte deux parties qu'il faut veiller à équilibrer. D'un côté, écouter le client, interpréter ses désirs, y répondre. De l'autre, avoir le courage d'imposer ses idées, de les défendre. Faire preuve d'obstination. Pigé ?

— Tout à fait, je réplique, avec autant de fermeté que possible.

Je fronce les sourcils en tenant solidement le pinceau. En espérant dégager des vibrations positives : *Tenace. Vive. Une junior de l'équipe particulièrement intéressante dont le nom mérite d'être retenu.*

Toutefois Demeter ne paraît pas remarquer mon comportement vif et tenace. Elle retourne à son clavier. Vite, je dois trouver un autre sujet. Avant qu'elle recommence à pianoter, j'improvise :

— Tu es allée dans ce nouveau restaurant de Marylebone ? La cuisine fusion anglo-népalaise ?

Je parle du restau le plus branché du moment. Question piège. Demeter tombe dedans.

— En effet, oui. J'y suis allée il y a deux semaines. Et toi ?

Moi ?

Elle s'imagine quoi ? Que je peux dépenser 25 livres pour un plat de boulettes ?

Mais pas question d'avouer : *Non, j'ai juste lu un compte-rendu sur un blog parce que c'est la seule chose que je peux me permettre. Londres arrive sixième au classement des villes les plus chères de la planète, au cas où tu ne le saurais pas.*

(Un côté positif quand même : Londres est moins chère que Singapour. D'où la question : peut-on seulement imaginer vivre à Singapour ?)

— C'est dans mes projets, je réponds au bout d'un moment. Tu en penses quoi ?

— Que du bien. Les tables sont fabriquées par des artisans à Katmandou. Et la nourriture n'est pas banale. Naturelle. Très authentique. Et entièrement bio, bien sûr.

— Bien sûr, j'approuve sur le même ton sérieux.

À mon avis, si Demeter devait inscrire sa religion sur un questionnaire, elle écrirait « Bio ».

Je continue :

— Leur chef arrive de chez Sit, Eat, non ? Il n'est pas népalais.

— Non, mais il a un conseiller qui vient du Népal. Et lui-même y a passé deux ans.

Demeter me jette un regard scrutateur.

— Tu t'y connais en restaurants, dis-moi !

— J'adore ça.

C'est la pure vérité. Je dévore les critiques gastronomiques comme d'autres les horoscopes. Je garde même dans mon sac la liste de tous les bons restaurants où j'aimerais aller. Je l'ai dressée un jour pour rigoler avec ma copine Fi. Et je la conserve comme un talisman.

— Ton opinion sur Salt Block ? me demande Demeter comme pour me tester.

— Il faut absolument commander les oursins, je rétorque.

Je l'ai lu quelque part. Dans tous les articles, dans tous les blogs, il n'est question que de leurs oursins.

— Ah oui, acquiesce Demeter. Je suis au courant. J'aurais dû choisir ça.

Je vois qu'elle est agacée, ma boss. Il va falloir qu'elle retourne chez Salt Block pour goûter leur spécialité.

Elle me lance un de ses coups d'œil pénétrants avant de retourner à son ordinateur en annonçant :

— La prochaine fois qu'on a un budget bouffe, je te mets dessus.

Une sensation de délice incrédule s'empare de moi. Est-ce sa façon de manifester son approbation ? *Est-ce le début de quelque chose ?*

Le moment est venu de me placer.

— J'ai participé à l'opération de relance de The Awesome Pizza Place à Birmingham, je dis.

Ce détail figure sur mon CV mais Demeter l'a oublié.

— Birmingham, répète-t-elle distraitement. Tu n'as pas l'accent de là-bas.

Ah non ! Encore cette histoire d'accent provincial qui revient sur le tapis. Je n'en peux plus. Mais on s'en fout, d'où je viens ! Désormais, je suis londonienne.

— Je suppose que je n'attrape pas les accents.

J'espère que le sujet est clos parce que je refuse de parler de mes origines. Ce que je veux, c'est profiter de l'occasion pour avancer.

— Euh, tu sais, Demeter, le budget Wash-Blu qu'on essaie d'avoir ? Eh bien, sur mon temps libre, j'ai fait quelques maquettes pour le nouveau logo et le conditionnement. Je peux te les soumettre ?

— Évidemment, fait-elle avec un hochement de tête encourageant. Bravo ! Envoie-moi ton matériel par mail.

Elle réagit toujours de cette manière. Dit toujours « Envoie un mail » avec beaucoup d'enthousiasme. On le fait et on n'en entend plus parler.

— Très bien. Ou je peux même te les montrer tout de suite.

— Maintenant ? demande-t-elle mollement, en attrapant un dossier.

Elle veut de l'obstination, n'est-ce pas ? Je pose avec précaution le matériel de teinture et me dépêche d'aller chercher mes œuvres.

— Alors, ça, c'est le devant de la boîte, j'explique en posant l'impression devant elle. J'ai revu le design des lettres tout en gardant le bleu d'origine…

Son portable sonne.

— Coucou, Roy ! J'ai eu ton message. Attends, je vais noter…

Elle attrape ma page et gribouille un numéro au verso.

— 18 heures. Oui, absolument.

Elle repose le téléphone, plie machinalement le papier en quatre et le fourre dans son sac. Tout d'un coup, elle réagit :

— Oh, désolée ! C'est à toi. Ça ne t'ennuie pas que je le garde ? C'est un numéro super important.

Je sens ma tension grimper. Comment réagir ? Il ne s'agit pas de n'importe quel bout de papier merdique. C'est ma maquette. Le fruit de mon travail. Dois-je dire quelque chose ? Me défendre ?

J'ai le moral dans les chaussettes. Je me sens tellement bête. Je croyais qu'un lien se créait entre nous, qu'elle m'avait enfin remarquée…

— Merde ! s'exclame soudain Demeter, interrompant le fil de mes pensées. Merde !

Elle regarde son écran d'un air consterné et, sans préavis, repousse son fauteuil à roulettes qui vient cogner dans mes jambes.

— Aïe !

Elle est sans doute trop agitée pour entendre mon cri de douleur, parce qu'elle jette un œil à la cloison de verre du bureau puis baisse la tête.

— Que se passe-t-il ? je m'inquiète.

— Alex va arriver, dit-elle en guise d'explication.

— Alex ? je répète comme un perroquet. Qui est Alex ?

— Il vient de m'envoyer un mail. Impossible qu'il me voie dans cet état, gémit-elle.

La couleur doit poser encore cinq minutes.

— Va l'attendre devant l'ascenseur, m'ordonne-t-elle. Arrête-le.

— Mais je ne sais pas qui c'est.

Demeter s'impatiente :

— Tu le reconnaîtras. Dis-lui de revenir dans une demi-heure. Ou de m'envoyer un mail. Mais ne le laisse pas arriver jusqu'ici, ajoute-t-elle, les mains en l'air comme pour protéger sa tête.

— Et ta teinture ?

— C'est bon. Je vais la rincer dans un moment. Allez, vas-y. *Go !*

Sa panique est contagieuse. Je me propulse dans le couloir en mode hyper vigilance. Et si je n'interceptais pas cet Alex ? Si je ne le reconnaissais pas ? D'ailleurs c'est qui, ce type ?

Je me poste devant la porte de l'ascenseur et j'attends. La première fournée comporte Liz et Mark qui me lancent au passage de drôles de regards. L'instant suivant, un autre ascenseur descend au rez-de-chaussée sans s'arrêter. Le troisième stoppe à notre étage et… *Ding !* La porte coulisse. Le grand mec mince qui en sort, je ne l'ai jamais vu de ma vie. Mais Demeter a raison : je sais au premier coup d'œil. C'est lui.

Il a les cheveux bruns, d'une belle nuance châtain profond. Environ trente ans, avec un de ces visages ouverts et agréables dont les hommes aux pommettes hautes et au large sourire sont dotés. (Il ne sourit pas, mais je devine qu'il doit le faire franchement, en dévoilant des dents superbes.) Il porte un jean, une chemise parme. Ses bras sont chargés de boîtes imprimées de caractères chinois.

— Vous êtes Alex ?

— Je plaide coupable ! Et vous êtes… ?

— Euh… Cat.

— Bonjour, Cat !

Ses yeux bruns me détaillent avec intensité. Comme s'il voulait obtenir le maximum d'informations sur moi en un minimum de temps. Si je n'étais pas en mission, je me sentirais mal à l'aise.

— J'ai un message de la part de Demeter. Elle aimerait que vous reveniez dans une demi-heure. Ou que vous lui envoyiez un mail. Là, maintenant, elle ne sait plus… Elle est un peu… débordée.

J'ai failli dire *Elle ne sait plus où donner de la tête*. Du coup, je laisse échapper un petit ricanement.

— Qu'est-ce qu'il y a de drôle ? s'enquiert-il instantanément.

— Rien.

— Si ! Vous étiez sur le point d'éclater de rire. C'était quoi, la blague ?

— Aucune blague. Donc, voilà le message.

— Attendre une demi-heure ou envoyer un mail ?

— Exact.

— Hum !

Il semble réfléchir avant de déclarer :

— Le problème, c'est que je ne veux ni attendre ni envoyer de mail. Je vais voir ce qu'elle fabrique.

À ma grande terreur, il emprunte le couloir qui mène à notre bureau. Je me précipite, le dépasse par la droite et me plante devant lui.

— Non ! Elle ne peut pas… Vous ne pouvez pas…

Quand il fait mine de me contourner, je lui bloque le passage. Il essaie de se dégager de l'autre côté, mais je l'en empêche, mains en avant, en prenant instinctivement une posture de défense d'experte en arts martiaux.

Alex est proche du fou rire.

— On frôle le ridicule, là. Vous faites partie des forces spéciales ou quoi ?

Je pique un fard mais maintiens ma position.

— Ma boss ne veut pas être dérangée.

— Quel chien de garde, ma parole ! lance-t-il en m'examinant avec un intérêt accru. Vous n'êtes pas son assistante ?

— Non. Je suis attachée au service de la recherche. Attachée, pas stagiaire.

— Félicitations !

Il a l'air tellement impressionné que je me demande s'il n'est pas lui-même stagiaire.

Non. Trop vieux. Et Demeter ne perdrait pas son temps à voir un stagiaire.

— Et vous, vous faites quoi ?

— Un peu de tout, répond-il vaguement. J'ai travaillé au bureau de New York.

Tout d'un coup, sans crier gare, il essaie de me doubler. Mais je lui barre le chemin.

— Pas mal ! rigole-t-il.

Il commence à m'énerver sérieux, ce type.

— Écoutez, je ne sais pas qui vous êtes ni ce que vous voulez à Demeter. Mais je vous le répète : elle est hyper occupée. Compris ?

Après un instant de silence, il me regarde en souriant – et j'avais raison : son sourire est éclatant. À vrai dire, il est terriblement séduisant. L'admettre me fait piquer un nouveau fard.

— Ce que je suis idiot ! dit-il soudain en se fendant d'une sorte de petite révérence. Au fond, pas besoin de Demeter. Pardonnez mon impolitesse. Si ça peut vous consoler, vous avez gagné.

— D'accord, j'admets avec raideur.

— Mais oui, pas besoin de Demeter puisque je vous ai. Je veux faire des tests et vous êtes dans l'équipe adéquate. C'est idéal.

— Quoi ?

— On a du travail ! s'exclame-t-il en brandissant les boîtes aux caractères chinois.

— Quoi ?

— Vingt minutes de votre temps, pas plus. Demeter est tellement prise qu'elle ne s'apercevra même pas de votre absence. Allons-y !

— On va où ?

— Sur le toit.

3

Je ne devrais pas être là. Purement et simplement. Il y a un million de raisons pour lesquelles je n'aurais pas dû monter sur le toit en compagnie d'un dénommé Alex dont j'ignore absolument tout. Et cependant, si je me trouve au sommet de l'immeuble, au milieu des toitures de Chiswick, en frissonnant légèrement, c'est qu'il y a trois bonnes raisons.

1. Si on devait se bagarrer, je serais en mesure de le neutraliser. Enfin, dans le cas où il serait du genre psychopathe.
2. Je meurs d'envie de savoir ce que ces boîtes chinoises renferment.
3. Entreprendre quelque chose qui n'a rien à voir avec des questionnaires sur le café ou la teinture des cheveux est tellement attrayant qu'il m'est impossible de résister. J'ai l'impression qu'on a ouvert la porte de ma cellule, fait entrer un rai de lumière et qu'on m'a demandé si je voulais faire un tour à l'extérieur.

Quand je dis l'extérieur, ça l'est vraiment. Aucun abri sur cette terrasse. Seulement une rampe de protection métallique le long du bord et quelques petits murs de ciment çà et là. Le vent cinglant de décembre souffle dans mes cheveux et glace mon cou. L'atmosphère a des reflets bleus à cause du froid. À moins que ce ne soit le contraste entre le ciel d'hiver et les immeubles éclairés qui nous entourent.

De mon perchoir, je peux voir ce qui se passe dans l'immeuble de bureaux voisin du nôtre. Spectacle fascinant. D'abord, au lieu d'être moderne, c'est un bâtiment à l'ancienne avec des corniches et des fenêtres classiques. Une fille en veste marine se peint les ongles mais s'arrête de temps à autre pour faire semblant de taper. Un type en costume gris s'est endormi sur sa chaise. Dans une pièce adjacente, une réunion plutôt animée a lieu autour d'une grande table. Une femme en uniforme sert le thé tandis qu'un type âgé passe un savon à l'assemblée et qu'un autre ouvre la fenêtre comme si l'ambiance surchauffée avait besoin d'être rafraîchie. Quel genre d'entreprise est-ce ? Sûrement plus empesée que Cooper Clemmow. Peut-être un institut royal de quelque chose.

Un bruit derrière moi m'incite à me retourner. C'est Alex qui entaille une boîte avec un canif.

— Les vider, c'est ça le boulot ?

— Ce sont des jouets, marmonne-t-il, le couteau entre les dents le temps de vider la boîte de son contenu. Des jouets pour adultes.

Des jouets pour adultes ?

Cinquante nuances de bleu sur le toit. Je suis dans de beaux draps. Dans une seconde, il va m'attacher à la rampe. Il faut que je me taille vite fait…

Il se marre franchement.

— Pas ce genre de jouets pour adultes ! Des vrais jouets, pour s'amuser. Mais destinés aux grandes personnes.

Il sort un objet en plastique muni d'une corde en plastique vert fluo.

— Voilà un diabolo, si je ne me trompe pas. Vous savez, les toupies… Et puis…

Il extirpe d'une autre boîte des tubes d'acier qui ressemblent à des télescopes.

— Je crois qu'ils s'ajustent. Oui. Ce sont des échasses.

— Des échasses ?

— Regardez !

Il déplie un tube, installe le cale-pied et précise :

— Des échasses pour adultes. Vous voulez essayer ?

— Quel est le but de ces joujoux ?

Je monte sur les échasses qu'il me tend, vacille et dégringole.

— Ces jouets font un vrai tabac en Asie. Ils sont censés être l'antidote au stress moderne. Le fabricant veut les diffuser dans le monde entier. Ils ont engagé Sidney Smith. Vous connaissez ?

Je hoche la tête. Je ne connais pas précisément cette agence mais je sais qu'elle est notre rivale.

— Quoi qu'il en soit, ils nous ont aussi demandé d'intervenir. À moi la tâche d'inspecter les produits à la loupe. Vous en pensez quoi jusqu'à maintenant ?

— Difficile, je dis en dégringolant pour la troisième fois. Plus dur que ça n'y paraît.

— Entièrement d'accord.

Il s'approche de moi sur une autre paire d'échasses. Pour ne pas tomber, nous sommes obligés de faire sans arrêt des petits pas de danse, d'avant en arrière.

— Mais j'aime bien la sensation d'être en hauteur, j'ajoute. C'est cool.

— Pratique pour voir par-dessus la tête des gens. Des échasses à utiliser dans les fêtes. C'est une idée, ça !

Il s'efforce de se tenir sur une seule échasse, chancelle et perd l'équilibre.

— Merde ! Impossible de tenir là-dessus après quelques bières. On peut danser sur ces échasses ?

Il lève une jambe et trébuche.

— Non. Et puis où met-on sa bière ? Où est le porte-gobelet ? Voilà un défaut majeur.

— Ils n'y ont pas pensé, je commente.

— Ils n'ont pas vu le potentiel complet.

Il replie les échasses et annonce :

— OK, jouet suivant.

— Comment se fait-il qu'ils vous aient chargé en particulier de ce travail ? je demande en repliant les miennes.

— Sans doute parce que je suis le plus immature de toute la bande, explique-t-il en riant.

Il examine le contenu d'une autre boîte.

— Tiens, un drone.

Le drone ressemble à un tout petit hélicoptère militaire, avec une télécommande de la taille d'un iPad. Il doit comporter des piles de démonstration car Alex le fait aussitôt voler vers moi. Je l'évite en poussant un petit cri.

— Pardon ! Je n'ai pas encore le coup de main !

Il presse un bouton de la télécommande et le drone s'illumine comme un vaisseau spatial.

— Génial ! Et il y a une caméra. Regardez l'écran.

Il renvoie le drone dans les airs et nous observons les toits de Chiswick s'éloigner de plus en plus.

— Avec un de ces engins, on peut voir le monde entier, s'enthousiasme Alex en lui faisant faire des loopings. Le nombre d'aventures qu'on peut vivre ! Survoler toutes les églises d'Italie, tous les arbres de la forêt d'Amazonie…

— Des aventures virtuelles, je corrige. On n'est pas sur place. On n'a pas de sensations, pas d'odeurs…

— Je n'ai pas dit que c'était parfait. J'ai seulement parlé d'aventures.

— Mais est-ce que planer à distance constitue une aventure ?

Alex ne répond pas. Il ramène le drone vers le toit, éteint les lumières et le fait voler en direction de l'immeuble voisin.

— Personne ne l'a remarqué ! s'exclame-t-il alors que l'appareil flotte devant la fenêtre de la salle de réunion. Regardez, on peut les espionner.

D'une pichenette sur la télécommande, la caméra est dirigée vers la table.

— On peut faire mieux !

Toujours derrière la vitre, la caméra zoome sur des papiers étalés sur la table.

— Vous ne devriez pas, je proteste. C'est indiscret. Ça suffit !

Il me regarde avec une expression à la fois espiègle et contrite.

— Vous avez raison. On arrête. Jouons franc jeu !

Il rallume les lumières de l'hélicoptère dont les signaux rouges et blancs clignotent en cadence et le manœuvre avec précaution à travers l'ouverture de la fenêtre.

— Stop ! Vous n'allez quand même pas…

Mais le drone a déjà pénétré dans la salle de réunion.

Pendant quelques secondes, l'engin passe inaperçu. Jusqu'à ce qu'un homme en complet bleu marine, puis une femme d'un certain âge lèvent les yeux. Bientôt tous les gens présents montrent du doigt l'objet volant. Leurs visages sidérés s'affichent sur l'écran. Je réprime un éclat de rire. Penchés à la fenêtre, deux personnes inspectent la rue mais pas un regard ne se dirige vers nous.

— Ils avaient l'air nerveux. Nous les avons distraits. C'est un service qu'on leur a rendu.

— Et s'ils étaient au milieu d'une réunion vraiment importante ?

— Mais non ! Aucune réunion n'est importante. Regardez, il y a un micro. On peut écouter ce qu'ils disent.

Soudain les voix des gens réunis en face sortent du micro de la télécommande.

— Cet engin est en train de nous filmer ? panique une femme.

— C'est chinois, fait remarquer un homme. Regardez les lettres. Elles sont chinoises.

— Cachez vos visages ! ordonne une femme. Vite !

— Trop tard, glapit une fille. Il a vu nos visages.

— Ce n'est pas nos visages qu'on devrait cacher mais les minutes de la réunion, objecte un homme.

— Ce ne sont que des brouillons, précise une blonde en posant quand même ses deux bras sur des rapports.

Un type en bras de chemise monte sur une chaise et tente d'attaquer le drone avec une feuille de papier roulée.

— Tu as tort, mon vieux ! réplique Alex en pressant un nouveau bouton.

Aussitôt l'engin envoie des jets d'eau sur le type et j'étouffe un rire en plaquant ma main sur ma bouche.

— D'accord, ce bouton-là était pour l'eau. Et celui-ci ?

Il appuie sur un autre et des bulles de savon jaillissent du drone.

Le type saute de sa chaise comme si on l'attaquait et se met à combattre frénétiquement les bulles. Je rigole si fort que mon nez me fait mal. Les gens gesticulent comme des dingues pour éviter les bulles qui ont envahi la pièce.

— Je crois que nous avons assez torturé ces braves gens.

Sur un côté de la télécommande, il trouve un minuscule micro attaché à un fil. Il le tire, le place devant sa bouche et me fait signe de la boucler.

— Attention, dit-il à la façon d'un pilote de la Royal Air Force de la Seconde Guerre mondiale. Je répète : attention, attention.

Sa voix sort du drone. L'effet sur les gens est immédiat. Ils se figent, apeurés, et fixent l'engin.

— Pardon pour le désagrément, annonce Alex du même ton officiel. Le service normal va reprendre très vite. *God Save Our Gracious Queen…*

Incroyable mais vrai ! Il entonne notre hymne national.

— Levez-vous ! aboie-t-il dans le micro.

Un homme et une femme s'exécutent à moitié avant de se rasseoir, l'air gêné.

Je me tiens le ventre pour ne pas hurler de rire.

— Je vous remercie infiniment, conclut Alex en pilotant habilement le drone pour le faire sortir.

Bientôt, l'engin est hors de vue. Les participants à la réunion se pressent à la fenêtre pour voir où il a disparu. Alex me fait signe de me cacher derrière un muret. Quelques instants plus tard, le drone se dirige tranquillement vers nous, toutes lumières éteintes. À l'évidence, personne de l'autre immeuble n'a la moindre idée de l'endroit où il a filé. Après quelques minutes, chacun regagne sa chaise. Je croise le regard d'Alex en secouant la tête et lui lance :

— Vous êtes vraiment incroyable !

— Cette histoire les a divertis. À leur prochain dîner en ville, ils auront une anecdote à raconter. Alors, votre opinion ? demande-t-il après avoir posé le drone bien en évidence.

— Formidable !

— Je trouve aussi.

Il ouvre une autre boîte.

— Et ça ! Des bottes à ressorts pour sauter.

— Une folie ! Mais ça n'est pas dangereux ?

— Et ici nous avons… des raquettes de tennis et des balles phosphorescentes pour jouer la nuit. Hilarant !

— Quel budget passionnant ! je m'exclame, emballée.

— Sans doute. Encore que rien n'est simple. Nous avons déjà travaillé avec Sidney Smith. Ça ne s'est pas bien passé. Nous devons réfléchir sérieusement avant de nous engager.

Il fait claquer ses doigts distraitement avant de se reprendre :

— Peu importe, ce sont d'excellents produits.

Et, inspectant la raquette jaune fluo qui brille dans le noir, il ajoute :

— Je suis amoureux de cette raquette.

J'ose un vieil adage :

— Le cœur a ses raisons que la raison ne connaît pas.

— Exactement. La raison et les sentiments ne vont pas bien ensemble, n'est-ce pas ?

Sur ces mots, il commence à aller et venir sur le toit en jouant avec la raquette. Un coup d'œil en douce sur ma montre. Punaise ! Je suis là depuis vingt-cinq minutes.

— En fait, je dois retourner à mon bureau, je dis gauchement. Une tonne de boulot m'attend…

— Bien sûr, fait-il avec son sourire éclatant. Je vous ai gardée trop longtemps. Toutes mes excuses. Je vais rester un peu pour inventorier les boîtes restantes. Désolé, je suis vraiment stupide, mais impossible de me rappeler votre nom. Moi, c'est Alex.

— Moi, c'est Katie. Enfin, non, Cat !

— OK ! Eh bien, content d'avoir passé du temps avec vous Katie-Cat. Merci pour votre aide.

— Non, c'est Cat, je corrige, horriblement gênée. Simplement Cat.

— Bien reçu ! À un de ces jours, simplement Cat ! Dites bonjour de ma part à Demeter.

— Je n'y manquerai pas. Au revoir.

Au moment de partir, j'hésite. Ce mec est tellement cool, tellement ouvert. Et puis j'ai besoin d'un conseil. Je me lance :

— Vous m'avez dit que vous avez fait un peu de tout à l'agence. Vous avez déjà travaillé avec Demeter ? Elle a été votre boss ?

Alex arrête d'agiter sa raquette et me regarde avec attention.

— Oui, c'est arrivé.

— Quand j'essaie de lui présenter mes idées, elle ne percute pas et…

— Vos idées ?

— Oui. Des maquettes. Des ébauches de concepts, j'explique, plutôt mal à l'aise. Des projets sur lesquels j'ai travaillé pendant mon temps libre, vous voyez ?

— Je vois.

Après une minute, il reprend :

— Voici mon conseil. Il est inutile de parler à Demeter d'idées aléatoires. Surtout comme ça, au hasard. Elle est pragmatique. Il faut choisir son moment. Lui soumettre la bonne idée à l'instant où elle en a vraiment besoin. Dans les réunions de brainstorming, faites-vous entendre. Exposez votre point de vue.

— Mais je ne suis pas conviée à ces réunions. Je n'ai pas assez d'expérience.

— C'est vrai ? Il faut pourtant que vous y assistiez.

— Impossible ! Jamais Demeter ne m'y autorisera.

— Bien sûr que si ! s'exclame-t-il en riant franchement. Demeter a une qualité : elle pousse en avant les juniors de son équipe.

Il est tombé sur le crâne ou quoi ? L'image d'une Demeter écrasant les doigts de Rosa avec des escarpins Miu Miu se profile devant mes yeux. Mais pas question de le contredire alors qu'il tente de m'aider.

— Il suffit de lui demander, insiste-t-il.

Son assurance est contagieuse.

— Très bien, je dis. Je vais le faire. Merci !

— Pas de quoi. À bientôt, Cat. Ou Katie. Katie vous va mieux, fait-il remarquer en reprenant ses mouvements de raquette. À mon humble avis.

Comme je ne sais pas quoi répondre, je me contente de hocher la tête et d'aller vers l'escalier. J'ai déjà pris assez de retard comme ça.

Dans son bureau, je trouve Demeter, cheveux lavés, en train de taper vigoureusement sur son clavier.

— J'ai été retardée, pardon. Je viens juste récupérer mon ordi…

— Très bien, répond-elle machinalement.

Je prends mon laptop, mon dossier, et je réalise que c'est maintenant ou jamais. Avec toute l'énergie dont je suis capable, je me lance :

— Demeter, je peux venir à la réunion de l'équipe demain ? Pas plus d'une heure. Ce serait bon pour ma formation. Et je me rattraperai dans mon travail.

Ma boss lève la tête et m'étudie pendant une nanoseconde.

— D'accord, acquiesce-t-elle. Bonne initiative.

Et elle retourne à son clavier.

Je suis stupéfaite. Ai-je sauté une marche ? Mal compris ? Elle a dit « Bonne initiative » ? Juste comme ça ?

— Il y a autre chose ? demande-t-elle.

Cette fois, j'ai l'impression qu'elle fronce les sourcils.

— Non, non. Merci ! Ah, si ! Je me suis débarrassée de ce mec, Alex, j'ajoute, les joues soudainement écarlates. Enfin, je ne m'en suis pas débarrassée à proprement parler. Je ne l'ai pas balancé du toit.

Et me voilà partie d'un rire aigu que je transforme immédiatement en toux forcée.

(Note pour moi-même : *Ne jamais rire à côté de Demeter. Demeter ne rit jamais. En est-elle seulement capable ?*)

— Oui, pigé. Merci.

Son expression m'indique clairement que *je dois débarrasser le plancher en vitesse.* Alors je dégage avant qu'elle change d'avis sur ma présence à la réunion.

En regagnant mon poste de travail, j'ai envie de hurler ma joie. Ça y est ! *Je suis sur la vague.* Peu m'importe de rentrer des millions de questionnaires maintenant que j'ai le sentiment de surfer.

Je vérifie ma boîte mail – même si généralement elle ne comporte rien d'excitant – et m'y reprends à deux fois. Il y a un nouveau message.

Objet : Salut ! C'est Alex.

Sympa d'avoir fait votre connaissance. Libre demain à l'heure du déjeuner ? Pour parler image de marque, problèmes existentiels et autres.

Alex

Quelle journée de rêve ! Je suis sur un nuage.

J'aimerais beaucoup. Où ça ? Au fait, Demeter est OK pour la réunion.

Cat

À peine le mail envoyé, la réponse arrive.

Pas perdu de temps. Bravo !

On se retrouve à 13 heures à Turnham Green, sous le chapiteau de la « Magie de Noël ». Partante pour grignoter un truc ?

Alex

Grignoter un truc. En relisant ces mots encore et encore, je me laisse aller à rêver, avec prudence. Un truc à grignoter. Ça signifie…

Bon, ça ne signifie rien de précis mais…

Il aurait pu dire « J'ai retenu au Old Kent Road ». (Toutes les salles de réunion chez Cooper Clemmow portent des noms empruntés au Monopoly anglais parce que ce jeu de société a été le premier client d'Adrian.) J'aurais trouvé ça normal. Mais il suggère qu'on aille grignoter un truc. C'est un genre de rendez-vous garçon-fille. En quelque sorte. Ouais.

Il m'invite à déjeuner ! Un mec super beau et super cool m'invite à déjeuner.

Joie ! Allégresse ! Je revois son regard pénétrant, ses grandes mains toujours en mouvement, son rire contagieux. Son sourire éclatant. Ses cheveux ébouriffés par la brise sur le toit. Obligée d'admettre qu'il me plaît. Et je dois aussi lui plaire, sinon il ne m'aurait pas répondu aussi vite.

Sauf si…

Mes pensées positives stoppent net. Imaginons qu'il invite plein d'autres gens ? Je les vois déjà autour d'une table, buvant, riant, se lançant des plaisanteries qu'eux seuls peuvent comprendre.

De toute façon, je ne le saurai qu'en y allant. Alors…

— Quoi de neuf ? fait Flora en arrivant vers moi, un mug de thé à la main.

— Rien, je réponds, pourtant consciente d'afficher une expression bêtement rayonnante.

J'adore Flora mais elle est la dernière personne avec laquelle j'ai envie de partager cette info. Elle le raconterait à tout le monde, elle me taquinerait et, quelque part, tout serait gâché.

À la place, je lui annonce que je vais assister à la réunion de groupe demain.

— Demeter est d'accord. C'est top.

— Cool ! Et tes horribles questionnaires, ça roule ? Quelle garce, Demeter, de t'avoir chargée de ça.

— Oh, c'est pas si terrible.

Désormais, rien ne peut entamer ma bonne humeur, pas même un carton bourré de questionnaires.

— À tout', dit Flora.

Elle s'est à peine éloignée de deux pas que je lance, l'air aussi décontracté que possible :

— Je viens de faire la connaissance d'un dénommé Alex. Je me demande ce qu'il bricole au juste. Tu le connais ?

Flora me regarde en fronçant les sourcils.

— Alex ? Alex Astalis ?

Je me rends compte que je n'ai même pas regardé son nom de famille sur son mail.

— Oui, peut-être. Un grand mec brun...

— Alex Astalis, ricane-t-elle. Tu as rencontré Alex Astalis et tu te demandes « ce qu'il bricole au juste » ? Alors je te réponds : c'est un associé.

Je tombe de ma chaise.

— Il est quoi ?

— Alex Astalis, répète Flora comme pour réveiller ma mémoire. *Tu sais bien !*

— Jamais entendu parler de lui, je proteste.

— Comme il a travaillé à l'étranger, je suppose que... Mais tu as sûrement entendu le nom d'Astalis.

— Astalis comme...

— Yep ! Aaron Astalis est son père.

— D'accord !

Je suis légèrement ébranlée. Parce que Astalis, dans sa catégorie, c'est aussi connu que Moulinex ou Bic dans les leurs. Astalis = une des agences de pub les plus puissantes du monde. Et Aaron Astalis = un type immensément riche qui a révolutionné la publicité dans les années 1980 et qui sortait l'an dernier avec un supermodel.

— Waouh ! je murmure. Comment elle s'appelait déjà ?

— Olenka.

— C'est ça.

Flora a tout de suite pigé que je parlais de ce supermodel. Géniale, ma copine !

— Donc Alex est son fils et notre boss. Enfin, l'un d'entre eux. Il est au niveau d'Adrian.

J'avale une grande rasade d'eau en m'efforçant de rester zen. Mais intérieurement je pousse des cris de joie. C'est à moi que ça arrive ? Moi qui vais déjeuner avec un beau mec cool qui est également le boss ? C'est complètement surnaturel. Comme si la Vie, devant mes cartons de questionnaires, s'était écriée : « Navrée de t'avoir flanqué ce boulot merdique. Voilà une récompense pour me faire pardonner. »

— Mais il est tellement jeune, je balbutie au lieu de la boucler.

Ma remarque a le don d'agacer Flora.

— Écoute, le mec est une sorte de génie. Jamais mis les pieds à la fac. Il a bossé avec Demeter chez JPH quand il avait genre vingt ans. Au bout de cinq minutes, il est parti et s'est installé à son compte. Whenty, c'est lui. Le logo, le principe, tout.

— Vraiment ?

Whenty est la nouvelle carte de crédit qui domine le marché. Une énorme réussite en matière de lancement de marque. Toujours citée, disséquée, encensée dans les conférences sur le marketing.

— Ensuite Adrian l'a engagé chez Cooper Clemmow. Mais il passe son temps à l'étranger. Il est assez... Comment dirais-je ? Tu vois...

Elle fronce le nez.

— Je vois quoi... ?

— Il se croit supérieur à tout le monde, il est assez arrogant.

— Ah bon ?

Voilà qui ne ressemble pas au garçon que j'ai rencontré.

— Il est venu une fois à une soirée chez mes parents. Eh bien, il m'a à peine adressé la parole.

— Oh, c'est nul ! je m'exclame, par sympathie.

— Il n'a fait que parler d'astrophysique à un vieux schnock.

Nouveau froncement de nez.

— Archi-nul ! je renchéris.

— Au fait, pourquoi tu te renseignes sur lui ?

— Pour rien. Je ne savais pas qui il était. C'est tout.

4

Je suis sur le chemin du retour. Rien ne peut altérer mon humeur de rose. Ni la pluie qui redouble de force. Ni le bus qui m'éclabousse entièrement en roulant dans une flaque. Ni les moqueries d'une bande de garçons quand j'essore tant bien que mal ma jupe trempée.

En ouvrant la porte de l'appart, je ne peux pas m'empêcher de chantonner. Demain je suis invitée à déjeuner ! Demain j'assiste à une réunion ! Le bonheur…

Tout d'un coup, un objet pointu vient heurter violemment mon tibia.

Quoi ? Qu'est-ce ?

Une haute rangée de cartons tapisse un mur entier de notre entrée. Je me fraie un passage avec difficulté. On se croirait dans un entrepôt d'Amazon. C'est quoi, ce bazar ? Une étiquette indique que le destinataire est Alan Rossiter. Je soupire. Typique de lui.

Alan est un de mes colocs. Créateur de sites internet. Malade des vlogs de fitness. Me saoule d'informations « fascinantes » sur la définition musculaire, la densité osseuse et même – une seule fois – sur la fonction de l'intestin. Beurk !

Je cogne à sa porte.

— Alan, c'est quoi ce foutoir dans l'entrée ?

La porte s'ouvre et il me contemple du haut de son imposante stature. (Il est très grand, Alan, mais comme sa tête est énorme, il ne paraît finalement pas si immense que ça. Pour tout dire, il a une drôle de dégaine.) Il est en short et maillot de corps noir, un écouteur vissé à l'oreille. On le croirait sorti d'une des applis style « Maîtrise ton corps. Maîtrise le monde » auxquelles il a un jour essayé d'adhérer.

— Quoi ?

— Ces cartons. C'est à toi ? Tu imagines en cas d'incendie ?

— C'est de la poudre.

De la poudre ? Des cartons de poudre ? Il stocke des kilos de poudre dans notre appart ? Malade, le mec.

— Ouais, de la protéine en poudre.

Il fouille dans un carton ouvert et me balance un sachet en plastique. Je lis : « Protéine de lait bio, parfum vanille ».

— Maintenant, je comprends. Mais pourquoi un tel stock ?

— Business plan d'enfer. Achat en gros. Profit important. Super affaire.

Il frappe sa paume de son poing et je sursaute. Il a toujours cette manière de s'exprimer agressive qu'il croit « motivante ». Quand il soulève ses haltères, je l'entends quelquefois s'encourager à grands coups de : « Allez, connard ! » « Plus fort, tête de nœud ! »

Quand même ! Tête de nœud ? Vous trouvez que c'est motivant ?

— Quel business ? Tu es créateur de sites, non ?

— Et distributeur de protéine en poudre. Pour le moment, c'est un à-côté, mais ça va faire un malheur.

Ça va faire un malheur. Combien de fois ai-je entendu mon père prononcer cette phrase ? Son affaire de cidre allait faire un malheur. Elle a duré six mois. Il y a eu ensuite les cannes sculptées à la main – mais, vu les frais de fabrication, le profit s'est avéré nul. Et puis la commercialisation de pièges à souris que lui refilait son copain Dave Yarnett pour pas cher. (*Atroce !* À choisir, je préfère le cidre aux souricières.)

De ce fait, j'ai développé une intuition infaillible pour ce genre de choses. Et mon instinct me dit que la poudre d'Alan ne fera pas un malheur.

— Tu vas enlever ces cartons bientôt, j'insiste.

Au fond, je ne devrais sans doute pas me montrer si désagréable. Il a peut-être une liste d'attente d'acheteurs et ce fourbi aura disparu dès demain.

— Je vais les vendre, dit-il sans me regarder. Prendre des contacts.

Je le savais !

— Alan, tu ne peux pas garder ces cartons dans l'entrée.

— Pas de place dans ma chambre, grogne-t-il. J'ai mon banc de musculation. Salut !

Avant que je puisse répliquer, il disparaît dans son antre. Au lieu de l'agonir d'injures, je vais frapper à la porte d'Anita, mon autre coloc.

Anita est une fille canon. Mince, posée, bossant dans une banque d'investissement. Comme nous avons exactement le même âge, j'étais super excitée quand j'ai emménagé. Je me disais *Une nouvelle meilleure amie ! C'est vraiment cool.* Et donc le premier soir, je me suis attardée dans la cuisine sous prétexte de ranger mes produits sur mon étagère, en attendant qu'elle apparaisse et qu'on commence à papoter.

Mais quand elle est venue se préparer un thé à la menthe, elle m'a regardée froidement et m'a dit :

— Ne le prends pas mal, mais j'ai décidé de ne pas me faire d'amis avant mes trente ans.

J'en suis restée comme deux ronds de flan et je n'ai rien trouvé à répondre. En effet, je n'ai jamais eu de vraie conversation avec elle. Elle ne fait que travailler ou téléphoner à sa famille à Coventry. Elle est polie et il lui arrive de nous envoyer des mails, à Alan et à moi, à propos du ramassage des ordures, mais pas plus. Je lui ai demandé un jour pourquoi elle vivait dans un appart bon marché comme le nôtre alors qu'elle pourrait certainement s'offrir quelque chose de mieux. En haussant les épaules, elle a répondu : « Je mets de l'argent de côté. J'ai déjà économisé 31 000 livres », comme si c'était évident.

Elle m'ouvre sa porte avec le téléphone à l'oreille.

— Salut. Désolée de te déranger. Tu as vu tous ces cartons ? Tu as fait une remarque à Alan ?

Anita couvre le téléphone de sa main et me dit de sa voix mesurée :

— On m'envoie à Paris pour trois mois.

— Oh !

— Voilà.

Silence. Je réalise tout à coup ce qu'elle pense. Littéralement, c'est : « Je vais à Paris. Alors rien à foutre de ces cartons. »

— D'accord, je dis après un instant. Amuse-toi bien.

Après un bref hochement de tête, elle referme sa porte. Je reste plantée là pendant un moment. La vie en coloc à Londres n'est pas à la hauteur de ce que j'espérais. Je m'imaginais des rigolades à n'en plus finir, des amis loufoques, des anecdotes hilarantes. D'interminables bavardages sur tout et n'importe quoi : les bars, les monuments emblématiques, les fêtes costumées. Ça n'a pas marché comme ça. D'ailleurs, je ne conçois même pas Anita portant un déguisement.

Pour être honnête, il m'est arrivé de passer quelques soirées sympas avec les filles de mon précédent boulot. Bon, ça consistait surtout à boire du prosecco et à proférer des horreurs sur tout le monde. Après quoi j'ai tellement paniqué devant mon énorme découvert bancaire que j'ai évité de sortir pendant quelque temps. Et chez Cooper Clemmow, les gens n'ont pas l'air de se retrouver le soir. À moins que « travailler tard » soit considéré comme « se retrouver le soir ».

Mais peu importe puisque demain je déjeune avec Alex Astalis. Mon moral remonte. La vie est belle. Je vais dîner et aller ensuite sur Instagram…

Quoi ?

À la porte de la cuisine, je reste bouche bée. Il y a un océan de cartons. Le sol en est entièrement recouvert. Deux étages de cartons. Qui bloquent les placards du bas. Le congélateur. Et le four.

— Alan ! je crie, furibarde, en allant tambouriner à sa porte. Qu'est-ce qui se passe dans la cuisine ?

— Eh ben quoi ? rétorque Alan en ouvrant sa porte, la mine belliqueuse. Ça débordait de l'entrée. Mais c'est temporaire. Je vais les vendre.

— Mais…

— C'est mon business, d'accord ? Tu pourrais être plus tolérante !

Et il me claque la porte au nez. Pigé. Pas la peine d'insister. De toute façon, je meurs de faim.

De retour dans la cuisine, j'avance avec précaution sur les cartons du haut, si hauts que ma tête frôle presque le plafond. Je me sens comme Alice au pays des merveilles, version cauchemar. Sans compter que ces cartons présentent un risque d'incendie. Et un risque tout court.

Progressant au péril de mon équilibre sur cette mer de cartons, je me débrouille pour ouvrir le frigo, en sortir deux œufs et les poser sur la plaque de cuisson qui se situe à peu près à la hauteur de mes genoux. Au même instant, je reçois un Instagram de New York, direct de Fi, ma meilleure copine de fac. Ces jours-ci, on n'échange que sur Instagram. Je crois qu'elle a oublié qu'il existait d'autres moyens de communiquer.

Coucou ! Ça boume ? Le soleil brille sur Washington Square Gardens. My God, j'adore cet endroit. C'est fab même en hiver. Suis en train de boire un latte au soja avec Dane et Jonah. Je t'en ai parlé ? Ils sont MARRANTS. Faut que tu viennes !

Elle a joint un selfie, que je suppose pris à Washington Square Gardens. (Je n'ai jamais mis les pieds à New York.) Le ciel est bleu vif et son nez, tout rouge. Elle se tord de rire en regardant hors champ. Je ne peux pas m'empêcher d'avoir un petit pincement au cœur.

Fi a toujours voulu vivre à New York, comme moi à Londres. Au début, on prenait ça à la blague : chacune essayait de persuader l'autre d'échanger sa ville idéale. À un Noël, j'ai offert à Fi une boule à neige avec Big Ben et elle m'a donné une statue de la Liberté gonflable. C'était un jeu.

Mais aujourd'hui, c'est la réalité. Après mon diplôme, je suis venue à Londres en faisant des zigzags tandis que Fi a filé directement à New York pour un stage. Elle y est restée. La ville lui plaît. Elle s'est vraiment trouvé une bande de copains marrants qui vivent dans le West Village, circulent en patins à roulettes et vont au marché aux puces tous les week-ends. Elle n'arrête pas de poster des photos. Elle a même commencé à adopter l'orthographe *made in USA*.

Je suis ravie pour elle. Oui, vraiment. Mais parfois je rêve à ce qu'aurait été notre vie si Fi s'était fixée à Londres. On aurait partagé un appart… Tout aurait été différent… Stop. La mélancolie ne mène nulle part. Je réponds à son message :

Tout baigne. Soirée de fous avec Alan et Anita !!! À Londres on s'éclate !!!

Je me plie en deux pour brouiller mes œufs, au risque de me coller le lumbago du siècle. Au moment où je les saupoudre de poivre de Cayenne…

— Aaaaah !

Je m'entends crier avant de me rendre compte de ce qui arrive. Le couvercle du carton sur lequel je me trouve vient de céder. Résultat : je suis enfoncée à mi-jambes dans les sachets de protéine. Certains ont dû éclater car de la poudre blanche volète partout en dégageant une répugnante odeur de vanille.

— C'est quoi, ce bordel ?

Alan a dû entendre mon cri car il a accouru.

— Tu massacres mes protéines ou quoi ? rugit-il avec un regard menaçant.

— C'est plutôt tes protéines qui me massacrent !

J'ai l'impression de m'être légèrement tordu la cheville. Et une couche de poudre recouvre mes œufs. Dégoûtant ! Impossible pourtant de manger autre chose. Toute ma nourriture est coincée à l'intérieur du congélateur. Et mon estomac crie famine.

Alors que je me tortille pour sortir du carton, le talon de ma chaussure perce un autre sachet. (Inutile d'en informer Alan.) Un nouveau nuage de poudre s'échappe du carton, pas blanc, mais beige, et cette fois le parfum est plus… plus salé.

— Alan, il y a bien seulement des protéines à la vanille là-dedans, n'est-ce pas ?

— Bien sûr.

— Faux. Regarde ce qui est écrit sur celui-là.

Et je brandis le sachet que je viens d'empaler : « Bouillon de poulet en poudre ».

Incrédule, il fixe l'étiquette.

— Noooon ! Putain !

Il ouvre précipitamment un autre carton dont il sort deux sachets qu'il examine avec consternation.

— Encore du bouillon de poulet en poudre ? C'est pas vrai !

Il se met alors à retirer frénétiquement des sachets de différents cartons.

— Protéines… Bouillon… Encore bouillon… Bordel. Non ! Noooon ! crie-t-il, la tête dans les mains.

Il crie comme un gorille qu'on torture.

Protéines ou pas, en ce qui me concerne, c'est pareil.

— Il a dû y avoir une erreur, je dis. Contacte ton fournisseur et fais un échange.

— C'est pas si simple, pleure Alan. Je les ai eus par…

Il s'arrête net et, quant à moi, je n'ai pas envie d'en savoir plus. Pour plusieurs raisons. 1/ Je flaire la combine louche. 2/ Ce n'est pas mon problème. 3/ Je refuse que ça le devienne.

Une fois de plus, Alan me rappelle mon père. Et je connais mon père. Il a le don de vous embringuer dans ses emmerdes, de vous coincer. On se retrouve aussi sec à essayer de vendre par téléphone des sachets de bouillon de poulet dont personne ne veut.

— J'espère que tu vas t'en sortir. Moi, je vais me nourrir.

Après avoir extirpé mon pied du carton, je commence à ramper prudemment, en tenant mon assiette d'œufs brouillés. Je me croirais dans une de ces stupides émissions de télé-réalité basée sur l'endurance des candidats. Vous pariez ? Dans une minute, des araignées vont descendre du plafond.

— Tu ne veux pas du bouillon de poulet ? me propose brusquement Alan. Je peux t'en vendre. Premier choix, qualité extra.

Il débloque ?

— Non, merci. Je n'utilise pas tellement de bouillon de poulet.

— C'est vrai.

Il éventre un autre carton et en examine l'intérieur en grognant. Il semble si triste qu'en touchant terre je lui tapote gentiment le dos.

— Allez, t'inquiète ! Tu vas trouver une solution.

Une lueur d'espoir illumine son regard.

— Hé, Cat !

— Oui ?

— Tu serais partante pour une petite baise de consolation ?

— Hein ? Je ne comprends pas.

Alan tente de m'expliquer, joignant le geste à la parole :

— Tu es désolée pour moi ou je me trompe ?

— Euh… oui… un peu, je dis, toujours sur mes gardes.

— Alors tu ne serais pas contre une petite baise avec moi ?

Là, vraiment, quelque chose m'échappe.

— Alan, je commence tout en m'étonnant moi-même de poser cette question à voix haute. Explique-moi pourquoi je devrais avoir envie d'une petite baise avec toi ?

— Pour me réconforter. Voilà pourquoi.

Là-dessus, il tente de m'empoigner les fesses. Je recule (ou, plutôt, je bondis en arrière).

— Non !

— Non quoi ?

— Simplement non. Pas de baise de réconfort. Rien. *Nothing. Nada.* Désolée, j'ajoute poliment.

Alan me considère avec un air désapprobateur avant de replonger dans un carton.

— En fait, tu n'as pas de cœur !

— Parce que je refuse de coucher avec toi ? Oh, par pitié, ferme-la !

Je me précipite dans ma chambre, claque la porte et m'affale sur mon lit. La pièce est si petite qu'il n'y a pas de place pour un placard. J'ai donc mis toutes mes affaires dans un genre de hamac suspendu au-dessus de mon lit. (C'est pour cette raison que je porte des vêtements qui n'ont pas besoin d'être repassés. En plus, ils sont moins chers.) Je m'assieds en tailleur, prends une bouchée d'œufs brouillés et grimace : le goût de vanille synthétique est infect. Il faut que je fasse retomber ma colère, que je me calme et que je sois zen. Il faut que je pense à autre chose.

J'ouvre donc mon compte Instagram, réfléchis un moment et poste un cliché du Shard, un gratte-ciel de bureaux et logements de luxe construit par l'architecte Renzo Piano sur la Tamise. En guise de légende, je tape :

Journée géniale : boulot, moments rigolos et pas trop de dodo !

Je tombe sur la photo que j'ai faite l'autre jour d'une tasse de chocolat chaud avec marshmallows. Le chocolat n'était pas le mien ; il était sur une table de la terrasse d'un café à Marylebone. La fille qui l'avait commandé était allée aux toilettes et j'en ai profité pour prendre la photo.

OK, rectification : je rôde dans les cafés chic et chers pour mes photos Instagram. Ce n'est pas un crime, si ? Je n'écris pas : « Le chocolat chaud que j'ai bu » mais : « Chocolat chaud ! » Si les gens croient que c'est le mien, eh bien… c'est leur affaire.

Je poste la photo avec le simple commentaire :

Miam !

Quelques minutes plus tard, Fiona commente.

Une tuerie ta vie à Londres !

Je renvoie :

Totalement vrai !

Et, pour faire bonne mesure, j'ajoute :

Devine quoi ! Un mec m'invite à déjeuner demain.

Je sais qu'elle va réagir au quart de tour. Dix secondes plus tard, je reçois :

Raconte !!!!

Sa réponse m'enchante. Cette rencontre avec Alex – et nos rires sur le toit – est comme une porte qui s'ouvre. Vers quelque chose de différent. Une sorte de… Oh, je n'en sais rien. Une nouvelle existence, peut-être. Je sais qu'il ne s'agit que d'un déjeuner. Mais tout de même. Toutes les relations amoureuses commencent par un simple quelque chose. L'histoire de Roméo et Juliette a commencé par un simple coup de foudre.

OK. Comparaison nulle.

Rien à raconter pour le moment. Te tiens au courant.

Plusieurs symboles suivent : une coupe de champagne, un smiley et puis, pour rire, un cœur.

J'appuie sur « envoyer », me cale contre la tête de lit et avale une nouvelle bouchée de mes horribles œufs. Puis, sans réfléchir, je fais défiler mes précédents messages Instagram : photos de cafés de Londres, d'endroits, de boissons, de gens souriants (des inconnus pour la plupart). Tout ça paraît sortir d'un de ces « feel good movies ». Et alors ? Après tout, plein d'utilisateurs d'Instagram emploient des filtres de couleur. Moi, c'est le filtre « voilà à quoi j'aimerais que ma vie ressemble ».

Je ne triche pas. Je me suis trouvée dans ces endroits, même si je ne peux pas me permettre de commander un chocolat chaud. C'est seulement que je ne m'attarde pas trop sur les aspects moches de ma vie, les trajets interminables, les prix exorbitants, les affaires entassées dans un hamac, sans parler des œufs aux protéines à la vanille ou de mon coloc lubrique. Et puis c'est un but, un objectif. Un jour ma vie va ressembler à ce que je raconte sur les réseaux sociaux. Un jour.

5

Park Lane est à mes yeux un endroit mythique. C'est la plus grande salle de réunion de l'agence, avec une immense table laquée rouge et des chaises hyper cool de toutes les couleurs. Pour moi, être assise autour de cette table équivaut à siéger au Conseil des ministres. J'ai toujours pensé que c'était là que nichait le cœur créatif de Cooper Clemmow, là que les gens brillaient, là que les idées fusaient. L'endroit où le monde de l'image de marque se transforme, où l'histoire se crée.

Mais maintenant j'y suis… et c'est une réunion comme une autre. Personne ne refait le monde de l'image de marque. Jusqu'à maintenant, l'équipe n'a évoqué que le cas de l'édition limitée des barres Orange Craze en se demandant si c'était une erreur. (Craze Bar étant notre client, on a eu droit a des dizaines de boîtes gratuites et ce nouvel emballage nous sort par les yeux.)

— Oh non ! Graham veut me parler !

Demeter interrompt la réunion avec son emphase habituelle.

— Je reviens dans deux secondes. Rosa, tu peux me remplacer ? Mets tout le monde au courant du prospect CCY, d'ac ?

— Pas de problème !

Aujourd'hui Demeter porte une belle jupe en daim à franges que je ne peux m'empêcher d'admirer tandis qu'elle quitte la pièce.

Rosa prend la parole :

— Demeter veut que je vous parle d'un nouveau client potentiel : CCY ou Contended Cow Yogurt (le Yaourt de la Vache Repue). C'est une gamme de yaourts bio produite par une ferme du Gloucestershire.

Elle nous fait passer des brochures mal imprimées sur lesquelles on voit les pots de yaourt, le nom de la marque en caractères Helvetica et une photo de vache, floue.

— L'idée fixe du client, continue-t-elle, le nez dans ses notes, c'est que l'industrie laitière est menacée. Mais eux sont top et… l'herbe que mangent les vaches est bio. En résumé. L'un ou l'une d'entre vous s'y connaît en industrie laitière ? conclut-elle en levant la tête.

Rires autour de la table.

— L'industrie laitière ?

— J'ai une peur bleue des vaches, avoue Flora. Sérieusement.

— Je suis témoin, confirme Liz. On a vu des vaches à Glastonbury et Flora flippait. Elle les a prises pour des taureaux.

— C'en étaient, gémit Flora. Des bêtes dangereuses ! Et l'odeur. Je me demande comment les fermiers supportent de les approcher.

— Qui va se dévouer pour aller dans cette ferme à la rencontre des Vaches Repues ? s'amuse Flora.

— Oooh aaah ! se moque Mark en prenant un accent campagnard. C'est-y bientôt l'heure de la traite, Flora ? Faut que tu t'y mettes, ma fille.

J'ai déjà ouvert et fermé la bouche à deux reprises. Si je m'y connais en industrie laitière ? J'ai grandi dans un élevage. Mais quelque chose me retient. Le souvenir des filles de Birmingham qui m'appelaient « Katie la rustique ». À la réflexion, je vais me contenter de suivre la conversation sans piper.

— Demeter veut des idées, poursuit Rosa en se levant, marqueur à la main. Procédons par associations de mots. Si je dis campagne, vous répondez ?

— Puante. Effrayante, réplique Flora.

— Je ne vais pas noter ça, s'impatiente Rosa.

— Il le faut, fait remarquer Liz.

Vrai. Le grand principe chez Cooper Clemmow, c'est : « Chacun peut faire entendre sa voix. » C'est écrit dans notre charte. Par conséquent, même si vous sortez une idée vraiment stupide, personne n'a le droit de se moquer car elle peut déboucher sur un concept intéressant.

— D'accord, je note, déclare Rosa en inscrivant sur le tableau « puant » et « effrayant ». Mais ça ne va pas vraiment aider à faire décoller les ventes. Flora, tu achèterais un yaourt puant et effrayant ?

— À vrai dire, je ne mange pas de produits laitiers, rétorque cette dernière d'un ton arrogant. Ils n'ont pas de yaourt au lait d'amandes dans cette ferme ?

— Bien sûr que non, s'énerve Rosa. Ils ne cultivent pas des amandes, ils élèvent des vaches laitières !

— Attends, fait Flora en ouvrant de grands yeux. Tu veux dire que le lait d'amandes provient des amandes ? Je croyais que c'était juste… J'sais pas, moi. Un nom, une appellation.

Rosa laisse échapper un rire incrédule.

— Flora, tu es impayable !

— Dis-moi donc comment c'est fabriqué, la teste Flora. Comment on obtient du lait d'amandes ? On les… trait ? On les presse ?

— Ça, c'est pour l'huile, intervient Mark.

— Alors quel est le procédé ?

Pendant quelques secondes, Rosa paraît un peu désarçonnée puis elle se reprend :

— Je n'en sais rien. De toute façon, on parle de lait de vache.

Assez joué les muettes. Je dois ajouter mon grain de sel.

— En fait, je dis en levant la main, je m'y connais un peu en…

— Alors ça se passe comment ?

En faisant irruption dans la salle de réunion une liasse de papiers à la main, Demeter me coupe dans mon élan.

— Pas terrible, répond Rosa en montrant les mots « puant » et « effrayant » sur le tableau. Jusqu'à maintenant, c'est tout ce que nous avons pondu.

— On ne sait rien sur les vaches, avoue Flora. Ni sur la campagne.

— Ou sur les amandes, ajoute Mark.

Demeter, comme à son habitude, reprend les rênes. Elle flanque ses papiers sur la table, attrape un marqueur et déclare :

— OK, tout le monde. Heureusement, j'en connais un bout sur la campagne. Pas comme vous, misérables créatures urbaines.

— Vraiment ?

Flora est sidérée et moi, je me redresse en considérant Demeter d'un œil nouveau. Alors comme ça, la campagne lui est familière ?

— Oui. Je vais à Babington House, un cinq étoiles niché au cœur du Somerset, au moins quatre fois par an, je suis donc bien placée pour parler de la campagne.

Elle nous observe un à un comme pour nous défier de la contredire.

— En vérité, la campagne est tendance. C'est sans conteste la nouvelle ville, comme l'orange est le nouveau noir.

Elle efface « puant » et « effrayant » avant de commencer à écrire.

— Voici nos maîtres mots : *organique, authentique, artisan, valeurs, honnête, Mère nature*. Pour le look du produit, pensons à naturel, papier recyclé, chanvre bio, ficelle, fait main, rustique mais frais. Et imaginons une histoire. Nous ne disons plus : « Ce yaourt provient d'une vache », mais (et elle brandit une brochure) : « Ce yaourt est fabriqué avec le lait de Molly, une Longhorn anglaise. » Et nous organisons un concours : « Venez traire Molly avec vos enfants. »

Je me mords les lèvres. La vache de la photo n'est pas une Longhorn anglaise, c'est une Guernesey. Mais corriger Demeter en public sur les races de bovidés ne me semble pas génial.

— Quelle bonne idée ! s'extasie Rosa. J'ignorais que tu étais si calée.

— Dans la mythologie grecque, la déesse de la Nature s'appelait Demeter, souligne ma boss avec un air suffisant.

J'ai en fait un côté rural, très terre à terre. Je fais toujours mes courses sur des marchés de producteurs, quand j'en ai la possibilité.

— J'adore les marchés paysans ! s'emballe Flora. Ces œufs présentés dans la paille, c'est si chou.

— Paille. Très bien ! fait Demeter en inscrivant le mot.

— Ça y est, j'ai le concept de départ, annonce Mark qui griffonne des esquisses sur un bloc. Naturel à 100 %. Ce yaourt n'a rien d'un produit de grande consommation. Il est fait à la main.

— Excellent !

Et Demeter ajoute « fait à la main » à la liste.

— Pourquoi pas un pot en bois ? suggère Mark.

— Génial ! s'écrie Flora. Des pots de yaourt en bois. On peut les collectionner et s'en resservir. Pour mettre des crayons, ou des pinceaux de maquillage ou...

— Très cher, commente Demeter. Mais si nous faisons de ce yaourt un produit de grand standing...

— Avec une étiquette prestige, continue Rosa.

Une étiquette prestige, c'est quand on augmente le prix d'un produit pour que le consommateur se dise « oh, ça doit être bon » et en achète une cargaison.

— Je pense que les gens paieraient une fortune un yaourt artisanal dans un pot en bois, décrète Mark. Avec le nom de la vache imprimé sur le pot.

— On fera un brainstorming pour trouver le nom, acquiesce Rosa. Le nom de la vache est primordial. C'est même crucial.

— Daisy, lance Flora.

— Non, pas Daisy, contre-attaque Liz.

— Autre chose ? demande Demeter.

Je lève la main. Après tout, j'ai bataillé pour assister à cette réunion. Je dois collaborer.

— Il faut souligner à quel point les fermiers s'occupent bien de leur élevage. La marque s'appelle « Contented Cow Yogurt », donc ces vaches doivent être heureuses. On peut utiliser cette notion de bonheur sur l'image.

— Oui, s'enthousiasme Demeter. Le bien-être des animaux, c'est géant. Des bêtes heureuses, géant ! (Elle écrit et souligne : « vaches contentes, pelage brillant ».) Bravo !

Son petit signe de tête approbateur me remplit de joie. J'ai participé. Certes, ce n'est pas grand-chose. Mais c'est un début.

Après la réunion, j'envoie un paquet de résultats de questionnaires à Demeter, qui me répond en me demandant de les lui adresser dans un format différent. Ce qui, d'un côté, me casse les pieds mais, de l'autre, m'occupe l'esprit. Au moins, je ne reste pas assise toute la matinée à me ronger les ongles à propos de mon rendez-vous. Je suis absorbée. Concentrée. Et même, vous savez quoi ? J'y pense à peine, à ce déjeuner…

Rectification : c'est un pur mensonge. Je me sens extrêmement nerveuse. Normal, non ? Il s'agit d'Alex Astalis. Pas n'importe qui. Je le sais pour avoir passé deux heures hier à soir à éplucher sa biographie sur Google. Quand je pense que j'ai cru que c'était un stagiaire. Un mec de la pub quelconque. C'est le problème quand on rencontre les gens en vrai : ils ne se baladent pas avec leur CV en pièce jointe. Au fond, c'est sans doute aussi bien. Si j'avais su qu'il était si important, je n'aurais jamais fait l'idiote avec lui sur des échasses.

Bon, il est temps d'y aller. J'arrange mes cheveux, les cale derrière les oreilles. Puis devant. Et encore derrière. Dur de se décider. Au moins, ma frange est top. Avant d'en avoir une, j'ignorais quels efforts d'entretien ça demandait. Il faut vraiment s'en occuper. Si je ne l'aplatis pas tous les jours avec un produit lissant, elle se dresse le matin avec l'air de dire : « Coucou ! Je suis ta frange ! Ça te va si je passe la journée en mode casquette ? »

Bon, cette fois il est vraiment temps d'y aller.

Je me lève avec un sentiment d'importance, sûre que les autres vont lever le nez de leur écran pour me demander où je vais. Bien entendu, personne ne bronche. Personne ne remarque que je quitte le bureau.

Le chapiteau « Magie de Noël » n'est pas si près que ça de l'agence. Quand j'y arrive, je suis essoufflée et j'ai les joues rouges. D'après ce que je sais, il n'est installé que pendant la période de Noël. Comment le décrire ? C'est à la fois un café, un marché et une foire. Il y a une maison en pain d'épices pour les enfants et du vin chaud aux épices pour les adultes. Les haut-parleurs déversent des chants de Noël. Je repère tout de suite Alex devant le stand du vin chaud. Il porte un petit manteau sympa, une écharpe violette et un bonnet gris très hype, et tient deux gobelets en plastique. Dès qu'il me voit, il sourit et lance, comme si nous étions au milieu d'une conversation :

— Méga problème. Il y a un manège mais personne dessus.

Il a raison. Si l'on excepte les deux tout-petits juchés sur des chevaux avec l'air proprement terrifiés.

— Les enfants sont à l'école, poursuit Alex. Ou chez eux pour déjeuner. Du vin chaud ?

— Merci.

Nous trinquons. Je suis extatique. Tout ça est génial. Quelle que soit la signification de « tout ça ». Difficile de dire si c'est boulot-boulot ou… pas boulot du tout. Peu importe. C'est génial.

— Au travail ! fait Alex. Question : peut-on repositionner cet endroit ?

— Quoi donc ?

— Ce chapiteau éphémère.

— Vous voulez dire, cette foire ? Enfin, ce marché ?

— Précisément. Le concept n'est pas défini. Ils ne savent pas comment s'appeler mais ils veulent se développer dans tous les quartiers de Londres. Tirer profit de la saison des fêtes. Gagner en importance. S'agrandir. Faire de la pub. Se faire connaître.

Je contemple les stands et les lumières avec un nouveau regard.

— Les gens adorent la période de Noël. Et ils adorent les choses éphémères.

— Oui, mais un quoi éphémère ? Un marché alimentaire ? Un terrain de jeux pour les gamins ? Une foire artisanale ? Vous aimez le vin chaud ?

— Délicieux.

— Quant au manège… C'est un peu nul, hein ?

— Ils devraient peut-être se concentrer sur l'alimentaire, je suggère. Le secteur de la bouffe, c'est géant. Ont-ils vraiment besoin de se disperser ?

— Bonne question. On fait un tour ? dit-il en se dirigeant vers le manège.

— Hein ?

— On ne peut pas juger correctement le manège sans être montés dessus, annonce-t-il sérieusement. Après vous, mademoiselle.

— OK.

Je grimpe sur un cheval et m'apprête à sortir mon porte-monnaie quand Alex m'arrête.

— Non, je vous l'offre. Ou plutôt l'agence. Frais d'enquête.

Il se hisse sur le cheval voisin du mien, paie l'employé, un mec grognon en parka.

— Où sont les hordes de clients ?

Je rigole car il n'y a que nous et les deux bambins. Aucun candidat en vue pour un tour de manège.

— C'est quand vous voulez ! dit gentiment Alex au type en parka qui nous ignore.

Ma frange volète dans le vent. Je jure en silence. Pourquoi elle ne reste pas en place, cette idiote ? La situation est pour le moins bizarre : moi, assise sur un cheval de bois au même niveau qu'un mec qui est théoriquement mon boss mais n'en a pas l'air. Demeter a l'air d'être ma boss. Même Rosa, un peu. Mais lui, il a l'air de… Hum ! j'ai soudain comme des papillons dans l'estomac.

Il est drôle. Intelligent et insolent, spirituel et charmant. Le tout empaqueté dans un long corps mince. Il est l'homme que j'attends de rencontrer depuis que je vis à Londres. Depuis que j'ai voulu m'y installer.

Je l'observe à la dérobée, submergée par une onde de désir. Cette étincelle dans l'œil ! Ces pommettes ! Ce sourire !

— Quoi de neuf avec les produits asiatiques ? je demande. Les échasses et le reste ?

— Ah oui ! On arrête. Le tandem avec Sidney Smith ne marchera pas.

Je ressens une pointe de déception. Je me voyais à moitié plancher sur le projet avec lui. (Non : je me voyais carrément plancher sur le projet avec lui, même tard dans la nuit, en terminant peut-être par une folle étreinte sur la table laquée rouge de Park Lane.)

— La raison a donc été plus forte que le cœur ?

— C'est ça.

— Dommage !

Un curieux sourire en coin étire les lèvres d'Alex.

— La raison, le cœur, c'est du pareil au même.

Je réfléchis un instant avant de lui renvoyer la balle :

— Et si le cœur avait en fait vaincu la raison ? Vous ne vouliez pas travailler avec Sidney Smith. Vous en avez fait une décision professionnelle et rationnelle alors que c'est une réaction émotionnelle.

D'où vient cette assurance qui me pousse à parler si ouvertement ? Du fait d'être perchée en sa compagnie sur un cheval de bois ?

— Brillante déduction ! En plein dans le mille. C'est vrai que je n'aime pas les gens de chez Sidney Smith.

— Et voilà.

— Y a-t-il une différence entre le cœur et la raison ?

Décidément, le sujet semble le passionner.

— Les gens les opposent toujours, je dis en pensant tout haut, mais à mon avis tout se passe dans la tête. La confrontation n'est pas entre cœur et raison. C'est raison contre raison.

— Ou cœur contre cœur ? lance Alex, une lueur dans le regard.

Un étrange petit silence s'installe. Je me demande comment enchaîner. Est-ce sa façon de me regarder ? Sa manière de prononcer le mot « cœur » ? Toujours est-il que je sens le mien palpiter.

Et puis il rompt le charme.

— Vous êtes décoiffée, constate-t-il.

D'un coup d'un seul, j'oublie les jouets pour adultes, le cœur et la raison. Ma conne de frange fait encore des siennes.

— Ça m'arrive tout le temps. Une horreur.

— Pas du tout, rigole-t-il.

— Si. Je n'aurais jamais dû me faire couper la frange mais…

Je stoppe net. Impossible d'avouer que *je voulais me fabriquer un nouveau personnage.*

— C'est le vent, explique-t-il et, en se penchant vers moi, il ajoute : Je peux ?

— Oui. Pas de problème.

Il lisse doucement ma frange. Je parie que ce n'est pas conforme au règlement interne de l'agence. Les patrons ne sont pas censés recoiffer leurs employées. Si ?

Son visage se trouve à quelques centimètres du mien. Je frissonne. Ses yeux bruns m'examinent franchement. Quand nos regards se croisent, je crois voir une interrogation dans le sien.

Est-ce que je me fais des idées ? Je réfléchis à toute vitesse. Il y a de l'électricité dans l'air. Je le sens. Mais lui ? Hier, première rencontre. Aujourd'hui, début d'une histoire. Ça y ressemble en tout cas, sauf qu'il est mon patron. En fait, je ne suis certaine de rien...

Soudain, le manège démarre avec un à-coup. Alex, toujours penché vers moi, manque de dégringoler.

— Merde ! s'écrie-t-il en s'agrippant au cou de mon cheval.

— Tenez bon !

L'espace entre nos montures est plus important qu'il n'y paraît. Alex est pratiquement suspendu à l'horizontale entre les deux. On dirait le héros d'un film d'action coincé entre deux voitures. (Pas exactement un héros en pleine voltige dans la mesure où nous caracolons sur un manège, que *Vive le vent* résonne à fond la caisse et qu'un petit gosse, très impressionné, demande d'une voix aiguë : « Il est tombé de son dada, le monsieur ? »)

Le monsieur s'accroche fermement à l'encolure de mon cheval et j'en profite pour examiner ses mains. Des doigts effilés. Des poignets solides. Une minuscule ancre tatouée sur le gauche que j'aperçois quand sa manche se relève. Tiens, tiens !

— J'aurais dû prendre un cours d'équitation avant de venir ! souffle-t-il en tentant de se remettre d'aplomb.

— Les chevaux de bois sont très dangereux, j'approuve en essayant de ne pas pouffer. Sans compter que vous ne portez pas de bombe. Très imprudent de votre part.

— Téméraire, même !

— Hé, vous ! s'énerve le type en parka. Arrêtez de faire l'imbécile !

— OK !

Dans un effort colossal, Alex parvient à se remettre en selle. Le manège continue à tourner, les chevaux montent et descendent. Je lui souris béatement.

— C'est super ! crie-t-il pour couvrir la musique.

— Oui ! J'adore !

J'aimerais fixer dans ma mémoire, pour toujours, cette image idyllique : tourner sur un manège avec un mec drôle et beau, à Noël. Il ne manque plus que les flocons de neige pour que la scène soit parfaitement parfaite.

Tout d'un coup, Alex agite le bras.

— Rosa ! Gerard ! Rosa ! On est là-haut !

L'image idyllique se désagrège. *Rosa ?* La Rosa de l'agence ?

C'est bien elle, dans son caban vert foncé, qui nous observe d'un air ahuri. À son côté se tient un inconnu aux cheveux gris qui pianote sur son iPhone. Le manège s'arrête et les papillons cessent de battre des ailes. D'accord, ce n'était donc pas une invitation à sortir avec lui.

Je n'ai jamais cru que ça l'était. Jamais. J'ai cru que ça y ressemblait. Et c'était peut-être vrai. Pendant cinq minutes.

Nous mettons pied à terre sous l'œil sévère de Rosa. Du coup, je me sens stupide d'avoir fait ce tour de manège. Alex me précède.

— Salut ! Rosa, tu connais Cat.

— Gerard, dit l'homme aux cheveux gris en me serrant la main.

— Qu'est-ce que tu fais ici, Cat ? demande Rosa. Je ne savais pas que tu étais sur ce projet.

— Je l'ai intégrée au groupe, explique Alex. Un avis supplémentaire. Où sont les autres ?

— Ils arrivent, dit Rosa. Alex, je crois vraiment qu'on a un problème avec les détails. J'ai parlé à Dan Harrison ce matin ; il s'est montré incroyablement vague…

Tout en parlant, elle se dirige vers les stands du marché. Alex semble réfléchir à ce qu'elle lui dit tandis que Gerard – quel que soit son rôle dans cette affaire – envoie un SMS.

Je suis le mouvement, en pleine confusion. C'était donc un rendez-vous professionnel, à plusieurs. Me suis-je trompée sur toute la ligne ? Ce courant entre nous, l'ai-je rêvé ? Suis-je une pauvre folle en plein délire amoureux pour son boss ?

Alex se retourne et me fait un clin d'œil. Un éclair de camaraderie. Traduction : *toi + moi*. Et bien que je ne réponde que par un sourire poli, je vois dans ce signe comme une étreinte. Et je ne l'ai pas inventée. C'est quelque chose. Quoi ? Je n'en sais rien. Mais quelque chose.

Je ne reste pas aussi longtemps que les autres à « Magie de Noël ». Pendant qu'Alex se trouve engagé dans une longue conversation téléphonique avec New York, Rosa me fait comprendre que je dois rentrer au bureau pour m'occuper des questionnaires.

— Merci pour ta contribution, Cat. Les opinions des juniors de l'équipe nous intéressent toujours et Alex a bien fait de te demander de venir. Mais tu dois vraiment te remettre à bosser sur les formulaires.

Son ton est assez glacial. Alors, sans même dire au revoir à Alex, je rentre à l'agence. Je ne me sens pas abattue. Bien au contraire. Une fois arrivée, je monte l'escalier et rejoins mon bureau en chantonnant *Vive le vent*.

Flora m'interpelle au passage :

— Cat, je te cherchais. Ça te dirait d'aller aux puces de Portobello samedi ?

— Ouais ! Super ! Merci !

Pas la peine de s'extasier ainsi, je me dis en silence. C'est seulement Portobello. Rien d'extraordinaire. Les gens y vont tout le temps.

Mais pas moi. Mes week-ends sont un peu solitaires, même si je me refuse à l'admettre.

— Parfait ! Passe me prendre à la maison. J'habite tout près du marché. On ira faire notre shopping de Noël.

Flora continue à jacasser et je m'assieds, en pleine euphorie. Ma vie prend un nouveau tournant. Premièrement, un mec intéressant est… Bon, enfin. Il est à l'horizon. Deuxièmement, je vais à Portobello avec Flora. Et surtout, je vais pouvoir poster plein de trucs sur Instagram. Des trucs réels. *Cette fois*, ce sera vrai.

6

Il fait beau et froid le lendemain : une parfaite journée d'hiver. Le soleil brille tant qu'en sortant je regrette presque mes lunettes de soleil. Je m'arrête sur le seuil pour appliquer une couche de baume sur mes lèvres. C'est alors que j'aperçois Alan, à la porte de la grille, son vélo à côté de lui, en train de se disputer avec une adolescente canon.

Peau café au lait superbe, yeux d'un bleu-vert éclatant, cheveux coupés au ras de la tête et longues jambes de gamine surgissant de la jupe de son uniforme d'école. Dans sa main, une liasse de prospectus qui, visiblement, sont la cause de la fureur d'Alan. Il braille carrément :

— Les œuvres de charité, c'est corruption et compagnie. Rien que des couillonnades de petit business et de la pub dans le métro. Pourquoi je paierais pour de la pub dans le métro ? Je ne marche plus. Si tu veux aider quelqu'un, aide une vraie personne.

— Je suis une vraie personne, objecte la gamine. Je m'appelle Sadiqua.

— La belle affaire ! Tu pourrais être la reine des arnaqueuses, pour ce que j'en sais.

— Très bien ! s'agace la fille. Ne me donnez pas d'argent. Contentez-vous de signer la pétition.

— C'est ça ! Et tu en feras quoi, de ma signature ?

Ravi d'avoir le dernier mot, il enfourche son vélo et lance, en désignant notre petite cour minable :

— C'est une propriété privée. Ne va pas te faire d'idées.

— Des idées ? Quelles idées ?

— Je n'en sais rien. Je te dis juste : propriété privée.

— Vous croyez que je vais squatter votre cour ? s'insurge la fille.

— Je dis juste : propriété privée, répète Alan fermement.

Il s'éloigne d'un coup de pédale. La fille émet un son qui ressemble à un hennissement.

— Quel branleur ! commente-t-elle.

Je suis bien d'accord.

— Bonjour, je dis en m'approchant pour faire pardonner cette impolitesse. Tu récoltes des fonds pour quoi ?

— Pour la maison de quartier.

Elle mange tellement ses mots que ça donne : « ms'ondequa't ». Elle me tend un prospectus sur lequel je lis « Sauvez notre centre socio-culturel ». Il est question de coupes budgétaires et d'actions destinées aux enfants. Tout cela semble parfaitement authentique. Je dépose deux pièces d'une livre dans sa boîte en fer et signe la pétition.

— Bonne chance ! je lâche en commençant à marcher.

Au bout d'un moment, je sens une présence derrière moi. Sadiqua m'a rattrapée.

— Tu veux autre chose ?

— Vous faites quoi comme boulot ? demande-t-elle sur le ton du bavardage.

— Je travaille dans l'image de marque. Repositionner et revoir les conditionnements de produits, j'explique puisque c'est peut-être l'occasion de faire naître une vocation dans la jeune génération. Pas facile, mais satisfaisant.

— Bah, vous connaissez personne dans la musique ? poursuit-elle comme si elle n'avait pas écouté ma réponse. Avec ma copine Layla, on a un groupe et on a fait une démo.

Elle sort un CD de sa poche et précise :

— C'est l'oncle de Layla qui l'a enregistrée. Maintenant, faut qu'on la diffuse.

— Bravo !

— Vous pouvez la prendre ? Pour la faire écouter ?

La faire écouter ? Mais par qui ?

— Ce n'est pas mon métier. Désolée.

— Mais les marques, c'est d'la musique, j'croyais.

— Pas vraiment…

— La musique dans les pubs, qui la fait ? Y a bien quelqu'un. Ils ont besoin de musique. Ils cherchent des nouveautés, non ?

Obstinée, la gamine ! Elle a raison. Des gens composent de la musique pour les pubs. Cela dit, j'ignore tout de ce job.

— Écoute, je vais voir ce que je peux faire, je dis en glissant le CD dans mon sac. Tous mes vœux de réussite…

— Vous connaissez pas des agents de mannequin ? continue-t-elle du tac au tac. Ma tata dit que je devrais être modèle. J'suis pas assez grande mais on s'en fiche pour les photos. Genre, il y a Photoshop, alors pas la peine d'être grande et maigre. Y a Photoshop. Voyez ce que j'veux dire ? Photoshop ?

— Oui, mais je ne sais rien non plus sur le métier de mannequin. Navrée, mais je dois filer…

Elle est clairement déçue et résignée, Sadiqua. Comme si elle ne s'attendait à rien de sympa de ma part. Et puis, m'emboîtant le pas, elle fouille dans sa poche et en sort un méli-mélo de bracelets de perles.

— Vous voulez des bijoux ? C'est moi qui les fabrique. Cinq livres chacun. Vous pouvez en acheter pour vous et vos copines.

— Pas aujourd'hui, je réponds en éclatant de rire. Dis-moi, tu n'es pas censée recueillir des signatures et de l'argent pour ton centre ?

— Bof, de toute façon, ça va fermer. Je le fais parce que genre, tout le monde le fait mais ça va rien changer.

— Mais si ! Quelles sont les activités du centre ?

— Plein. Genre, ils donnent des petits déj aux gosses. Avant, je prenais toujours mon petit déj là parce que ma mère, jamais…

Sadiqua s'arrête net. Son entrain disparaît pendant quelques secondes.

— Y nous filent des corn-flakes et tout. Ça coûte cher, les corn-flakes.

Je la dévisage en silence. J'aime bien cette fille. Elle est drôle, elle a la pêche, elle est très belle, même sans Photoshop.

— Donne-moi quelques prospectus. Je vais essayer de récolter un peu d'argent.

Au bureau, je déniche un vieux lecteur de CD dans une armoire et le branche sur mon ordinateur pour écouter Sadiqua et sa copine. J'espère être emballée et découvrir une star. Hélas, ce sont seulement deux ados qui chantent une chanson de Rihanna et terminent en pouffant de rire. Je vais quand même voir ce que je peux en tirer et trouver sans faute des fonds pour leur centre.

Je n'ai ni plans précis, ni idées. Et puis, dans la soirée, au moment de quitter le bureau, j'aperçois Alex qui attend l'ascenseur. Panique à bord ! Que lui dire ? Je me sens à court de mots. À 21 heures passées – j'ai eu des tonnes de trucs à rattraper –, je ne m'attendais pas à tomber sur qui que ce soit. Encore moins sur lui.

Je ne l'ai pas revu depuis notre sortie manège d'hier mais évidemment j'ai pensé à lui à peu près 95 000 fois. Tandis que je m'approche, mes joues s'enflamment, ma gorge se serre. Que dire à un homme séduisant pour lequel vous éprouvez une petite attirance ? Tout mon naturel s'est volatilisé. Me voilà empruntée. Les mains moites. Incapable de le regarder dans les yeux. Sans compter que j'ignore quel genre de regard serait approprié dans ce cas précis.

— Bonsoir, dit-il quand j'arrive devant la porte de l'ascenseur. Vous travaillez tard.

— Bonsoir ! Oui, j'avais des trucs à faire, je réponds en souriant.

Dans l'affolement, je lâche sans réfléchir :

— Il y a une bonne cause que j'aimerais soumettre au comité des œuvres de bienfaisance de l'agence.

Gros mensonge. Je ne sais pas du tout s'il s'agit d'une bonne cause – après tout, je n'ai que la parole de Sadiqua. Mais là, tout de suite, j'ai besoin d'un sujet de conversation.

— Ah oui ? s'intéresse Alex.

— C'est un centre communautaire de mon quartier. À Catford. Il fournit des petits déjeuners gratuits, ce genre de services. Mais il est menacé de fermeture. Coupes budgétaires…

Je sors un prospectus de mon sac et le lui tends.

— Sympa ! dit Alex en y jetant un coup d'œil. On l'examinera l'an prochain. En attendant, vous avez quoi en tête ? Une collecte de fonds ?

Nous entrons dans l'ascenseur. Bien sûr, rien ne me vient à l'esprit. Voyons ! On fait quoi pour collecter des fonds ? Une vente de cupcakes ? Non.

— Pourquoi pas une sorte de challenge ? je lance en me raccrochant aux branches. Le contraire de l'aumône. Les gens participent à une épreuve physique tout en donnant de l'argent. Comme le marathon. Mais pas le marathon, je corrige en vitesse.

— Quelque chose de difficile, mais pas le marathon, répète Alex pensivement alors que nous sortons dans le hall désert et mal éclairé de l'immeuble. À mon avis, la chose la plus difficile au monde, ce sont les exercices préparatoires au ski. J'en ai fait avec mon coach hier soir. L'ignoble salaud !

Son ton venimeux me donne envie de rire.

— Ça consiste en quoi ?

Je pose la question car je n'ai jamais fait d'exercices préparatoires au ski. Ni de ski, d'ailleurs.

— Le pire, c'est celui où l'on s'assied contre un mur. Une torture. Vous voyez, non ? Je vous montre.

Il se dirige vers un grand mur vide sur lequel est projeté le nom *Cooper Clemmow* en différents caractères, s'installe le dos contre le mur, les genoux fléchis, les cuisses parallèles au sol.

— Ça n'a pas l'air si dur, je commente, un peu pour me moquer.

— Vous plaisantez ! Essayez donc !

— Défi relevé, je lance en rigolant.

Je prends la même position que lui. Pendant un moment, nous restons silencieux, concentrés sur l'effort. J'ai des cuisses super musclées – grâce à des années d'équitation – mais elles commencent à brûler. Très vite, ça devient douloureux, mais pas question d'abandonner. Non, je ne vais pas…

— Dur, hein ? halète Alex.

— Quoi, c'est ça, l'exercice ? je parviens à dire. Le truc difficile ? Je croyais que c'était juste un échauffement.

Le visage d'Alex vire à l'écarlate.

— Ha ! Ha ! Très drôle. OK. Vous avez gagné. Je capitule.

Il se laisse glisser par terre à l'instant où j'ai l'impression que mes cuisses vont s'embraser par combustion spontanée. Je me force à tenir trois secondes de plus et m'effondre à mon tour sur le sol.

— Ne me dites pas que vous auriez encore pu continuer une demi-heure, dit Alex avant d'éclater de rire.

Il me regarde avec dans l'œil le petit quelque chose de la foire de Noël. Cette même étincelle… toi + moi.

Pendant un moment, nous ne disons rien. Un round d'observation avant d'orienter la conversation dans une autre direction… Une fois encore, je panique et choisis la voie sans risque.

— Pas sûr que cet exercice ramène des masses d'argent, je commente en me relevant.

— C'est plus facile qu'un marathon, quand même.

— C'est vous qui le dites…

Je m'interromps quand un éclair rouge passe dans la rue, derrière les portes vitrées du hall.

— Une minute ! C'est quoi, ça ?

Le flash s'est transformé en file. Rouge et blanc. Une longue grappe rouge et blanc. Des bonnets de Père Noël ?

— Putain, mais c'est quoi ?

Au tour d'Alex de se tordre de rire.

On échange un coup d'œil puis on se rue vers la sortie. Il nous ouvre avec sa carte magnétique et nous voilà dans le soir glacé, à crier comme des enfants devant le spectacle.

Au moins deux cents Pères Noël à bicyclette ont envahi la rue, certains munis de lampes qui clignotent en rouge et blanc, d'autres qui klaxonnent. En fond sonore, une chanson de Mariah Carey. Ça ressemble à une grande parade de Noël sur roues.

— C'est complètement dingue, s'amuse Alex.

— Vous ! Venez avec nous ! crie un type. Allez chercher un vélo et un chapeau et entrez dans la fête ! C'est Noël !

Nous n'hésitons qu'une seconde.

— Allons voir, décide Alex.

De l'autre côté de la rue, des gens choisissent les vélos mis à disposition.

— C'est 20 livres le tour, bonnet inclus, annonce une fille en secouant un seau. Au bénéfice de l'hôpital d'Ormond Street.

— Pourquoi pas ? fait Alex. C'est pour une bonne cause. Vous êtes partante ?

Quand il me regarde, les papillons reviennent à tire-d'aile.

— Oui ! En selle !

Le côté ridicule de la situation me fait hurler de rire. Imaginez une foule de Pères Noël en tandem ou sur d'antiques vélocipèdes qui chantent à tue-tête *Douce nuit* avec Mariah Carey.

Je jubile. *Voilà pourquoi je vis à Londres. C'est la raison.*

— Je paie pour nous deux, annonce Alex. Ça fait longtemps que je n'ai rien donné à une œuvre de charité. En plus, votre altruisme me fait honte.

Avant que je puisse l'en empêcher, il dépose un billet de 50 livres dans le seau, puis attrape un vélo qu'il me passe.

— Voilà pour vous !

La fille me coiffe d'un bonnet rouge surmonté d'un pompon lumineux. Je dégage mon engin et jette un coup d'œil à Alex, qui a un adorable air angélique avec son bonnet rouge au revers blanc orné d'étoiles scintillantes.

— Merci beaucoup, je dis. Mais vous n'auriez pas dû.

— Pas de quoi, répond-il avec un sourire désarmant.

Je cherche un truc spirituel à répondre, mais la file s'ébranle avant que j'aie trouvé. Je ne suis pas montée sur un vélo depuis des siècles mais mes jambes retrouvent le rythme instantanément. Et nous voilà partis, pédalant, riant et chantant au milieu de la joyeuse troupe.

C'est la soirée la plus magique de mon existence. Nous roulons de Chiswick à Hammersmith, puis sur Kensington High Street, encore remplie de gens qui font leurs courses, et passons devant le Royal Albert Hall. Ensuite Knightsbridge, le grand magasin Harrods brille de tous ses feux et partout les vitrines des boutiques arborent des décorations scintillantes. Nous rejoignons Piccadilly, montons et descendons Regent Street, où je me dévisse le cou pour admirer les somptueuses guirlandes de fête au-dessus de ma tête.

L'air du soir me fouette les joues. Il y a des bonnets rouge et blanc à perte de vue. Les sonnettes des vélos et les klaxons se répondent et les cyclistes s'époumonent sur les chants traditionnels diffusés par les haut-parleurs. Je me sens au top du top. La chanson de Slade, *I Wish It Could Be Christmas Every Day*, résonne. Je souhaite, moi, que ce moment se reproduise tous les jours. Rouler autour de Piccadilly Circus. Saluer les passants. Me sentir vraiment londonienne. Et relever la tête de temps à autre pour sourire à Alex. Nous n'avons pas beaucoup eu l'occasion de bavarder mais il est toujours à une dizaine de mètres de moi et, quand je revivrai la scène, je ne me dirai pas « J'étais avec la bande des Pères Noël à vélo », mais « Nous étions avec la bande des Pères Noël à vélo ».

À Leicester Square, arrêt chocolat chaud offert par une chaîne de cafés. Pendant que j'attends nos tasses, Alex s'approche en poussant son vélo, le visage éclairé d'un grand sourire.

— Vraiment super, hein ? je dis.

— La meilleure manière de voyager, répond-il catégoriquement. Apparemment, c'est la fin. Tout le monde descend et chacun reprend son chemin. On peut déposer nos engins où on veut. En ce qui me concerne, j'ai rendez-vous pour prendre un verre (coup d'œil à sa montre), d'ailleurs je suis en retard.

— Très bien.

J'essaie tant bien que mal de cacher ma déception. J'avais pensé que... Espéré qu'on continuerait...

C'était idiot. Bien sûr qu'il est super occupé. Alex fait partie des Londoniens en vue qui ont une vraie vie mondaine.

— Il faut juste que j'envoie un texto à mes amis, déclare-t-il distraitement. Et vous ? Vous allez où ?

— À la maison, à Catford. Je vais laisser le vélo à Waterloo et je prendrai un train.

— Ça ira ?

Je repose ma tasse de chocolat (tiède et pas très bon) avant de répondre gaiement :

— Absolument. Et merci encore. C'était fantastique. Bonne nuit. À demain au bureau.

— C'est ça.

Puis il se reprend très vite :

— Non, pas demain en fait. Je pars pour Copenhague très tôt.

— Copenhague ? Demeter y va aussi. C'est une conférence de directeurs artistiques ?

— Exactement. Alors à bientôt, sûrement.

Sans pouvoir me retenir, je lance :

— C'était vraiment bien.

— Très bien.

Il sourit en me regardant dans les yeux. Au fond des yeux. Et là, je sais que c'est le genre de regard approprié.

Ni lui ni moi n'ouvrons la bouche. Je ne suis même pas sûre de respirer. Puis Alex me salue de la main et je remonte sur mon vélo. J'aurais sans doute pu prolonger le moment en trouvant à bavarder sur le plaisir de se balader en pédalant ou n'importe quoi d'autre, mais je préfère partir pendant que tout est parfait.

Et me repasser en boucle ces moments pendant le trajet du retour.

7

En ce moment, ma vie a un côté chimérique. Moitié joli rêve, moitié cauchemar. Les Pères Noël à bicyclette... le sourire d'Alex pendant cette balade... l'expédition Portobello avec Flora aujourd'hui... Voilà pour l'aspect merveilleux. Et lundi aura lieu la soirée de Noël à l'agence. Je m'imagine, dans ma petite robe noire, tomber sur Alex, bavarder, rire, je le vois effleurer subrepticement mon bras, m'emmener boire un verre... chez lui.

C'est vrai : je n'arrête pas de me faire des films, avec chaque fois un scénario différent.

Pour résumer, ma vie serait presque parfaite si le côté cauchemar ne fichait pas tout en l'air. Des précisions ? Mon ordi a rendu l'âme jeudi. J'ai dû en acheter un nouveau. D'où trou dans mon budget. D'où inquiétude maximale. Même si je fais mon possible pour ne pas y penser.

Mon ordinateur est HS. Les gars de l'informatique au bureau n'ont rien pu faire. Pas plus que le type du magasin qui, après une heure d'efforts, m'a balancé :

— C'est cuit ! De toute façon, il vous faut un modèle plus performant.

C'est là que j'ai commencé à paniquer. Il me faut un ordinateur personnel pour mes projets de maquette. Impossible de ne pas le remplacer. Mais je suis archi-fauchée. Je fais terriblement attention à mes dépenses. Chaque billet compte. Pour moi, un ordinateur à la casse équivaut à un ouragan financier. Quelle tuile ! Quelle injustice !

Bon, changeons de disque. Je vais passer une super journée avec Flora à flâner dans tous les stands. Sans rien acheter, évidemment, mais ça ne fait rien. L'important n'est pas tant le shopping que la promenade avec une copine dans un lieu sympa.

Comme elle l'avait suggéré, je suis passée chercher Flora chez elle. Sa rue est incroyable. À côté de ces somptueuses demeures, la maison de Demeter n'est rien. Des escaliers deux fois plus larges, des façades en stuc blanc qui leur donnent des airs de gâteaux de mariage, et partout des jardins dignes de ce nom. Arrivée au numéro 32, j'hésite un moment. Impossible que ce soit sa maison. Alors, celle de ses parents ?

— Coucou !

La porte s'ouvre en grand et Flora m'accueille en robe de chambre.

— Je t'ai vue arriver. Désolée, je suis en retard. Panne d'oreiller. Tu veux un petit déjeuner ?

Elle me fait traverser une entrée – marbre, bouquets de lys et soubrette astiquant la rampe d'escalier – puis descendre des marches de verre – éclairage discret – pour arriver dans une gigantesque cuisine – plans de travail en béton. Sa famille doit être sérieusement riche. Et hyper cool.

— C'est... la maison de tes parents ? je demande pour être fixée. Spectaculaire.

— Ouais ! fait Flora sans montrer beaucoup d'intérêt. Tu veux un smoothie ?

Elle flanque des fruits dans un Nutribullet, ajoute des graines de chia, du gingembre bio et de l'extrait d'algue à 3 livres la dose dans les magasins de produits naturels.

— Tiens !

J'avale goulûment le contenu du verre. Avant de partir, je n'ai pris qu'une tasse de thé et du porridge. Coût total du petit déj : 30 pence. Flora attrape un sac en papier bourré de croissants.

— Je vais m'habiller. Viens avec moi.

Sa chambre, avec dressing et salle de bains, se trouve au dernier étage. Elle est tapissée d'un papier peint aux reflets argentés orné d'oiseaux. Je remarque un bureau ancien, des placards, une foule de bougies parfumées Diptyque et toutes sortes de détails ravissants. Évidemment, pour Flora, ce décor est naturel. La tête dans une armoire, elle râle parce qu'elle ne trouve pas le jean qu'elle veut.

— Tu vis ici depuis que tu as quitté la fac ? je demande. Tu n'as jamais bougé ?

Expression horrifiée de Flora.

— Pas question. Je ne pourrais jamais me le permettre. Avec le loyer, la bouffe et tout… Qui peut se payer ça ? Aucune de mes amies n'a déménagé. On va toutes s'incruster chez nos parents jusqu'à nos trente ans !

Aïe ! Même si je déteste l'avouer, je l'envie un peu et même – pendant un quart de seconde – je la hais.

Non ! je retire ce que j'ai dit. Je ne hais pas Flora, bien sûr. Mais quand même, tout lui tombe rôti dans le bec !

— Mes parents ne vivent pas à Londres, je dis avec un sourire forcé. Donc, je dois louer.

— Oh, c'est vrai ! Tu viens des Midlands, n'est-ce pas ? Tu n'as pas d'accent, pourtant.

— En fait…

Mais Flora a de nouveau disparu dans son dressing. Pour être honnête, je dirais qu'elle se moque éperdument de savoir d'où je viens.

J'attends patiemment pendant qu'elle applique son eye-liner, s'y reprenant à cinq fois. Puis finalement, elle attrape son sac et s'écrie avec une bonne humeur contagieuse :

— Portobello, nous voilà !

Ses cheveux blonds sont ramassés sur le haut de sa tête. Elle a choisi une ombre à paupières irisée et porte un manteau en mouton retourné à la mode hippie des années 1970. On pourrait la légender : « Prête à s'éclater ». Nous dévalons les marches en pouffant. Au premier étage, une porte s'ouvre.

— Les enfants ! Vous allez déranger papa !

— Maman, on n'est pas des enfants ! proteste Flora alors qu'une femme élégante apparaît sur le palier.

C'est la réplique de Flora en plus âgée et même plus mince, jean étroit, escarpins Chanel, et un parfum divin.

— Je te présente Cat.

— Bonjour, dit la mère de Flora en me tendant la main. Vous allez à Portobello ?

— Shopping de Noël. Seulement, je suis assez fauchée… Et il faut que je trouve un cadeau pour Granny…

Flora lance un regard cajoleur à sa mère.

Celle-ci lève les yeux au ciel.

— Oh, très bien ! Prends 100 livres dans mon sac. Pas un sou de plus, ajoute-t-elle sévèrement. À cause de toi, je n'ai jamais de cash sur moi.

— Merci, maman ! Tu viens, Cat ?

Elle embrasse sa mère sur la joue et s'élance dans l'escalier.

Mon cerveau est en ébullition. 100 livres, juste comme ça ? Je n'ai pas demandé d'argent à mon père depuis des années et je ne le ferais jamais, même s'il dormait sur un tas d'or, ce qui n'est pas le cas.

Flora se sert dans le sac sa mère puis nous sortons sur le perron. Si l'escalier extérieur de la maison de Demeter convient à une princesse, ces marches-là sont faites pour une reine. Je prendrais bien une photo. Mais non ! Trop sans-gêne. Un jour, quand je serai plus proche de Flora.

J'ai une pêche d'enfer. Le fond de l'air est frais et ce coin de Londres est tellement cool. Toutes ces adorables maisons couleur pastel ont l'air de sortir d'un livre pour enfants. Je fais plein de photos pour mon compte Instagram. Arrivées aux puces, nous tombons sur une foule de touristes.

— Tu veux acheter quoi ? demande Flora.

— Rien de spécial. Je veux surtout jeter un coup d'œil.

Je me délecte du spectacle des stands qui s'étendent devant nous à perte de vue, proposant de tout, des colliers aux châles du Cachemire, des caméras vintage aux porcelaines anciennes. C'est la première fois que je viens en période de fête et je trouve l'atmosphère spéciale : décorations en masse sur les réverbères, concurrence musicale improvisée (un groupe de mecs super branchés qui chantent des cantiques de Noël a capella tandis qu'un haut-parleur en diffuse d'autres provenant d'un CD), stands de vin chaud et *mince pies*, parfum délicieux des crêpes chaudes.

Le vin chaud me fait penser à Alex et moi. Tout de suite, je fantasme : « Ce sera notre boisson », avant d'écarter violemment cette pensée comme on ôte l'aiguille d'une vieille platine sur un disque. *Arrête de débloquer, Katie !* Notre boisson ? Et puis quoi encore ? Les bonnets de Père Noël seront nos chapeaux ?

Flora a déniché un éléphant en porcelaine pour sa grand-mère et me traîne maintenant sur le stand d'un créateur où elle s'offre une robe à sequins pour la fête du bureau. Je n'avais pas l'intention de dépenser un penny mais, en fait, les prix ne sont pas si effrayants. Par exemple, je repère une casquette à 8 livres pour mon père et des fringues à 1 livre pièce sur un portant, ce que Flora trouve hilarant, surtout quand je choisis un cardigan au crochet. Sur un autre stand, nous essayons toutes sortes de chapeaux en feutre complètement dingues. Surexcitée, je photographie à tout va. Voilà la vie effervescente que j'ai toujours voulu mener à Londres.

Flora a envoyé des SMS toute la matinée. Devant un stand de miroirs, je la vois grimacer.

— Quelque chose ne va pas ?

Elle grogne.

— Bof. Ah, ces mecs !

— Ah ouais, les mecs !

Je répète sans savoir exactement ce qu'elle veut dire.

— Tu as quelqu'un en ce moment ? demande-t-elle.

La réponse est non. Mais les papillons reviennent en voltigeant. De nouveau, je tourne sur le manège, je sens les doigts d'Alex sur mes cheveux.

Et enfin, j'ai quelqu'un à qui je peux me confier.

— Non. À moins que ce garçon… Ça m'étonnerait que je l'intéresse mais…

— Je te parie que si. Il ressemble à quoi ?

— Beau mec. Cheveux bruns. Avec un tatouage, j'ajoute avec un petit sourire.

Suffisamment vague, non ? Ça pourrait être n'importe qui.

— Waouh ! Tu l'as rencontré où ?

— Par des gens. Un hasard.

— Et alors ? Vous avez…

Elle fait une grimace tellement expressive que j'éclate de rire.

— Pas dépassé le niveau flirt. Mais j'aimerais bien. Et toi ?

— En principe, je sors avec un mec. Il s'appelle Ant. Mais ça ne va pas durer. Il ne répond jamais à mes SMS…

— C'est une maladie chez eux.

— Je sais. Ce n'est pourtant pas dur d'envoyer un texto.

— Ils doivent croire que ça leur fait perdre une partie de leur âme.

Flora éclate de rire.

— Tu es vraiment marante, Cat. C'est super de t'avoir à l'agence, dit-elle en passant son bras sous le mien.

Nous arpentons les allées. J'immortalise un stand qui ne vend que des vieux klaxons de bagnole. Subitement, Flora me regarde avec intensité.

— Cat, est-ce que tu sais que Liz, Sarah et moi, on se retrouve tous les mercredis à l'heure du déjeuner pour un verre au Blue Bear ?

— Non, je l'ignorais.

— Ben, ce n'est pas officiel. On veut éviter que Demeter soit au courant. Tu vois le tableau si elle se ramenait ?

— Ah ça !

— Donc, ça reste entre nous. On est comme une société secrète. Ou un club. Un petit club très fermé.

— Je vois.

— Et si je te demandais d'entrer dans notre club ? Tu serais d'accord ?

Ô joie ! Allégresse ! Adieu, solitude !

— Et comment ! Tu peux compter sur moi ! je m'écrie, ravie.

Bon, évidemment, si je commence à offrir des tournées tous les mercredis, il me faudra sérieusement réviser mon budget. Mais tant pis, ça vaut le coup.

— Cool. On reprend après les fêtes. Je te tiens au courant. Pas un mot à Demeter.

— Promis !

Au moment où j'ouvre la bouche pour en demander plus sur le Blue Bear, Flora pousse un grand cri.

— Oh, my God !

Sorti de nulle part, un grand type coiffé d'un trilby est venu l'enlacer.

— Salut, bébé ! Ta mère m'a dit que je te trouverais ici.

— Je n'ai pas arrêté de t'envoyer des textos. Tu aurais pu répondre.

Il hausse les épaules et Flora le bouscule pour rire. C'est peut-être le moment de m'éclipser. Mais elle m'attrape le bras et dit :

— Voilà Cat. Cat, c'est Ant.

Avec une moue charmeuse, elle ajoute :

— Ant, pour te punir de ta méchanceté, j'exige que tu paies le déjeuner.

— En fait, je m'en vais, j'annonce.

— Tu viens avec nous, me contredit Flora.

Et, nous prenant chacun par un bras, elle nous fait traverser la rue vers la Butterfly Bakery, une boulangerie-café qui fait les délices des blogs gastronomiques. Pour planter le décor : des rayures roses et blanches à profusion et des nuées de papillons en papier suspendus au plafond, que les clients peuvent colorier avec des feutres. C'est en quelque sorte la « spécialité » de l'endroit.

On accroche nos manteaux à des patères en bois blanc à côté de la porte, puis Flora prend trois plateaux à motifs fleuris et commence à empiler des trucs dessus avec autorité.

— Les muffins au potiron sont sublimes. Et ces petits cœurs à l'avoine, divins… Une salade pour chacun… Ah ! la boisson au gingembre, un *must*.

Après avoir garni nos plateaux, elle ordonne :

— Ant, tu fais la queue. Nous, on va harponner une table. Viens, Cat.

Elle se dirige sans hésiter vers une alcôve qu'un couple est en train de quitter. En s'asseyant, elle me tape dans la main.

— On est les meilleures ! Quelle foule aujourd'hui ! Cet endroit a trop de succès.

Puis, tout en examinant avec satisfaction la robe qu'elle vient d'acquérir, elle me demande :

— Tu mets quoi pour la fiesta ?

— Une petite robe noire. Essayée, approuvée.

— Excellent choix. L'an dernier, Demeter portait une robe si courte qu'on voyait presque sa culotte. Elle espérait tromper qui, cette vieille bique ? Comme si coucher avec un jeunot pouvait lui enlever vingt ans d'un coup. Attends, je vais te montrer sa dégaine.

— Un jeunot, tu dis ?

Tout en faisant défiler des photos sur son portable, Flora lance :

— Tu sais, Alex Astalis.

Il me faut un moment pour imprimer ces deux mots dans ma tête.

— Alex Astalis, je répète bêtement.

— Le mec que tu as vu l'autre jour.

— Tu veux dire…

— Demeter et Alex ? Yesss ! Ils couchent ensemble quasiment ouvertement depuis des siècles.

Gorge serrée. Langue paralysée.

— Com… comment tu le sais ? je parviens finalement à articuler.

— Tout le monde le sait ! Il y a quelques années, Demeter était la boss d'Alex et apparemment, entre eux, il y avait déjà une alchimie… torride. C'est Mark qui me l'a raconté. Et maintenant Alex est le boss de Demeter. Bizarre, hein ?

J'acquiesce machinalement. Des images défilent devant mes yeux. Demeter en version rajeunie… Alex encore gamin… Galipettes torrides…

J'ai replongé dans le cauchemar.

— Demeter était déjà mariée, continue Flora, mais je suppose qu'elle n'a pas voulu tout plaquer. C'est comme ça qu'elle s'est retrouvée chez Cooper Clemmow. Alex s'est associé à Adrian et il l'a engagée aussitôt. Tu parles d'une manœuvre subtile… Tiens, regarde ! Elle est moche, tu ne trouves pas ?

Elle me montre une photo de Demeter en minirobe, posant à côté d'une sculpture de glace. J'arrive à peine à distinguer les détails tant je suis accablée. Et surtout, anéantie par ma propre bêtise. Demeter et Alex, amants ? Mais bien sûr. Ils sont parfaitement assortis. Beaux. Intelligents. Au top.

Voilà pourquoi tous les deux vont à Copenhague. Je les imagine dans une chambre d'hôtel, enchevêtrés dans une position acrobatique que personne au monde ne pourrait réaliser puisque c'est Demeter elle-même qui l'a découverte, pour ne pas dire inventée.

Je fixe sans le voir l'écran du téléphone de Flora. Mes pensées tourbillonnent. Demeter a vraiment tout. Le job, la maison, le mari, les enfants, les volets de la bonne couleur… et Alex. Évidemment, quand on s'appelle Demeter, un mari dévoué ne suffit pas. Il faut aussi un amant. Un amant sexy, authentique, bio…

Et moi alors ?

La torture se poursuit tandis que je me repasse les petits moments vécus avec Alex. Sa façon de sourire… d'arranger mes cheveux… de me regarder quand nous étions à vélo. Je n'ai rien inventé. Il y avait quelque chose, une étincelle, un courant entre nous.

Mais que vaut une étincelle comparée à une liaison torride avec une déesse du sexe ? Je n'étais qu'une diversion. L'autre soir, il a regardé son téléphone en marmonnant : « Je dois envoyer un texto à mes amis », au lieu de « mon amie ». Par discrétion. Mais c'est ce qu'il pensait.

— Et son mari ? Il n'est pas au courant ?

J'ai posé la question d'un air détaché, comme si ce n'était qu'un potin de bureau.

— Je ne pense pas. Dans le genre dissimulatrice, elle est imbattable. Ah, Ant !

— Et voilà !

Il pose deux plateaux sur la table. Un pour Flora, avec muffin, salade et compagnie, l'autre avec un bol de soupe.

— Cat, le tien est là-bas. Ils l'ont mis de côté en attendant que tu ailles payer.

Que je paie ?

Terminées, les divagations sur Alex ! Retour à la réalité matérielle.

— Ant, c'est pas sympa ! fait Flora en lui donnant une petite tape. Tu aurais dû rapporter les trois plateaux. Maintenant il va falloir que Cat fasse la queue.

— Non. J'ai dit qu'elle arrivait tout de suite et ils vont la faire passer. Je suis prévenant, tu sais.

— Tout de même ! Pourquoi tu n'as pas réglé aussi ses trucs ?

— Parce que je n'ai pas un radis, OK ?

Horreur ! Ils vont se disputer à cause de mon déjeuner. Je réagis gaiement :

— Pas de problème ! Merci de les avoir prévenus, Ant.

Mais en approchant de la caisse, je suis saisie d'une terreur glacée. Si j'avais su que je devrais payer mon déjeuner, je ne serais pas restée. J'aurais trouvé une excuse pour filer. D'ailleurs, un sandwich au thon emballé dans du film alimentaire attend dans mon sac.

Allez, Katie, n'en fais pas une montagne. Ça ne peut pas être si cher.

La fille de la caisse m'accueille avec le sourire. Elle commence à enregistrer chaque chose.

— Il y a le muffin… la salade…

Je me raisonne. *Sois cool !* Comme une nana de Notting Hill relax et friquée. Pas comme une fille qui retient sa respiration en calculant frénétiquement. Ça va faire dans les 15 ou 18 livres, peut-être 20…

— Ça fera 35,85 livres, annonce la caissière aimablement.

Je suis ahurie. C'est pire que dans mes pires estimations. 35 livres pour une espèce de grignotage ? Pour moi, c'est le montant d'une semaine de courses au supermarché.

Je ne peux pas.

Je ne peux pas dépenser 35 livres pour quelques bouchées. Surtout après le désastre de l'ordinateur. Je dois partir. Avertir Flora par SMS que je suis malade. De toute façon, ça n'a aucune importance, vu qu'elle est complètement subjuguée par Ant.

— J'ai changé d'avis, je déclare. Je ne peux pas rester. Excusez-moi.

— Vous ne voulez rien de tout ça ? fait la fille, sidérée.

— Non, désolée. Je ne me sens pas bien. Je m'en vais.

Les jambes flageolantes, je gagne la sortie, attrape mon manteau au passage et pousse la porte. Je ne regarde pas derrière moi. Si Flora s'étonne, je lui dirai que je ne voulais pas lui refiler mes microbes. Excuse nulle, mais mieux vaut être nulle que ruinée.

L'air frais me frappe de plein fouet. J'enfonce mes mains dans mes poches. La journée de rêve est finie. Je n'ai plus qu'à rentrer chez moi. J'ai envie de pleurer. De m'asseoir par terre et de me cacher le visage entre les mains. Je n'ai pas les moyens de mener cette vie, de fréquenter ces gens. Je n'ai pas une mère qui me dit : « Chérie, voilà 100 livres. »

Je n'ai pas de mère.

Je dois être sacrément au fond du trou, parce que, généralement, je refuse de penser à cela. Oui, vraiment déprimée. Je cligne des yeux pour en chasser les larmes. *Allez, Katie ! Ne fais pas ta chochotte.* C'est probablement un manque de sucre. Tout ira mieux quand tu auras mangé ton sandwich.

J'envoie un court message à Flora :

Patraque. Je rentre. Désolée. Bon dej. Biz.

Puis je m'assieds sur le trottoir, un peu à l'écart des passants, et sors mon sandwich. Pas aussi appétissant que le muffin au potiron, mais certainement moins mauvais qu'il n'en a l'air et de toute façon…

— Cat ?

En tournant brusquement la tête, je manque me déboîter le cou. Plantée à un mètre de moi, Flora m'observe, sidérée, un cupcake à la main.

— Tu as eu mon message ?

— Quel message ? Je t'ai vue filer à l'anglaise. Sans même dire au revoir. Qu'est-ce qui t'est arrivé ?

— Mal fichue, je réponds d'une voix enrouée. Subitement. Vraiment pas bien.

Je tire un mouchoir de ma poche et, me détournant par politesse, je crache dedans.

— Oh, ma pauvre !

— Un virus. Ne t'approche pas !

— Mais il y a deux minutes tu étais en forme. Tu veux que j'appelle un médecin ? Un taxi ?

— Non ! je hurle, consciente de pousser un cri de chat ébouillanté. Pas de taxi. J'ai besoin de prendre l'air, de marcher. Retourne déjeuner.

Le regard de Flora est fixé sur ma main.

— C'est quoi, ce sandwich ?

Merde !

— Un type me l'a donné, je dis en rougissant. Parce que j'avais l'air malade.

— Un inconnu ? fait-elle, perplexe.

— Oui.

— En disant quoi ?

Je me creuse les méninges.

— Vous n'êtes pas bien ? Voilà un sandwich.

Elle a l'air encore plus médusée.

— Tout simplement ? Mais pourquoi ?

— Une croisade sociale… je crois. Une distribution de sandwiches anti-austérité. Je le mangerai plus tard, quand j'irai mieux.

— Certainement pas ! rugit Flora en s'emparant du sandwich. Pas question de faire confiance à la bouffe d'un inconnu. Spécialement quand tu es malade.

Elle l'expédie avec dextérité dans une petite poubelle. Mon déjeuner ! Jeté aux ordures. Je m'efforce de cacher ma consternation.

— Le rayon pâtisserie offre des gâteaux. Mais j'imagine que ce n'est pas tellement le moment de t'en proposer un, non ?

J'ai lu des descriptions alléchantes des cupcakes de la Butterfly Bakery. À vue de nez, celui-là est au chocolat, avec un glaçage marbré. Mon estomac gronde de faim.

— Tu as raison. Rien qu'à le regarder, je me sens... Beurk, j'ajoute pour faire bonne mesure.

— Quel dommage ! commente Flora avant de mordre dedans. C'est trop bon ! Bon, eh bien, fais attention à toi. Tu ne veux vraiment pas un taxi ?

— Non, non. Ant doit t'attendre. Vas-y, s'il te plaît.

— OK. À lundi !

Flora me lance un dernier regard incertain, m'envoie un baiser et disparaît. Quand je suis sûre qu'elle n'est plus dans les parages, je me lève lentement. Impossible de détacher mon regard de l'endroit où gît mon sandwich au thon. Dans une poubelle de la ville, oui. Dégoûtant. Épouvantable. Mais il est toujours enveloppé dans son film alimentaire alors... A priori...

Non, Katie ! Tu ne vas pas repêcher ton déjeuner dans une poubelle. Tu n'en es pas là, quand même.

Mais il est bien emballé.

Non.

Et pourquoi, je vous le demande ?

Sans trop réfléchir, je m'approche de la poubelle mine de rien. Personne ne regarde.

Je me parle à moi-même : *Juste une photo pour mon blog sur le gâchis ambiant.*

Je prends la photo, regarde à l'intérieur et continue à blablater toute seule : *Tiens ! Un sandwich tout à fait intact. Une autre photo s'impose. Pour mon enquête sur le gaspillage de la nourriture qui devient un réel problème.*

En piquant un léger fard, je récupère le sandwich et fais ma photo. Une petite fille d'environ cinq ans me surveille. Elle tire sur la manche d'un manteau en cachemire rose pâle et s'écrie d'une voix aiguë :

— Maman, la dame a pris de la nourriture dans la poubelle !

— C'est pour mon blog sur le gaspillage, je l'informe aussitôt.

— Elle a pris le sandwich dans la poubelle, répète la gamine comme si elle ne m'avait pas entendue. La poubelle, maman. Faut lui donner de l'argent. Maman, la pauvre a besoin de sous.

La mère me lance un regard ennuyé.

— Il y a un foyer d'entraide à quelques rues d'ici, vous savez, bougonne-t-elle. Allez-y au lieu de harceler les gens pour obtenir de l'argent.

N'importe quoi !

J'explose, folle de rage.

— Je ne harcèle personne. Gardez votre putain d'argent ! Et c'est mon sandwich, d'accord ? Je l'ai fait moi-même avec mes propres ingrédients.

Les larmes me montent aux yeux. Comme si c'était le moment de pleurer ! Je fourre le sandwich dans mon sac d'une main tremblante et m'apprête à partir quand la femme au cachemire rose pose son bras sur le mien.

— Je m'excuse. J'ai dû vous paraître sans cœur. Vous avez l'air d'une gentille fille.

Elle scanne mon manteau minable de haut en bas.

— J'ignore pourquoi vous êtes à la rue, mais gardez espoir. Tout le monde est digne d'espoir. Alors tenez, joyeux Noël !

Et elle sort un billet de 50 livres.

— Oh non ! je me récrie. Vous ne comprenez…

— Je vous en prie. C'est un cadeau de Noël pour vous.

Tandis qu'elle me fourre le billet dans la main, la petite fille regarde sa généreuse maman avec des yeux brillants de fierté. L'idée romantique d'aider une malheureuse SDF leur plaît à toutes les deux, c'est clair.

Je traverse le moment le plus atroce de toute ma vie. L'idée d'expliquer les faits à cette femme m'afflige d'avance. Et puis, c'est inutile. Et je sais très bien que mes cheveux ont besoin d'un brushing, et mes chaussures d'un ressemelage, mais franchement, ai-je vraiment l'air d'une fille qui vit dans la rue ? Mes fringues sont-elles à ce point atroces comparées à l'uniforme standard chic et cher de Notting Hill ?

(Réponse : probablement.)

— Merci, je finis par dire, affreusement gênée. Vous êtes très généreuse. Que Dieu vous bénisse. Que Dieu bénisse chacune d'entre nous.

Je m'éloigne rapidement et, une fois passé le coin de la rue, je fonce tout droit vers un membre de l'Armée du Salut qui récolte des fonds. Ce n'est quand même pas complètement de gaieté de cœur que je glisse le billet dans sa boîte. 50 livres, ce n'est pas rien. Mais impossible de faire autrement, n'est-ce pas ? Oui, impossible.

L'officier de l'Armée du Salut a l'air ravi. Il se répand en effusions devant mon geste charitable tandis que je me sauve à grands pas. Quel désastre ! *Quelle journée de merde !*

Difficile avec ça de ne pas laisser mes pensées galoper vers Alex. Lui et Demeter enlacés sur un tapis de designer danois, tout fiers d'être si brillants, sexy, über…

Assez. Ça ne sert à rien. À la fête de l'agence, je ferai mon possible pour l'éviter. Puis viendront Noël et la nouvelle année. Tout sera différent. Oui. Tout sera topissime.

8

Oh non ! Il est là, près du bar. *Misère !*

Je m'éloigne en vitesse, attrapant au passage un ballon qui me servira de camouflage. Et si je me planquais plutôt sous des décorations de Noël ? Ou, mieux, si je déguerpissais ?

Il y a environ deux heures, la fête a commencé dans une salle au premier étage du Corkscrew. Jamais je n'ai assisté à une soirée de Noël aussi cool. Rien de surprenant.

D'après les conversations surprises au bureau la semaine dernière, personne chez Cooper Clemmow, en tout cas dans notre département, ne prépare de dîner de Noël traditionnel ou, comme dit Rosa, de repas de Noël « en mode tradi ». Chez Demeter, Flora et Rosa, l'oie (bio, bien sûr) remplace la dinde. Chez Mark, c'est terrine à base de noix et de fruits secs car son copain est vegan. Liz prépare des cailles d'après une recette du célèbre chef Ottolenghi. Sarah sert du homard et décore sa table avec les bois flottés qu'elle a ramassés pendant l'été sur la plage. (Quel rapport avec Noël ? Mystère.)

Quand quelqu'un m'a demandé : « Et toi, Cat, ton menu ? », j'ai eu la vision de mon père, assis à la vieille table en formica de notre cuisine et coiffé d'un chapeau en papier, en train d'enduire une dinde avec de la margarine bon marché qu'il achète en gros. En parlant de Noël tradi... Alors, j'ai souri en répliquant : « Je n'ai pas encore décidé », et la conversation a dévié sur un autre sujet.

Comme de bien entendu, la fête du bureau n'est pas du tout « noëlisante ». Dans un coin est installé un photomaton et des grappes de ballons noirs et blancs portant l'inscription « ange » et « démon » flottent partout. Le buffet à thème s'inspire des marques de nos clients et le DJ passe tout sauf des airs de Noël. Comme Alex est invisible, je n'ai pas de souci à me faire. À vrai dire, je m'éclate.

Et tout d'un coup, il se matérialise devant moi, sublime dans une chemise à imprimé géométrique noir et blanc. Un verre à la main, il regarde autour de lui avec un petit sourire amusé. Avant qu'il me repère, je me précipite vers la piste de danse. Pas pour danser mais parce que c'est l'endroit idéal pour se cacher.

Après l'épisode Portobello, le reste de mon week-end s'est lamentablement traîné entre télé et Instagram. Ce matin, j'ai enfin fini de traiter mes questionnaires. J'ai dû aussi répondre aux questions de Flora à propos de mon virus foudroyant et n'ai pas cessé de me demander si j'allais sécher la fête.

Réponse négative. Ne pas y assister serait ridicule. C'est l'occasion de passer un bon moment sans débourser un penny. Et puis, l'invitation de Flora à entrer dans son groupe du mercredi me fait chaud au cœur. Ces filles sont mes copines. Ou, tout au moins, elles le deviendront. Je vais peut-être travailler dans cette agence pendant cinq, dix ans, grimper les échelons...

Au bar, je vois Alex qui parle avec Demeter. Plus naïve que moi, ça n'existe pas ! Il n'y a qu'à les voir, les yeux dans les yeux. Ignorant ce qui se passe autour d'eux. Bien sûr qu'ils couchent ensemble !

— Salut, Cat !

Toute brillante de paillettes, Flora s'avance vers moi en se trémoussant.

— Je vais aller lui dire que c'est moi qui lui offre son cadeau.

Au son de sa voix, je comprends qu'elle a beaucoup trop bu. Comme tout le monde, en fait. C'est l'effet open bar.

— Mais non ! Tu ne peux pas, j'objecte. Tu sais bien que, dans le système du tirage au sort, personne ne doit savoir de qui vient son cadeau. Ce n'est pas par hasard qu'on appelle ça un « Secret Santa ».

— Mais je veux que le destinataire sache que c'est moi. Parce que mon cadeau est génial. Bien plus cher que la limite fixée. J'ai dépensé 50 livres, ajoute-t-elle sur le ton braillard des ivrognes qui vous font des confidences.

Stupéfaite, j'éclate de rire.

— Flora ! Tu n'avais pas le droit ! Et tu n'es pas censée dévoiler ton identité.

— Rien à secouer ! Viens !

Chancelante, elle m'agrippe le bras.

— Bordel, j'aurais pas dû boire tous ces mojitos…

Elle me traîne à travers la salle et, en moins de temps qu'il n'en faut pour le dire – et sans possibilité de fuite –, me voilà plantée devant Alex Astalis.

En rougissant, je jette un coup d'œil à Demeter, en pleine conversation avec Adrian.

— Bonsoir, Katie-Cat, lance Alex.

Je dois être cramoisie jusqu'à la racine des cheveux. Heureusement, Flora ne remarque rien. Signe qu'elle est vraiment bourrée.

— C'est moi ton Secret Santa, bafouille-t-elle. Tu as aimé mon cadeau ?

— Le chapeau Paul Smith ? demande Alex étonné. C'est de toi ?

— Sympa, hein ?

Flora titube. Je la retiens.

— Très sympa, fait Alex avec une grimace moqueuse. Mais a-t-il coûté moins de 10 livres, comme convenu ?

— 10 livres ? Tu plaisantes ?

Elle vacille encore et, cette fois, c'est Alex qui la remet d'aplomb.

— Désolée, je dis. Elle est un peu…

— Je suis pas saoule, proteste Flora. Je suis pas…

Elle s'agrippe à la manche d'Alex, faisant apparaître le tatouage sur son poignet.

— Ah, t'as un tat… Un tat…

Elle est trop ivre pour prononcer le mot. Soudain, on entend résonner la voix furieuse de Demeter.

— Je ne perds pas mon calme !

Est-elle en train de s'engueuler avec Adrian ? Le soir de la fiesta annuelle ? Le regard d'Alex est tendu. Visiblement, il suit l'échange avec attention, sans plus s'occuper de nous.

— Ce n'est pas ce que je disais, répond Adrian d'une voix apaisante. Mais tu dois admettre… Assez inquiétant…

Le brouhaha m'empêche de tout saisir.

— Tu as un tatouage !

Pour finir, Flora est parvenue à articuler correctement.

— Eh oui ! J'ai un tatouage. Bien vu !

— Mais…

Les yeux de Flora se posent sur moi. Je me rends compte qu'elle force son esprit confus à faire le lien.

— Attends ! Cheveux bruns, tatouage… Et tu as posé des questions sur lui.

Mon cœur se met à battre au rythme de la musique.

— Flora, on s'en va, je m'empresse de dire en la tirant par le bras.

Mais elle ne bouge pas d'un pouce.

— C'est lui, hein ?

Au secours !

— Arrête ! Viens !

Impossible de la faire partir.

— C'est ton mec, n'est-ce pas ? braille-t-elle, ravie, en me donnant un coup de coude d'ivrogne. Je savais que c'était quelqu'un du bureau. Alex, elle est amoureuse de toi. En secret.

Elle pose un doigt sur ses lèvres.

Mon estomac fait des bonds. Comment une telle chose peut se produire ? Je donnerais tout pour être téléportée ailleurs, hors de cet endroit, hors de ma vie.

Je croise le regard d'Alex et j'y lis de l'étonnement. De la pitié. Davantage de pitié. Encore plus de pitié.

Je pars d'un rire nerveux.

— Je ne suis pas amoureuse de vous ! Franchement, c'est n'importe quoi. Je vous connais à peine. Comment je pourrais être amoureuse ?

Flora plaque sa main contre sa bouche.

— C'est pas lui ? Oups. Pardon. Ça doit être un autre type avec des cheveux bruns et un tat-tat… Un tatouage.

Alex et moi regardons son poignet en même temps. Quand il lève les yeux, je sais qu'il sait. Qu'il sait que c'est lui.

Je veux mourir.

— Je ferais mieux de filer. Il faut que je fasse ma valise. Euh… Merci pour la fête…

— D'accord, répond Alex d'une drôle de voix. Vous devez vraiment partir maintenant ?

— Oui ! je m'exclame au moment où Demeter nous rejoint.

Le visage en feu, elle s'efforce d'avoir l'air aimable.

— Alors, Cass, tu es en congé demain ?

— Oui, absolument.

— Tu as choisi ? C'est dinde ou oie ?

Je m'entends improviser.

— Dinde. Mais avec une délicieuse farce aux cèpes.

Et j'adresse un immense sourire à cette bande de Londoniens si sophistiqués. Tous ces gens si branchés, si cool, qui traitent Noël comme un événement chic et mondain.

— Des cèpes ? s'intéresse Demeter.

— Ils viennent d'un village de Toscane. Et… j'ai aussi des truffes de Sardaigne. Le tout arrosé d'un champagne millésimé, bien sûr. Bon ! Joyeux Noël, tout le monde ! À très vite !

Alex s'apprête à dire quelque chose, mais je ne reste pas pour l'écouter. Les joues brûlantes, je me hâte en trébuchant vers la sortie. Il faut que je sorte. Que je rentre chez moi pour préparer une soirée de Noël luxueuse et délicieuse. Avec les cèpes. Le champagne millésimé. Et bien entendu, les truffes. Je meurs d'impatience.

9

— Goûte-moi ça !

Mon père me tend un verre. Pas de champagne millésimé, pas de cocktail exotique. Pas de cidre artisanal et bio. Juste son habituel punch de fête à base de différents alcools achetés à prix cassés qu'il mélange à du jus d'orange pasteurisé, du jus d'ananas et du sirop de citron vert.

— À ta santé, ma chérie !

Il est midi, la veille de Noël, et je suis chez moi, à la campagne. Londres me semble à des milliers de kilomètres. Ici, tout est différent. L'air, les bruits, l'immensité. Nous habitons une ferme dans un coin du Somerset si reculé que personne n'en a entendu parler. Les journaux regorgent d'articles sur le Somerset « à la mode » et le Somerset des « célébrités ». Mais, croyez-moi, là où nous sommes, c'est le Somerset du « bout du monde ».

Notre maison se trouve dans une vallée. De la fenêtre, on voit des moutons éparpillés, la route qui monte vers Hexall Hill et, au mieux, un deltaplane au loin. Quelques vaches également, bien que papa soit moins intéressé par elles désormais. « Elles ne rapportent pas assez d'argent, explique-t-il. Il y a de meilleurs moyens d'en gagner. » Pour le moment, il n'a pas l'air de les avoir trouvés.

Il lève son verre en me souriant, de son sourire si particulier auquel personne ne résiste. Moi moins que personne. Je l'ai vu toute ma vie séduire les gens avec son charme et son inépuisable optimisme. Un exemple ? J'avais dix ans et oublié de faire mes devoirs de vacances. Papa est allé voir la maîtresse, l'a embobinée avec force clins d'œil en lui répétant qu'il était sûr que ce n'était pas grave... Et je n'ai pas reçu la moindre punition. Tout s'est arrangé comme par magie.

Cela dit, je ne suis pas idiote. La compassion avait joué en ma faveur. J'étais la petite fille sans maman...

Inutile de gratter mes plaies. Surtout le 24 décembre. Je sors et me fraie un chemin à travers un groupe de poules pour respirer l'air frais de la campagne. C'est vrai que cet air est incroyable. En fait, toute la région l'est. Mon père est persuadé que j'ai rejeté le Somerset en bloc, mais il a tort. J'ai juste opté pour un style de vie...

Je ferme brièvement les yeux. Combien de conversations imaginaires ai-je eues avec mon père à ce sujet ? Pas la peine d'en entamer une autre alors qu'il se trouve à trois mètres.

J'avale une gorgée de punch et m'efforce de me concentrer sur le paysage alentour plutôt que sur la cour. Car, plus on s'approche de la maison, moins la vue est pittoresque. Au fil des ans, papa a enchaîné les combines censément juteuses. Aucune n'a donné de résultats. En revanche, chacune a laissé toutes sortes de stigmates qu'il ne s'est jamais donné le mal d'effacer. Pour récapituler, il y a le pressoir à cidre dans la grange, à peine utilisé. La table de massage datant d'un projet d'installation de spa (abandonnée : tous les masseurs étaient trop chers). La tête de lit turquoise avec tables de nuit assorties, très années 1980, achetées à un copain dans l'idée de monter un B&B. Reléguées contre une porte, dans leur emballage plastique d'origine, elles sont toujours aussi moches.

Je n'oublie pas Colin, l'alpaga, qui tourne en rond dans son petit paddock comme un pauvre crétin. Cette histoire-là a été un vrai désastre. Il y a trois ans, mon père en a acheté six, persuadé qu'ils feraient notre fortune. Dans sa tête, les alpagas seraient une attraction de premier choix et lui permettraient de créer une fabrique de laine. Hélas, pendant une visite scolaire payante, un gosse s'est fait mordre par un alpaga et, papa n'ayant pas pris d'assurance, je ne vous raconte pas les emmerdements qui ont suivi.

Mais tout cela n'est rien comparé à la « Ferme d'hiver enchantée. Visitez la grotte du Père Noël ! », avec du coton effiloché en guise de neige, des décalcomanies bas de gamme comme cadeaux et moi déguisée en lutin hostile. Quatorze ans après, le souvenir des maudits collants verts me flanque encore des frissons d'horreur.

— Katie, je suis tellement contente que tu sois là ! me lance Biddy, qui sort de la maison avec un verre à la main. Tu nous as manqué, mon chou.

Papa et Biddy sont ensemble depuis pas mal de temps. C'est sa compagne. Et même sa concubine officielle, en quelque sorte. Après la mort de maman, nous avons vécu seuls pendant un bon moment. Le bonheur. Je pensais qu'il resterait célibataire pour toujours. Quelques femmes du coin, généralement blondes, allaient et venaient dans sa vie, tellement semblables que je ne les distinguais pas les unes des autres.

Et puis Biddy est arrivée, juste avant mon départ pour la fac. Elle était différente. Calme, persévérante, raisonnable. Jolie à sa façon avec des cheveux bruns striés de blanc et de grands yeux sombres, sans rien de voyant ou de branché. Une femme énergique, aussi. Elle a été cuisinière au pub le Fox and Hounds, jusqu'à ce qu'elle n'en puisse plus de travailler tard le soir. Désormais, elle fait des confitures qu'elle vend sur les foires agricoles. Je l'ai vue passer six heures d'affilée sur son stand, toujours de bonne humeur, toujours prête à bavarder. Elle ne fait pas payer sa marchandise trop cher, sans la brader non plus. Biddy est honnête. Vraie et honnête. Pour quelles raisons supporte-t-elle mon père ? Je me le demande.

Je blague ! Enfin, pas complètement. Papa fait partie de ces gens qui vous exaspèrent et se rattrapent au moment où on s'y attend le moins. Quand j'ai eu dix-sept ans, je l'ai harcelé pour qu'il m'apprenne à conduire. Il remettait toujours les leçons à plus tard, oubliait, disait que j'étais trop jeune. Et puis un jour, alors que j'avais abandonné tout espoir, il a dit : « Aujourd'hui, Kitty-Kate, c'est conduite. » Pendant toute cette journée passée en voiture, il s'est montré incroyablement patient.

J'ai quand même échoué au permis. En fait, papa ignorait tout du code de la route. Résultat : l'examinateur a tout arrêté à mi-parcours sous prétexte que j'étais dangereuse. (Le conseil de papa, « toujours accélérer en approchant d'un feu pour ne pas rester coincé », l'a particulièrement ébranlé.) Mais peu importe, l'intention y était. Je me souviendrai toujours de ma journée de conduite avec lui.

C'était son côté doux et sérieux. Il ne le montre pas tout le temps mais, sous les fanfaronnades, les clins d'œil et la séduction à tout va, c'est un ange de douceur. Il fallait le voir pendant l'agnelage, il s'occupait des orphelins aussi tendrement que si c'était de vrais bébés. Et la fois, l'année de mes onze ans, où j'ai eu une terrible fièvre. Papa était si inquiet qu'il prenait ma température au moins trente fois par heure, il a fini par appeler Rick Farrow, le vétérinaire, parce qu'il avait plus confiance en lui qu'en n'importe quel médecin. Tout est rentré dans l'ordre, jusqu'à ce que l'histoire fasse le tour de l'école. (Le véto pour soigner sa fille. Vous imaginez ?)

Je me souviens encore de maman. Un petit peu. J'ai en mémoire des pans de vie qui me donnent l'impression de regarder une aquarelle inachevée. Je me rappelle ses bras qui m'enlacent et sa voix douce murmurant à mon oreille. Ses chaussures « pour sortir » – elle n'avait qu'une seule paire, en vernis noir avec des talons épais. Je me souviens qu'elle tenait le poney qui me baladait dans les champs et nous prodiguait à tous deux des petites caresses. Qu'elle me brossait les cheveux devant la télé, après mon bain. Le vide affreux que sa mort a laissé est encore présent mais je ne m'abandonne pas souvent à des pensées tristes. Quelque part, ça ne serait pas loyal vis-à-vis de papa. En grandissant, j'ai compris combien cela avait dû être difficile de m'élever seul pendant toutes ces années. Mais pas une fois il ne me l'a fait sentir. Avec lui, tout était amusant. Une équipée à deux pleine de surprises.

J'ai un souvenir de lui, l'année de mes six ans, celle de la mort de maman. Assis à la table de la cuisine, les sourcils froncés, il étudiait le catalogue Littlewoods pour me commander des vêtements. Il voulait tellement bien faire ! Sa gentillesse pourrait vous tirer des larmes. D'ailleurs, il m'en a aussi fait verser lorsqu'il a vendu sans prévenir les meubles bien-aimés de ma chambre à un type de Bruton qui lui en proposait un bon prix. (J'avais quinze ans. Je n'ai toujours pas compris comment ce type de Bruton pouvait connaître l'existence du mobilier de ma chambre.)

Voilà mon père. Il n'est pas tout à fait ce qu'il paraît être et, la minute d'après, il est exactement ce qu'il paraît. Je crois que Biddy le comprend, c'est pour ça que leur couple fonctionne. En observant les autres femmes de sa vie de papa, même enfant, je m'apercevais qu'elles ne le comprenaient pas. Elles ne voyaient en lui que l'homme charmeur et coquin, plein de plans pour devenir riche. Offrant des tournées au pub et racontant des histoires hilarantes. C'est le côté qui leur plaisait et il en jouait. Alors que Biddy se fiche du charisme. Ce qui l'intéresse, c'est le contact. Elle parle franchement, sans flirter ni faire des manières. Parfois, quand je les vois bavarder tranquillement, je me dis que mon père compte sur elle. De plus en plus.

Biddy est aussi subtile et discrète. Jamais elle ne s'interpose entre papa et moi. Elle sait combien nous avons été proches et quand elle doit se tenir à l'écart. Jamais de critique. Jamais de conseil qu'on n'aurait pas demandé. Ce que je n'ai d'ailleurs jamais fait.

Je devrais peut-être.

— Tu veux des chips, Kitty-Kate ?

C'est mon père, avec un bol de chips. Après le travail du matin à la ferme, ses cheveux grisonnants et bouclés sont tout ébouriffés. Dans son visage buriné, ses yeux bleus brillent comme des éclats de saphir.

— Je viens de dire à Katie comme c'était bon de l'avoir à la maison, dit Biddy.

— C'est vrai, dit papa en levant son verre à ma santé.

Je fais de même en essayant de sourire. Mais ce n'est pas évident. Dans le regard pétillant de mon père, je discerne un peu de tristesse. Alors je bois mon punch, en attendant que le moment passe.

À nous voir comme ça, père et fille réunis joyeusement à la veille de Noël, personne ne se douterait qu'il y a entre nous autant de peine et de culpabilité.

Mon job à Birmingham n'a jamais posé problème, parce que papa comprenait que je n'avais rien pu trouver d'autre. Il savait que je n'avais pas l'intention de m'y installer et il ne se faisait pas de souci. Le premier stage à Londres ne l'a pas inquiété non plus. Je débutais à peine, il était bien normal de faire cette expérience.

Mais quand j'ai commencé à travailler chez Cooper Clemmow, quelque chose s'est détraqué. Je me souviens du jour où je leur ai annoncé la nouvelle. Oh, bien sûr il m'a félicitée et serrée dans ses bras. Nous avons parlé de mes futures vacances et de week-ends à la ferme. Biddy a préparé un gâteau pour célébrer l'événement. Mais je voyais bien que mon père était éprouvé.

À partir de là, nos relations se sont tendues. Et leur séjour à Londres, l'année dernière, n'a rien arrangé. Ces quelques jours ont été un désastre. Il y a eu des problèmes dans le métro qui nous ont mis en retard au théâtre où j'avais retenu des places. Ensuite une bande de jeunes a bousculé mon père et, bien qu'il n'ait jamais voulu l'admettre, je crois qu'il a eu peur. Sans mâcher ses mots, il m'a dit ce qu'il pensait de Londres. J'étais si fatiguée, si déçue que j'ai fondu en larmes et dit des choses… qui dépassaient ma pensée.

Depuis, nos rapports sont bizarres. Papa n'a pas parlé de revenir à Londres et je n'ai rien proposé. Nous ne parlons pas de ma vie là-bas mais, quand cela arrive, je positive un max. Sans faire état de mes problèmes. Sans lui montrer des photos de l'endroit où je vis. Inutile de lui faire voir ma chambre minuscule et mes affaires entassées dans un hamac immonde. Il ne comprendrait pas.

Car il y a autre chose à dire à son sujet et c'est le mauvais aspect de notre longue vie à deux : il ressent tout à ma place, presque trop intensément. Il peut réagir trop fort, prendre les choses au tragique au lieu de les minimiser, et du coup moi aussi. Il en veut au monde entier quand je ne vais pas bien. Et il est très rancunier.

Il n'a jamais pardonné au garçon qui m'a brisé le cœur en troisième. Il se renfrogne quand je fais allusion au magasin d'équitation où j'ai fait un stage d'été. (J'étais un peu sous-payée, c'est vrai, mais papa en a fait une montagne. Depuis, il refuse d'y mettre les pieds.) Je sais qu'il agit ainsi par amour paternel. Mais parfois j'ai du mal à supporter ses désillusions, sans parler des miennes.

La première fois que je me suis pris le bec avec un collègue de travail – c'était à Birmingham –, je lui en ai parlé. Quelle histoire ! Pendant six mois, chaque fois que je l'ai eu au téléphone, il a mentionné l'épisode. Me conseillait de me plaindre au DRH… Me suggérait d'être plus virulente… Aurait aimé savoir que le collègue avait été réprimandé. Même quand je lui ai dit et répété que tout s'était arrangé, que je ne voulais plus qu'on évoque le sujet. Certes, son attitude montre qu'il m'aime, mais c'est épuisant.

À présent, lorsque j'ai un problème, je m'y attaque seule sans lui en dire un mot. Plus simple, pour moi et pour lui. Plus simple qu'il ignore que j'ai échangé son Somerset chéri contre une vie compliquée, qu'il pense que je côtoie toutes sortes de people à Londres. Plus simple de ne pas avoir à soumettre chaque détail de mon existence à son regard anxieux.

Mais oui, ça me rend malheureuse. Nous étions si proches. Papa-et-Katie : une vraie équipe. Je ne lui ai rien caché. Ni mes premières règles ni mon premier baiser. Maintenant je suis constamment sur mes gardes. Mais je lui parlerai franchement quand j'aurai à lui raconter des choses qui lui feront plaisir. Quand je serai plus sûre de moi, moins sur la défensive.

Ce n'est pas pour tout de suite.

Afin de détendre l'atmosphère, je lance gaiement :

— J'étais en train de penser à la grotte du Père Noël. Tu te souviens de la bagarre ?

— Ces satanés enfants ! s'indigne papa. Les ballons étaient bien, pourtant.

— Non, ils ne se gonflaient pas, je proteste en rigolant. Et tu le savais. Quant aux chaussettes de Noël… Biddy, si tu les avais vues… Elles se désagrégeaient dans les mains des gamins.

Papa a la décence de prendre l'air vaguement honteux. J'éclate de rire à nouveau. Le passé, c'est notre terrain d'entente.

— Biddy t'a dit ? demande-t-il en regardant les champs.

— Me dire quoi ?

— Non, j'attendais, intervient Biddy.

— Tu attendais quoi ? Qu'est-ce que vous mijotez ?

— Un camping de luxe, annonce papa triomphalement.

— Comment ça, un camping de luxe ?

— C'est le tourisme à la mode. On appelle ça le « glamping ». C'est la contraction de « glamour » et « camping ». Je l'ai lu dans le journal. Les gens célèbres adorent ça. Nous avons l'espace, nous avons le temps...

— C'est sérieux, explique Biddy. Nous voulons créer un genre de camping glamour ici. Tu en penses quoi ?

Un « camping glamour » ? Je reste bouche bée.

— Ça peut rapporter gros, insiste papa.

Alerte rouge ! Moi qui croyais que Biddy l'avait calmé. Que l'époque de ses plans hasardeux était terminée. Le dernier en date consistait à monter une entreprise qui se chargerait de tous les petits boulots non qualifiés pour le voisinage. Une idée judicieuse, pour une fois.

— Papa, un camping de luxe, ce n'est pas rien, je déclare en essayant de paraître moins pessimiste que je ne le suis. Cela nécessite des investissements, une connaissance du métier... Il ne s'agit pas de se lever un matin en se disant « On va monter un camping glamour ». Et d'abord, il te faut un permis.

— Je l'ai ! triomphe papa. C'est pratiquement dans la poche, bon sang de bois ! Le conseil municipal est à fond pour la diversification en milieu rural. Il encourage le business dans le secteur.

Je suis sidérée. Le projet est plus avancé que je ne croyais.

— Tu en as parlé au conseil municipal ?

— C'est moi, fait Biddy, les yeux brillants. J'ai reçu un héritage, mon chou.

— Je ne savais pas.

— Pas énorme, mais suffisant pour nous lancer. Nous avons un terrain inexploité. Et l'idée nous plaît. Je me disais que… Non, bien sûr. Non.

— Quoi ?

— Eh bien…

Biddy lance un regard à papa qui, avec un petit rire gêné, me dit :

— On se demandait… si tu serais dans le coup. En clair : tu serais d'accord pour t'associer avec nous ?

— Hein ? Mais comment ? Je vis à Londres.

Je m'interromps. Quand papa est près de moi, je suis incapable de prononcer « Londres » sans grimacer.

— On le sait, mon chou. Nous sommes tellement fiers de toi, de ton travail et de la vie excitante que tu mènes. N'est-ce pas, Mick ?

Bien qu'elle déteste autant les grandes villes que papa, Biddy est une supporter inconditionnelle de ma vie à Londres. J'aimerais qu'elle évite de trop montrer son enthousiasme.

— Sûr et certain, marmonne papa.

— Mais on se disait que tu aimerais peut-être changer…, continue Biddy. Ou t'en occuper sur ton temps libre. Ou les week-ends. Tu es tellement brillante et intelligente, Katie…

Ce n'est pas une plaisanterie. Ils veulent vraiment que je m'associe à leur projet. Misère ! J'adore Biddy. J'adore papa. Mais quelle énorme responsabilité !

— Impossible, je déclare en évitant de les regarder en face. Désolée. Je suis débordée.

Biddy cache sa déception sous un sourire forcé.

— Bien sûr que tu es occupée. Tu réussis si bien, ma Katie. Et la décoration de ta chambre ? Ça y est, elle est finie ?

Bonjour la culpabilité ! Pour gagner du temps, je bois une gorgée de punch. Pendant leur visite à Londres, j'ai inventé cette histoire de décoration pour qu'ils ne viennent pas dans l'appartement (je les ai juste emmenés dîner chez Jamie's l'Italien). Puis j'ai prétendu que le début des travaux était retardé. Puis qu'ils venaient enfin de commencer.

Grand sourire de ma part.

— C'est en cours ! Je n'ai plus qu'à décider du code couleur.

— Le code couleur, ironise mon père. Tu entends ça, Biddy ?

Notre ferme et les codes couleur, ça fait deux. Les meubles n'ont pas bougé de place depuis des centaines d'années (enfin, probablement depuis cent ans) et les murs sont du même jaune moutarde et rose saumon que lorsque j'étais enfant. La maison a besoin qu'on la retape de la cave au grenier, qu'on casse des murs, qu'on en repeigne d'autres dans les coloris Farrow and Ball et qu'on tire parti de la vue.

À vrai dire, le simple fait d'envisager des changements me perturbe terriblement.

— Ce n'était qu'une suggestion ! s'exclame Biddy.

— Bien sûr que tu n'as pas le temps, Kitty-Kate, dit papa d'un ton mélancolique. C'est bien compréhensible.

C'est tellement apaisant de le voir ainsi, sous le soleil du Somerset avec ses pattes d'oie, son chandail taché, ses bottes couvertes de boue. Quand je me remémore ma vie ici, c'est toujours avec des images de lui. Bricolant dans la maison ou dans les champs, m'emmenant au pub et m'offrant des chips, essayant de gagner des millions pour lui et, bien sûr, pour moi.

— Écoutez, je peux sans doute vous aider. Pour l'aspect marketing, en tout cas.

Le visage de Biddy s'éclaire.

— Ah, je savais que Katie nous donnerait un coup de main. Tout ce qui est dans tes possibilités, mon chou. Tu t'y connais, toi. Donne-nous des conseils.

— D'accord. Mais j'ai besoin de plus de détails. Quel est le programme ?

— Acheter des tentes à Dave Yarnett, réplique papa. C'est son rayon. J'ai eu l'idée en bavardant avec lui. Il nous fournit aussi les sacs de couchage.

— Non, je rétorque. Pas des tentes. Des yourtes.

— Des quoi ?

— Des yourtes. Y-o-u-r-t-e-s. Tu n'as jamais entendu ce nom ?

— Ça ressemble à une maladie honteuse, ricane-t-il. « Docteur, docteur, j'ai attrapé des yourtes. »

Papa s'esclaffe à sa propre plaisanterie tandis que Biddy lui lance un regard réprobateur.

— Moi je sais, fait-elle. Il s'agit de tentes marocaines, non ?

— Plutôt mongoles. C'est la tendance actuelle. Les adeptes du camping cinq étoiles veulent des yourtes. Ou des caravanes rétro ou encore des huttes de berger. Des abris décalés, de l'habitat insolite.

— Combien ça coûte ? grogne papa. Parce que Dave me fait un prix d'ami…

— Papa, je crie, personne ne viendra dormir dans les tentes ringardes de Dave Yarnett ! Alors que si tu achètes des yourtes, que tu les arranges bien, que tu accroches des banderoles, que tu nettoies la cour…

J'examine le paysage d'un œil neuf. Le panorama est spectaculaire. La campagne s'étend au loin, verte et riche. L'herbe ondoie dans la brise. Le soleil se reflète sur le petit lac où nous avions l'habitude d'aller canoter. On pourrait acquérir une nouvelle barque. Et pourquoi pas une balançoire ? Les enfants seraient ravis. On pourrait faire des feux de bois, organiser des barbecues, construire un four à pizzas extérieur…

Il y a un vrai potentiel. Je le vois clairement.

— J'ai déjà commandé dix tentes à Dave, annonce mon père.

Pas la peine de s'énerver. Je me contrains à sourire et termine mon verre.

— Très bien, papa. Fais comme tu le sens.

Le sujet revient sur le tapis après le déjeuner. Biddy prépare des pommes de terre pour demain et j'applique une couche de glaçage sur le bonhomme en pain d'épices qu'elle a confectionné ce matin et qu'on accrochera sur l'arbre plus tard. Complètement absorbée, je lui dessine un sourire, un nœud papillon et des boutons de chemise, au son des chants de Noël traditionnels, sur la table en formica entourée de ses chaises vert foncé agrémentées de coussins à imprimé feuilles de chêne d'une autre époque. Des guirlandes bleu électrique achetées en solde dans un garage pendent du plafond : les mêmes depuis mes dix ans. Ici, c'est l'anti-déco, le contraire du style *Living etc.*, mais je m'en moque éperdument. C'est chez moi et je m'y sens bien.

— Katie, dit soudain Biddy à voix basse. Tu connais ton père. Il va acheter ces tentes minables, ouvrir son glamping et ce sera un désastre. Je veux que ça marche. Je sens que ça peut fonctionner. On a l'argent. Et c'est le moment.

Ses joues sont rouges. Elle affiche une expression déterminée que je lui ai rarement vue.

— Tu as raison. Le site est incroyable et la demande existe. Mais il ne faut pas se tromper. Je n'ai pas le temps de m'associer pleinement mais je suis toujours d'accord pour participer. Alors je répète : ne gaspillez pas votre argent pour ces tentes bon marché.

— Bien sûr, gémit Biddy. On n'est pas dans le coup. Ton père peut se montrer si têtu.

Têtu ? C'est peu dire ! Mon père a des opinions bien tranchées – « Le métro est plein de terroristes », « Les alpagas vont faire notre fortune » – impossibles à contrecarrer.

J'entends soudain la voix de Demeter disant : « Dans ce métier, il faut avoir le courage d'imposer ses idées. »

Mais oui ! À quoi bon être la seule de la famille à posséder une expérience du marketing si je ne m'exprime pas ? Ce serait crétin de ne pas essayer de convaincre papa.

— Bon, je vais lui parler.

— Tu vas parler à qui ? demande papa qui nous rejoint, guilleret, le magazine *Radio Times* sous le bras.

— À toi. Il faut que tu m'écoutes. Ton camping de luxe doit être un lieu d'exception. Euh… Cool. Branché. Authentique. Donc pas de tentes merdiques.

Mine boudeuse de papa.

— J'ai déjà dit à Dave que je les lui prenais.

— Préviens-le que tu as changé d'avis parce que je t'assure qu'acheter des tentes pareilles, c'est jeter l'argent par les fenêtres. Le look est primordial. Autrement, personne ne viendra. Je travaille sur la stratégie de marques à succès, OK ? Je sais comment on crée le buzz.

— Il faut écouter Katie ! s'écrie Biddy. Je savais qu'on se trompait. Nous allons acheter des yourtes, Mick. Pas la peine de revenir là-dessus. On a besoin de quoi d'autre, mon chou ?

Elle sort un cahier du tiroir de la table, où elle a noté « Camping de luxe » au feutre sur la couverture.

— Bien, tout d'abord il faut que vous gardiez en tête la notion de « haut de gamme ». Vraiment haut de gamme. Pour les activités, la nourriture. Le concept doit être : villégiature familiale axée sur la nature et le confort.

— Villégiature ? s'inquiète papa.

— Absolument. Vous avez l'espace, le capital, et l'expérience de Biddy dans la restauration.

— Oui, mais aucune dans les autres domaines, objecte-t-elle.

— Je vous donnerai des tuyaux. Plus c'est luxueux, plus les prix sont hauts, plus vous faites de bénéfices.

— Des prix élevés ? s'affole Biddy.

— Les gens aiment dépenser de l'argent, j'affirme.

— Là, je crois que tu te trompes, Kitty-Kate.

— Pas du tout. C'est le principe de l'étiquette prestige. Un prix élevé, dans la tête du consommateur, c'est un gage de qualité. Investir dans le haut de gamme, c'est payant. Et pour commencer, tu te procures des tentes de standing. Des yourtes ou des tipis, avec des vrais lits. Et… (je me creuse la cervelle pour me souvenir de ce que j'ai vu sur Instagram)... du voile de coton qualité extra.

Papa et Biddy échangent un regard sidéré.

— Du voile de coton ?

— Pour les draps. Doux et fins. Coton qualité extra.

La tête de Biddy ! Eux qui dorment toujours dans la parure de lit années 1980 qu'elle a apportée en s'installant à la ferme... Coloris crème. Garniture fatiguée. Et plutôt polyester mélangé que voile de coton.

— Biddy, je vais te montrer sur Internet. Le coton est essentiel. Voile ou peut-être percale. Et un bon savon.

— Ça, du savon, j'en ai, claironne papa. Un lot de trente à prix d'usine.

— Non, non ! Il te faut du savon artisanal, fabriqué dans la région. Bio et raffiné. Les gens veulent retrouver Londres à la campagne. Du rustique, mais un rustique citadin.

Biddy note soigneusement « Londres à la campagne ».

— Il faut aussi des douches aménagées dans une grange.

— On y a déjà pensé, triomphe papa.

Compte tenu de ses compétences en matière de plomberie, je ne me fais pas de souci pour les sanitaires. Du moment qu'il ne choisit pas des vasques soldées en porcelaine vert bile.

Tiens, et pourquoi pas une douche extérieure ?

— Pour l'été, tu pourrais installer une douche dehors. Ce serait épatant.

Il n'en croit pas ses oreilles.

— Dehors ?

Papa est très fier de son jacuzzi. Il l'a acheté d'occasion avec une prime exceptionnelle du gouvernement et l'a monté lui-même. Dans la maison. Pour lui, la soirée relaxante idéale consiste à s'asseoir dans son jacuzzi avec un cocktail maison et le *Daily Express*. Inutile de préciser que les avantages d'une douche en plein air lui échappent complètement.

— Absolument. Entourée de panneaux de bois. Peut-être avec un seau en bois pour se rincer.

— Pas un seau en bois, quand même !

— Si, c'est ce que les clients voudront.

— Mais tu viens de dire qu'ils recherchent du confort citadin. Décide-toi, Katie.

— Oui et non. Un excellent savon, à utiliser en profitant de l'immensité du ciel et des vaches qui meuglent. Une ambiance champêtre mais pas trop paysanne.

— Des fichus dingues, si tu veux mon avis.

— Sans doute. Mais des dingues avec de l'argent.

Le téléphone sonne et papa s'éloigne pour répondre. Biddy, elle, relit ses notes minutieuses. *Voile de coton. Savon artisanal. Vaches.*

— Allô ? fait papa. Oui. Les bûches odorantes ? Bien sûr. Je vais chercher le livre de commandes…

— C'est quoi, cette histoire de bûches ? je demande à voix basse.

— Quelque chose que je viens de commencer, m'apprend Biddy. Des bûches parfumées à l'essence de sapin pour Noël. Facile à faire. On en vend beaucoup.

— Bonne idée !

— Les gens aiment bien, dit Biddy en rougissant. Ça marche fort.

— Tu pourrais les proposer à tes campeurs. Comme ta confiture et tes pains d'épices. Et tu leur servirais ton granola maison au petit déjeuner…

Plus j'y pense, plus je trouve que Biddy ferait une parfaite patronne de glamping. Elle a jusqu'aux bonnes joues rouges d'une vraie femme de fermier.

La voix de papa interrompt le fil de mes pensées.

— Non, il n'y a pas d'écriteau. Où êtes-vous ? Non, vous n'êtes pas dans la bonne direction, glousse-t-il comme si c'était parfaitement évident. Le GPS raconte n'importe quoi. Cette porte, vous dites ? Non, elle est fermée en permanence et je ne connais pas le code. Il faut prendre l'autre route, la plus longue. Non, nous ne fournissons pas de sacs. La plupart de nos clients apportent les leurs. Alors, à tout de suite.

Il raccroche avec un petit signe de tête vers Biddy.

— Une cliente pour tes bûches. Elle avait l'air un peu perdue, la pauvre.

J'explose :

— Pas étonnant ! Visiblement, tu n'as jamais entendu parler du service clients.

Expression ahurie de mon père.

— Si tu ouvres un camping, tu dois te conduire différemment. Fournir les itinéraires d'accès précis. Avoir une carte. Des sacs. Tu dois faire en sorte que le client se sente pris en main. Sans arrêt. C'est comme ça qu'on rend un client heureux.

Me voilà encore en train de copier Demeter. Je répète même ses paroles mot pour mot.

Et alors ? Certes, Demeter est une patronne infernale. Certes, elle s'adonne sûrement à des parties de jambes en l'air torrides avec le mec dont je croyais être amoureuse. Il n'en reste pas moins qu'elle est la plus douée de l'équipe. Ce serait idiot de ne pas tirer parti de son expérience.

J'ai lu attentivement le livre qu'elle m'a prêté et pris des notes. J'ai aussi déchiffré les commentaires gribouillés dans les marges et les ai recopiés, avec un seul « sale peau de vache » en marge. La preuve que je me contrôle bien, non ?

— Tu vois, Mick ? On a vraiment besoin de Katie. Tu vas l'écouter.

À ma connaissance, c'est la première fois que Biddy se montre aussi autoritaire. Je lui tire mon chapeau en silence.

— D'autres questions ? je demande. Vous avez pensé à un nom ? Il vous faut une marque. Une image.

Devant leurs mines désemparées, je suis prise d'un élan d'affection. Créer l'identité de leur glamping : voilà une chose que je peux faire pour eux.

Je réfléchis déjà. Des images défilent dans ma tête. Des slogans. Des photos de champs, d'agneaux, de feux de camp, de banderoles. Ce projet m'emballe !

— Je vais vous concocter une brochure. Et un site web. Le positionnement de votre camping, j'en fais mon affaire. Vous, occupez-vous du côté pratique.

— Tu feras ça, ma Katie ? C'est merveilleux ! s'extasie Biddy.

— Promis.

Et c'est vrai. Non seulement je vais m'y atteler, mais j'ai envie de commencer sans attendre.

J'y travaille toute la journée de Noël. Il fait un temps superbe mais, au lieu d'accompagner papa et Biddy à l'église, je fais le tour de la propriété en prenant d'innombrables photos de champs, de vaches, de barrières, de palissades, tout ce qui m'inspire. Je télécharge des images de yourtes, de jonquilles, d'agneaux et le gros plan d'un gamin s'ébrouant dans un lac qui pourrait être le nôtre. Un cliché du tracteur de papa. J'improvise une déco dans une grange, y suspends la seule banderole que je trouve et fais une photo. Sur une serviette en lin ancienne, je dispose une nature morte de pots de confiture et de brins de lavande (chaque année, Biddy confectionne des petits sacs de lavande. Et de camomille). Je l'immortalise aussi.

Je passe un bon moment sur le choix d'une police de caractères et me décide pour des lettres à la fois cool, un peu rétro, un peu écolo, mais pas trop gnangnan. Parfait. Je passe ensuite à la maquette. Pour finir, je m'attaque au texte.

La voix de Demeter m'accompagne.

Bio. Authentique. Artisanat. Régional. Nature. Valeurs. Famille. Havre de paix. Espace. Simplicité. Mise au vert. Abattoir. Liberté. Boue.

Non, pas de boue ! Ni ensilage ni abattoirs, pas de tremblante du mouton ni de fièvre aphteuse. Pas de réalisme bucolique.

Terroir. Fabriqué sur place. Ancien. Charrette. Feux de camp. Cuisson lente. Pur. Air frais. Lait frais. Authentique, traditionnel, bio, régional, tricoté main, pain maison (existe sans gluten).

Le lendemain de Noël, j'ai finalisé la brochure. Vous savez quoi ? Le résultat est si alléchant, si fabuleux que j'ai vraiment envie de séjourner à Ansters Farm.

— Alors, vous en dites quoi ? je demande en soumettant mon brouillon à papa et Biddy.

— Ma parole ! C'est ici ? s'extasie Biddy en examinant une photo de la maison.

— Un peu photoshopée, j'avoue. Procédure habituelle.

— C'est quoi, antersfarm.com ? demande papa.

— Le site que je vais créer pour vous. Ce sera plus long à réaliser, mais dans le même esprit.

Ils se plongent ensuite dans le texte.

— « Hamacs en fibres organiques, lit Biddy, perplexe. Yourtes cinq étoiles. Un espace de liberté pour les couples, les enfants, les amoureux. Un lieu fait pour vous. »

— « En pleine nature, entre ciel et pâturages, les enfants peuvent être des enfants », continue mon père. Pourquoi ? Ailleurs, ils peuvent être autre chose ?

— « Un havre de paix pour se désintoxiquer de la vie moderne dans un mix de confort contemporain et de valeurs d'autrefois », reprend Biddy. Oh ! Katie, ça sonne bien !

— « Oubliez le stress grâce à notre programme d'activités champêtres. Atelier de bouquet de moisson, promenade en tracteur, sculpture de bâtons… »

Papa fait la grimace.

— Nom d'un chien, Kitty-Kate, les gens ne vont pas en vacances pour tailler des bouts de bois.

— Au contraire ! Pour eux, ça fait partie du retour aux vertus traditionnelles.

— Je peux initier les enfants à la pâtisserie, propose Biddy.

— Oui, à condition d'utiliser des recettes authentiques du Somerset. Sans additifs chimiques, sans pépites de chocolat.

— « Barbecues hebdomadaires sous les étoiles » ? Qui va s'occuper de ça ? interroge papa.

— Toi. Tu te chargeras aussi des promenades en tracteur et de la traite des vaches.

Biddy prend une autre feuille.

— « Vous saurez tout sur Esme », lit-elle à voix haute.

— Qui c'est, Esme ? veut savoir papa.

— Une de tes poules. Il faut baptiser tous les animaux, chaque poule, chaque vache, chaque mouton.

Il me regarde comme si j'avais perdu la boule.

— Katie chérie, je crois que ce coup-ci tu vas trop loin.

— Pas du tout. Le nom de la poule est primordial. C'est tout le pitch, en fait.

Biddy poursuit sa lecture :

— « Esme et sa famille font partie de la vie de la ferme. Venez visiter leur habitat et ramasser vos œufs encore tièdes. Puis cuisez une savoureuse omelette au feu de bois, avec la bonne huile de chanvre produite sur place et des champignons. »

— De l'huile de chanvre produite sur place ?

— J'ai déjà trouvé le fournisseur, j'affirme fièrement. L'huile de chanvre, c'est la nouvelle huile d'olive.

— « Régalez-vous de notre pain maison et de notre gamme de confitures titulaire d'un oscar du bon goût anglais. » Où as-tu été chercher ça ? tique Biddy.

— Tu as gagné plein de prix dans les foires agricoles. C'est comme des oscars, non ?

— Si tu le dis, ma Katie.

Biddy tourne et retourne le brouillon de brochure dans tous les sens comme pour digérer son contenu.

— Tout cela me semble formidable, dit-elle.

— Ce n'est qu'un début. Sur le site, j'ajouterai de nouvelles photos, une fois que vous aurez les yourtes et le reste.

— Mais rien n'est vrai !

— Mais si ! Ce sera vrai. Pas de problème. Je vais faire imprimer la brochure sur un papier spécial.

Je sais déjà lequel. C'est un papier recyclé, d'aspect brut, que l'agence a utilisé pour une marque de céréales. Je me souviens encore de Demeter, lors d'une de ses conférences spontanées, expliquant à « tout le monde » pourquoi ce papier était le choix idéal. J'avais bu ses paroles. Eh bien, il sera parfait pour la brochure.

Je pourrais passer la journée entière à parler de la maquette, mais, au bout d'un moment, papa nous quitte pour aller voir une vache malade.

Biddy jette un œil ravi sur la couverture du projet de brochure.

« Ansters Farm Country. Vivre la ferme autrement. »

— Quel bel endroit, dit-elle. Ça ne te manque pas, ma Katie ? Tu n'as jamais pensé revenir t'établir ici ?

Le brin de mélancolie dans son regard suffit pour que ma vieille amie la culpabilité pointe à nouveau son museau. Biddy s'en aperçoit car elle s'empresse d'ajouter :

— Oh, je sais bien que tu mène une vie très excitante à Londres…

Je ne la contredis pas. Mais je ne confirme pas non plus. Je me sens bien, à bavarder tranquillement avec elle. J'ai presque envie de me confier, lui demander si papa souffre réellement de mon départ à Londres. S'il se remettra un jour de ma défection.

Mais je n'en ai pas le courage. Trop effrayée, j'imagine, par ce qu'elle pourrait répondre. Mes rapports avec papa sont compliqués mais supportables. En revanche, entendre ce que je redoute serait intolérable. *Non. Katie, ne t'aventure pas dans cette direction. Sens interdit.*

Jamais Biddy ne solliciterait d'elle-même ce genre de confidences. Pas son genre. Dans notre famille, elle est celle qui possède assez de tact pour toujours rester à la place qu'elle s'est fixée. Et donc, même si j'ai l'impression que le sujet plane autour de nous, nous ne l'abordons pas. Nous sirotons notre thé, et ça finit par passer, comme chaque fois.

Un instant plus tard, je récupère la brochure. Je dois avouer que voir la ferme ainsi me serre un peu le cœur. Elle est aussi pittoresque que celles des doubles pages de magazines de déco.

— Salut, la compagnie !

Je reconnais cette voix. Familière, monocorde, absolument pénible. J'essaie de cacher mon trouble. Mais c'est bien lui, Steve Logan, qui envahit la pièce du haut de sa grande taille. Il mesure 1,95 mètre, Steve. Depuis toujours.

Bon, peut-être pas depuis toujours mais bien depuis ses douze ans. À l'école, on le mettait toujours au défi d'aller acheter de la bière (comme si un grand dadais de douze ans pouvait passer pour un adulte !).

— Salut, Steve ! Joyeux Noël ! je lance d'un ton que je veux amical.

Steve travaille pour papa. Sa présence à la ferme n'a donc rien d'extraordinaire. Mais j'espérais ne pas tomber sur lui.

Bon, je m'explique : Steve est le premier mec avec lequel j'ai couché. Pour ma défense, je dois préciser que le choix était très limité.

— Je te sers une tasse de thé, Steve ? propose Biddy.

Réponse affirmative. Elle disparaît dans la cuisine et nous restons en tête à tête. Super ! En fait, notre histoire n'a duré que cinq minutes. J'ai eu des regrets dès le début. Je me demande encore aujourd'hui ce que j'ai pu lui trouver, hormis le fait que 1. c'était un garçon, 2. il était disponible, 3. j'étais la seule de mes copines à ne pas avoir de petit ami.

Encore maintenant, il se comporte comme si nous étions des divorcés de longue date. Lui et sa mère parlent de moi comme de son « ex ». (N'importe quoi ! On est à peine sortis ensemble et nous étions au lycée.) Il fait des plaisanteries sur cette époque et me lance des regards pleins de sous-entendus que je fais semblant de ne pas comprendre ou que j'ignore purement et simplement. Au fond, ma façon de gérer Steve a toujours été de l'éviter.

Mais à présent, après ce que m'a raconté Biddy, la situation a changé du tout au tout.

— Félicitations. Je viens d'apprendre que tu es fiancé à Kayla. Quelle bonne nouvelle !

— Ouais. Je lui ai proposé de m'épouser en novembre. Le jour de son anniversaire.

Son accent traînant a quelque chose de soporifique.

— J'ai posté ma demande sur Instagram. Tu veux voir ?

— Euh… Oui, bien sûr.

Il me tend son téléphone. Consciencieusement, je fais défiler les photos de lui et Kayla prises dans un restaurant genre chic, décoré tout en violet.

— Je l'ai emmenée dîner au Shaw Manor. Menu à trois plats et tout. J'aime la gâter, précise-t-il avec une pointe d'agressivité.

Sois polie, Katie.

— Waouh ! Tes photos sont super. Ravissantes… fourchettes.

Car il a photographié chaque détail : les couverts, les serviettes, les chaises. Comment a-t-il eu le temps de faire sa demande ?

— Je lui ai offert des cadeaux. Ma demande était cachée dans le dernier. Un poème.

Manifeste ton enthousiasme, Katie.

— Canon !

Affichant un air de grand intérêt, j'en arrive aux photos de la nappe.

— Évidemment, si ç'avait été toi, j'aurais tout fait autrement. Mais c'était pas toi, dit Steve en me regardant par en dessous.

Alerte rouge !

— Qu'est-ce que tu veux dire par là ?

— Chaque personne est différente. Toi et Kayla, vous n'êtes pas pareilles. J'aurais fait autrement, c'est tout.

Oh ! Sujet épineux. Pas question de discuter avec Steve Logan de la demande en mariage que j'aurais aimé – ou pas – qu'il me fasse.

— Quoi de neuf dans le coin ? je demande en lui rendant son téléphone. Raconte-moi les derniers potins.

— On a un nouveau magasin d'usine à West Warreton. Avec des marques comme Ted Baker, Calvin Klein…

— Super.

— Je sais bien que vous avez Ted Baker à Londres, mais maintenant nous aussi. Voilà, c'est tout.

J'ai encore droit à un regard chafouin.

— C'est drôlement bien !

— Je sais que vous avez tout à Londres mais…

Je le coupe aussitôt :

— En ce qui me concerne, je n'ai pas tout à Londres.

Il adore critiquer Londres. Et je déteste ses piques.

— Ouais, insiste-t-il lourdement, on a Ted Baker. En discount.

Quel enfer !

— Biddy ! Tu viens ? je crie.

Mais elle ne m'entend pas.

— Bon, Steve, je te présente tous mes vœux de bonheur.

— Je peux rompre, murmure-t-il en s'approchant de moi.

— Hein ?

— Si tu dis oui.

— Steve, si tu veux rompre, tu ne devrais pas l'épouser.

— Je ne dis pas que je veux rompre avec elle. Mais je le ferais. Tu comprends ? Si toi et moi…

Il fait un drôle de geste avec ses mains que je préfère ne pas interpréter.

— Dans tes rêves, Steve ! Je te rappelle que tu es fiancé.

— Je n'ai jamais renoncé à toi. Et toi ?

— Moi, oui ! Complètement, absolument, totalement.

Si j'espère lui remettre les idées en place, c'est raté : son expression ne change pas.

Ce type est fou.

— Je suis contente que tu sois fiancé. Tous mes vœux pour une belle vie. Maintenant, il faut que j'aille aider Biddy.

En quittant la pièce, je me retiens de hurler. Quand je pense que Biddy m'a demandé si j'aimerais revenir ici. Bordel ! C'était de l'humour noir ou quoi ?

10

Début février. Papa et Biddy ont acheté des yourtes, des duvets en plume, des bouilloires style vintage, cent mètres de guirlandes et deux cents étiquettes imprimées « La confiture d'Ansters Farm ». Papa est en train d'installer des salles de douche et des toilettes dans une grange. Je précsie qu'il a posé un joli carrelage rustique au sol (et pas l'ignoble lino bleu vif qu'il allait acheter pour rien à un pote. Franchement, on ne peut pas lui faire confiance une minute !).

Le site web est opérationnel. Une réussite. Alan me l'a fait presque gratuitement en échange de mon silence à propos des protéines et du bouillon de poulet. Les cartons encombrent toujours l'appartement mais tant pis, le site est canon. Des pages et des pages de somptueuses images de campagne, avec des descriptions formidables et un formulaire de réservation facile à utiliser. Il y a aussi un lien vers la page Pinterest que j'ai créée. Plus une page réservée aux gamins où, en faisant glisser la souris sur les photos des animaux de la ferme, ils peuvent découvrir leurs noms (j'ai déjà baptisé les vaches, Florence, Dulcie et Mabel. Il faut encore que je coache papa). Alan a référencé le site sur les moteurs de recherche. Il connaît son affaire.

Mes brochures imprimées sont arrivées hier. Parfaites. Le papier a la touche rustique qu'il faut. Les caractères évoquent la campagne, les photos sont parlantes… L'ensemble fonctionne vraiment bien. Je me sens drôlement fière. Pas seulement de la ferme. De la brochure. Oui, je suis fière de mon travail.

Tout en relisant les épreuves d'un rapport interminable sur la nouvelle architecture de l'association des fabricants de lessive, je réfléchis et m'interroge. Dois-je montrer ma brochure à Demeter ?

Si je la laisse simplement sur son bureau, elle ne la regardera pas. Si je la lui remets n'importe quand, ce sera pareil. Les mots d'Alex me reviennent. *Lui soumettre la bonne idée au moment où elle en a besoin*. Insupportable souvenir, mais le conseil était bon. Après tout, il connaît bien le fonctionnement de Demeter.

(Association d'idées nulle. Pense à autre chose, Cat !)

Il faut bien calculer mon coup. Parce que je suis sûre qu'une fois qu'elle aura étudié la brochure, elle l'aimera. Demeter m'apporte énormément, professionnellement. Par exemple, au dos du livre qu'elle m'a prêté, j'ai découvert des croquis de sa main. Ils m'ont beaucoup appris sur elle. Dans mes périodes d'optimisme intense, je me demande si elle me prendrait sous son aile. Si, appréciant mon travail, elle pourrait devenir mon mentor. Il me faut donc viser juste. Quand la cible sera accessible…

Pas facile. Demeter se montre encore moins réceptive que d'habitude. Pour tout dire, l'atmosphère au boulot est carrément bizarre.

Depuis Noël, on dirait que tout le bureau est en alerte tempête. Tout le monde fait la gueule. Même moi, à mon petit niveau, je vois bien que Demeter se trouve dans l'œil du cyclone. Liz donne des infos de première main à Flora qui me les transmet. Je récapitule. D'abord, il y a eu l'affaire du mail. Un message plutôt insultant que Demeter a envoyé par erreur à un client, le patron du marketing de la chaîne de restaurants Forest Food. Apparemment, à la suite d'une réunion houleuse, elle l'a qualifié de *banlieusard super plouc* dans une note de service destinée à Rosa mais expédiée au mauvais destinataire. Catastrophique.

Ça, c'était le premier incident de taille et, pendant un moment, Demeter a eu sa tête des mauvais jours. Puis les choses ont empiré. Rosa, Mark et quelques autres travaillaient sur une nouvelle reco pour Sensiquo – un de nos clients cosmétiques. Il y a eu tout un pataquès à propos d'une deadline pas respectée. Apparemment, ils n'y étaient pour rien. Il semblerait que Demeter ait fait de la rétention d'information. Ce n'est pas tout. Au dernier épisode, elle aurait fixé une date de présentation au client avant de l'annuler brusquement. Pourquoi ? Elle ne savait pas à quel stade en était le projet. Pas très professionnel de la part d'une directrice de la créa.

Les gens de Sensiquo l'ont mal pris et se sont plaints auprès d'Adrian. Depuis, Demeter se comporte étrangement. Par exemple, il lui arrive de débouler dans l'open space, s'arrêter net et nous dévisager l'un après l'autre comme si nous étions des inconnus. L'autre jour, en allant aux toilettes, je me suis trouvée au milieu d'une engueulade gratinée entre elle et Rosa.

— J'aurais dû vérifier par moi-même. Je ne t'en veux pas pour ce merdier, Rosa. Je suis ta boss, je prends mes responsabilités.

À quoi Rosa a rétorqué calmement mais avec un regard meurtrier :

— Tu savais qu'on n'était pas prêts, Demeter. Je t'avais prévenue.

— Absolument pas. Tu m'as dit exactement le contraire.

— Jamais de la vie, s'est indignée Rosa.

Je suis ressortie des toilettes en vitesse. Dans ces moments-là, mieux vaut disparaître. Et c'est ce que j'ai fait. La fille transparente.

Aujourd'hui, tout semble calme. L'ouragan est-il passé ? À l'instant où je me lève pour me faire un café, Flora arrive en bondissant.

— Salut ! Tu es d'accord pour un verre à l'heure du déj ? On reprend les sessions du mercredi.

Mon moral remonte instantanément.

— Super !

Je m'étais demandé quand ça arriverait, sans vouloir toutefois poser la question.

— Avec ce vent de folie, on a fait une pause, mais on compte bien reprendre. On a besoin de se marrer.

Elle s'assied sur un coin de ma table et commence à tresser ses cheveux.

— Oh, cette agence ! Quelle maison de dingues ! Tout le monde est en train d'imploser.

— Y a du nouveau ? je chuchote.

Flora me résume à l'oreille les derniers potins et, honnêtement, j'adore ça.

— Il paraît que Demeter va parler à Sensiquo. Pour les récupérer. Parce que c'est du poids lourd. Et si on perd aussi Forest Food…

Elle grimace.

— L'agence est en danger, tu crois ?

— Demeter est en danger. Ce chameau. Sauf qu'Alex va la défendre. Quand on couche avec un associé, on ne risque pas grand-chose, hein ?

L'image de Demeter et Alex en pleine action me chamboule. *Pense à autre chose, Katie-Cat !*

— Bon, à tout à l'heure, fait Flora. On y va ensemble ?

— Oui. À plus !

J'arrive dans la cuisine en sautillant de joie. J'ai tellement attendu cette session du mercredi que c'en est ridicule. Mais je suis affamée de rigolade. Quel pied de se détendre, boire un coup et (j'espère) parler d'autres trucs que de la boîte qui implose et Demeter qui pète les plombs.

Soudain, j'entends la voix d'Adrian. Tiens ? Sa présence à notre étage est inhabituelle. Et une idée me traverse l'esprit. Si je lui remettais ma brochure d'Ansters Farm ? Je le connais à peine – on le voit seulement de loin en loin –, mais il a toujours un gentil sourire. À mon avis, c'est bien le genre à encourager un junior. Je me précipite vers mon bureau, attrape une brochure et fonce vers la cuisine. Je me sens un peu crispée mais je suis déterminée à ne pas faire ma timide. Voilà ce que je vais lui dire : « Je voudrais attirer votre attention. Ci-joint mes coordonnées. »

J'ai à peine poussé la porte que j'entends Adrian murmurer :

— … ne comprend pas ce qui se passe et, franchement, moi non plus. Alex, tu m'as dit que Demeter était la bonne personne.

Une conférence au sommet… C'est bien ma chance ! Dois-je filer ou pas ? *That is the question.*

— Elle est la bonne personne, réplique Alex. Au moins…

Il s'interrompt, passe la main dans ses cheveux et ajoute :

— Je vais lui parler.

— Tu ferais bien.

Alex soupire puis, tout d'un coup, il me remarque, plantée comme un piquet près de la porte.

— Quelle surprise ! s'exclame-t-il en adressant un petit signe d'avertissement à Adrian.

— Désolée, je bégaie. Je n'ai rien entendu. Je ne voulais pas écouter…

— Pas de problème, assure Adrian qui a retrouvé sa bonhomie habituelle. Alex, on en discute plus tard.

Et il s'en va.

Dans la cuisine se trouvent maintenant deux personnes. Alex et moi. La situation que je voulais éviter à tout prix. Je l'ignore et m'approche résolument de la machine Nespresso, introduis une capsule et appuie sur le bouton.

Pour une fois, il semble à court de mots.

— Bonjour, dit-il finalement. Vous avez passé un bon Noël ? Avec une farce aux cèpes, si je me souviens bien.

D'accord, je sais qu'en ce moment j'ai les nerfs à fleur de peau. Mais sa façon de prononcer « farce aux cèpes » me paraît arrogante. Il y a de la pitié dans sa voix.

Je bouillonne. Je ne veux pas de sa pitié. Je refuse sa façon de me laisser tomber en douceur. Il s'est dit quoi ?

Faut que je sois sympa avec cette pauvre fille pathétique qui est tombée amoureuse de son patron.

Qu'il aille se faire voir !

OK, ce n'est pas très malin de ma part.

— Noël très réussi, merci. Et le vôtre ?

— Très bon.

Il m'observe puis prend sa respiration comme s'il allait m'annoncer un truc pas évident.

Danger imminent ! L'entendre déverser des platitudes polies alors que j'ai les joues en feu et la bouche complètement desséchée est au-dessus de mes forces.

— En fait, je n'ai pas du tout envie de café.

— Cat…

— À plus tard !

Et je m'échappe de la cuisine comme quelqu'un qui a une tonne de choses palpitantes à faire. Sur le palier, l'ascenseur attend, porte ouverte. Sans réfléchir, je m'y engouffre. Et, stupéfaite, je pousse un petit cri de détresse au moment où la porte se referme.

L'instant d'après, j'ai repris mes esprits. Pas question de perdre la tête. Surtout pour un mec. Allez ! Tout le monde est confronté à de sales moments, un jour ou l'autre. Il faut que je m'en souvienne et que je profite de ces instants dans l'ascenseur pour souffler.

J'arrive au dernier étage. La porte s'ouvre et Demeter entre dans la cabine. Elle a vraiment l'air bizarre. D'abord, son maquillage n'est pas aussi impeccable qu'à l'accoutumée. Son regard est vague. En plus, elle marmonne toute seule. Et elle ne semble même pas avoir remarqué ma présence.

Ce n'est pas le bon moment, je sais. Pourtant je dois agir. Est-ce ma façon de réagir à la condescendance d'Alex ? Il couche avec Demeter. Et alors ? Ça ne fait pas de moi une pauvre fille pathétique pour autant. En observant ma boss qui consulte fébrilement ses messages, je ressens un besoin urgent de faire mes preuves.

— Demeter, je peux te donner ça ?

Elle revient à elle et tend automatiquement la main.

— Cass !

On dirait qu'elle vient de réaliser qu'elle n'était pas seule.

— Oui. Je vais t'expliquer de quoi il…

— Cass…

Elle fronce les sourcils comme si le fait de me voir la perturbait.

— Cass…

Elle s'acharne sur son téléphone comme une folle, l'air aussi concentrée que si elle déchiffrait du grec ancien.

— Je t'ai parlé. On s'est parlé ?

Elle divague. Flora a raison de dire qu'elle n'est pas apte à diriger un service. Vu ce que je vois, je suis bien d'accord. Qu'est-ce qui lui prend, tout à coup ? Elle s'inquiète de ne pas communiquer avec son équipe junior ?

— Ne t'inquiète pas. On a beaucoup parlé ! Écoute, je voulais que tu jettes un œil sur cette brochure. C'est un projet que j'ai… euh… mené de bout en bout.

Elle fixe la brochure mais, à mon avis, elle ne capte rien.

— Parce que, Cass, ce que je veux vraiment te dire. Réellement te dire…

Pas possible ! Voilà qu'elle stoppe l'ascenseur et me dévisage intensément.

— Demeter ?

— Cass, ce que j'ai à t'annoncer est difficile à entendre, dit-elle avec sa voix stridente retrouvée. Mais c'est pour le mieux. En fait, c'est la meilleure chose qui puisse t'arriver. Oui, la meilleure chose.

Bon, elle divague complètement. Elle veut en venir où ?

— La meilleure chose ? je répète. Je ne capte pas...

— Tu dois positiver, d'accord ? Tu es tellement douée et brillante. Je sais que tu vas réussir. Que tu y arriveras.

Quelque chose dans ce discours me... Je ne dirais pas que ça me tracasse, mais...

Oui, ça me tracasse.

Presque comme si...

— Que j'arriverai où ? je demande, plus affolée que je ne voudrais le montrer. Positiver sur quoi ? Tu parles de quoi ?

Pas de réponse. Demeter me regarde. Contemple son téléphone. L'expression égarée revient dans son regard. Au centuple.

— Putain, murmure-t-elle.

Comment réagir ? Aucune idée. En même temps, une curieuse sensation s'empare de moi. Grise et humide. De mauvais augure.

— Non, nous n'avons pas parlé ! s'écrie Demeter. Je m'en doutais mais...

Elle fixe son téléphone, l'œil vitreux.

— Je deviens dingue, constate-t-elle.

— Parlé à quel... ?

Impossible de terminer ma phrase. Les mots sont comme autant de billes de verre qui s'entassent au fond de ma gorge et m'étouffent.

Pendant trente secondes, c'est le silence. J'ai la tête qui tourne. Faites que ça n'arrive pas !

Puis elle appuie sur le bouton et nous reprenons notre descente.

— Il faut que nous ayons un entretien, Cass, fait-elle de son ton professionnel. Dans mon bureau, tout de suite, si ça te va.

— Un entretien à quel sujet ? je m'efforce de demander.

À nouveau, pas de réponse.

— On y va, dit-elle en sortant de la cabine.

Et je la suis.

D'après moi, il existe un script pour cette situation précise et Demeter le suit à la lettre. *Des temps difficiles… Un challenge financier… Compression du service… Restriction de budget… Un apport à l'équipe vraiment intéressant… Désolée, vraiment… Très bonnes références… Tout ce qui est en notre pouvoir…*

Je suis assise et j'écoute. Mes poings sont si serrés qu'ils me font mal. Mon visage est immobile, apparemment serein. Intérieurement, je sanglote comme un enfant. J'aimerais hurler :

Ce qui est en votre pouvoir, c'est me garder à l'agence. Ne me renvoyez pas. S'il vous plaît, ne me virez pas. Gardez-moi. C'est tout ce que je veux. Je vous en supplie. Je ne peux pas me permettre de perdre mon job. Je ne peux pas. Vraiment pas…

Pas de job. La réalité est si terrifiante, si foudroyante que j'ai l'impression d'être menacée physiquement. Qu'un gigantesque tsunami surgit de nulle part. Que son énorme masse me paralyse. Je ne peux pas courir, pas m'enfuir. Trop tard. Il déferle sur moi.

Bien sûr, je suis au courant des difficultés actuelles. Je lis les journaux. J'aurais peut-être dû voir mon licenciement arriver. Mais non. Je n'ai rien vu.

Demeter attaque maintenant les généralités :

Regarder vers l'avenir... Si nous pouvons t'aider... Certificat de travail...

Elle recommence à jeter un œil sur son écran. Mentalement, elle est déjà passée à autre chose. Corvée terminée.

Quand elle me demande si je veux effectuer mon préavis ou si je préfère être payée, je nage en pleine irréalité. Finalement, je suis bien obligée de réagir.

— Je choisis l'argent. J'en ai besoin.

Pas la peine de m'incruster. Plus tôt je pars, plus vite je peux commencer à regarder les annonces de boulot.

— Bon. Je n'ai plus qu'à appeler le service du personnel, dit Demeter.

Au téléphone, elle a une brève conversation dont le contenu m'échappe tant je suis en état de choc. Puis elle m'annonce :

— Megan, au service du personnel, veut te voir. Elle suggère que tu ailles dans son bureau sans tarder. Je t'accompagne jusqu'à l'ascenseur ?

Je la suis, comme dans un rêve. Comme si j'étais désincarnée. Ce n'est pas vrai. Ça ne peut pas être vrai...

En arrivant à l'ascenseur, une étincelle de colère me sort de ma torpeur. Jusqu'à maintenant, j'ai fait preuve de patience. L'employée modèle qu'on renvoie sans qu'elle en fasse un drame. Ras-le-bol de la résignation. Je vais y aller cash.

— Dans l'ascenseur, tu croyais que tu m'avais déjà virée ?

Vu la tête de Demeter, j'ai tapé en plein dans le mille.

— S'il y a eu un malentendu, je te prie de m'excuser.

Son hypocrisie me donne envie de la gifler.

— Bien sûr qu'il y a eu un malentendu, je riposte aigrement.

— Cass…

— Pour toi, c'est un détail si peu important que tu ne te souvenais pas si tu m'avais mise au courant ou pas. Bien sûr ! Avec ton agenda tellement plein. Ton emploi du temps tellement excitant ! Des réunions, des déjeuners, des réceptions, un licenciement. Pas étonnant que tu t'y perdes.

J'ignorais que je pouvais me montrer aussi sarcastique. Mais, contrairement à ce que j'espérais, elle demeure imperturbable.

— Cass, c'est un moment contrariant pour toi, je le conçois. Mais l'amertume ne mène à rien. Si on reste en bons termes, qu'on garde le contact, on ne sait jamais. Il se peut que tu reviennes travailler avec nous. Tu as lu *Prends le taureau par les cornes*, de Marilyn D. Schulenberg ? C'est un livre épatant que toutes les femmes qui travaillent devraient dévorer. Il vient de sortir. J'ai reçu les épreuves, il y a un moment.

Évidemment, elle a lu les épreuves avant tout le monde. Demeter n'attend jamais qu'un livre soit en librairie, comme les gens normaux.

— Non, je ne l'ai pas lu.

— Eh bien, voilà un but. En sortant d'ici, précipite-toi dans une librairie et achète-le. Tu verras que c'est un livre très encourageant. Écoute ça.

Elle pianote sur son téléphone et lit un extrait à haute voix :

« Prends ton futur en main. Fais bouger les choses. La vie est un livre de coloriage, mais c'est toi qui as les crayons. »

Je suis à l'agonie mais je m'efforce de rester polie. Elle est vraiment bouchée à ce point ? Elle ne saisit pas que, vu mon misérable budget, l'achat d'un livre pour colorier ma vie est hors de question ?

Je m'efforce de chasser la jalousie qui me taraude. Oui, j'essaie. Mais j'aimerais crier : *Pour toi, pas de problème. Ta vie est déjà coloriée. Jusque dans les plus petits recoins.*

Cela résonne si fort dans ma tête que j'ai l'impression qu'elle l'entend. Mais non, Demeter a l'air tout à fait contente d'elle. Je parie que, plus tard, elle va se vanter de ses merveilleux conseils et de la gratitude avec laquelle je les ai accueillis.

La torture continue. Car devinez qui se dirige vers nous avec une expression interrogative sur le visage ? Alex en personne. Il lance un regard à Demeter qui lui répond par un petit signe affirmatif. Parfait ! Mon humiliation est complète.

— Je suis sur le départ, Alex, j'annonce sèchement. Merci pour le job et tout le reste.

— Dans la cuisine, je croyais que vous saviez déjà. Je suis navré.

Alex et Demeter communiquent en silence. Dans une sorte de sténo personnelle. Un langage corporel que je n'avais jamais remarqué auparavant. Leur aisance naturelle quand ils sont côte à côte n'existe pas entre collègues.

Je me demande soudain s'ils couchent ensemble ici, au bureau. Sûrement.

Le téléphone de Demeter sonne.

— Allô ? Michael ? Oui, j'ai eu ton mail.

Avant de disparaître dans un bureau voisin, elle lève cinq doigts dans ma direction. Je traduis : « Attends cinq minutes. » Une fois de plus, je me retrouve en tête à tête avec Alex.

Je croise son regard gentil, plein de tact. Intolérable ! Je ne peux pas le supporter. Être virée, c'est comme recevoir un coup d'une violence inouïe. On se dit que c'est le summum de la douleur. Que la fierté bafouée et l'humiliation ne sont rien à côté. Erreur. Elles vous blessent d'une autre façon.

Tout d'un coup, j'en ai assez de la boucler. Pourquoi faire semblant ? Bien sûr, dans ces cas-là, il est recommandé de préserver sa dignité, s'en aller, ne rien dire. Mais ce type, je ne le reverrai jamais plus. Alors le désir de cracher ce que j'ai sur le cœur prend le pas.

— Revenons sur ce qui s'est passé à la fête de Noël, je lance brusquement.

— Quoi ?

Il semble tellement sidéré que je réprime un rire.

— Flora disait que j'étais amoureuse de vous. C'est faux. Tout à fait ridicule.

Visiblement, Alex cherche à s'échapper.

— Pas besoin d'aborder ce...

— Je crois quand même qu'entre vous et moi il y a eu... (je cherche le mot juste) une étincelle. Je ne sais pas... Une connexion. Une possibilité. J'ai aimé passer du temps avec vous. À ce moment-là, j'ignorais que vous et...

Je stoppe net. Pas question de prononcer le nom de Demeter ici à l'agence. Il sait bien de qui je parle.

Je reprends mon speech :

— Donc aujourd'hui, je suis troublée. Terriblement. Mais vous savez quoi ? J'accepte mon trouble. Je ne me cache pas, je ne joue pas la comédie.

Tête haute et menton dressé, j'ajoute :

— Moi, Katie Brenner, suis troublée. Mais il y a des choses pires au monde.

Mon prénom d'avant m'a échappé. Mais je m'en moque.

Alex est stupéfait. Tant mieux. Je me sens libérée et presque survoltée. J'ai les joues en feu, les jambes en coton. Et alors ?

— Sur ces belles paroles, je vous salue bien. Dites à Demeter que je suis montée. Bonne chance.

J'appuie sur le bouton et, l'œil fixé sur la porte, j'attends que l'ascenseur arrive.

— Cat… Katie…

Il n'a pas l'air de savoir sur quel pied danser. Malgré ma situation cauchemardesque – et elle sera encore plus terrifiante une fois rentrée chez moi –, j'éprouve un tout petit peu de satisfaction. Alex a perdu son expression condescendante. C'est déjà ça.

— Cat, fait-il pour la troisième fois. Vous allez faire quoi ?

— Maintenant ?

— Pour le boulot.

— J'ai parlé à Cass, nous interrompt Demeter en débarquant de nulle part. Je lui ai dit de rester positive. Elle va s'acheter *Prends le taureau par les cornes* et s'en inspirer.

— Bien, approuve faiblement Alex. Bonne idée !

— Je trouve aussi, dit Demeter.

Ils se regardent avec l'air de dire : Ouf ! Maintenant qu'on lui a recommandé un bouquin, on a bonne conscience.

Ils n'ont aucune idée de ce que j'éprouve. Les gens qui ont fait des études parlent de l'ignorance des autres. Mais, croyez-moi, ces deux-là sont drôlement ignorants. Savent-ils seulement ce que c'est que de vivre à Catford en se serrant la ceinture ?

— Je ne vais pas acheter ce livre, j'affirme d'une voix subitement tremblante. Dix-huit livres, c'est une dépense que je ne peux pas me permettre. Je ne peux rien me permettre, d'ailleurs. Je ne suis pas comme vous. PAS COMME VOUS ! Vous comprenez ?

Demeter me dévisage, l'air déconcertée.

— Franchement, Cass, si tu peux te permettre de dîner au Salt Block, tu peux t'offrir un livre très…

— Mais je ne peux pas me payer un repas au Salt Block ! Qu'est-ce que tu crois ? C'était du pur bluff. Je voulais t'impressionner. Je n'ai pas un sou d'économies. Ni de père célèbre pour me mettre le pied à l'étrier.

Alex tressaille mais qu'importe. Après tout, c'est la vérité.

— Vous êtes tellement dans votre bon droit. Tout vous tombe tout cuit, putain ! Tous les deux, vous n'avez pas le moindre sens de… (Je m'arrête avec un drôle de petit rire.) Non ! Bien sûr que non. Allez, je m'en vais. Profitez bien de vos existences parfaites !

Sur ce, j'entre dans l'ascenseur et appuie sur le bouton du troisième étage. Mes yeux picotent, mon cœur bat trop fort. Tu parles d'une sortie pleine de dignité ! Tu parles de porte ouverte ! Mais pour tout dire, à cet instant, je n'en ai rien à faire.

11

C'est curieux, la direction que prennent les événements. Certains qui grimpent en flèche tandis que d'autres dégringolent en chute libre. Un peu comme sur une balançoire « tape-cul ». Ma vie part en morceaux alors que celle de papa s'arrange. J'ai reçu les photos de ses yourtes : assemblées, elles sont superbes. La partie sanitaire scintille, les braseros sont très pittoresques, les banderoles, super festives et Biddy a sorti ses réserves de confiture maison. Entre-temps, nous avons envoyé une brochure à tous les gens auxquels nous avons pu penser. Mon père en a laissé des piles dans bon nombre de cafés branchés du Somerset et j'ai fait de même à Londres. (J'ai vu une fille en imper Boden en prendre une dans un café de Wandsworth et j'ai trouvé ça magique !)

Mais ce n'est pas tout. Loin de là. Cette semaine, papa et Biddy ont pratiquement tiré le gros lot. Mieux encore qu'une marmite remplie d'or au pied d'un arc-en-ciel. Le *Guardian* a recensé Ansters Farm dans sa sélection des campings glamour. Incroyable mais vrai.

C'est dingue ! Ansters Farm Country n'existe pas encore, mais visiblement le journaliste devait rendre son papier en vitesse, il a vu le site et pensé que « ça ferait l'affaire ». Dans l'article, tout y est : les yourtes, les poules et même ma prose sur « les enfants qui peuvent être des enfants ». Une photo d'un feu de camp devant une yourte est légendée : « Ansters Farm Country, la nouvelle retraite familiale des campeurs hype ». J'ai failli m'évanouir en la voyant. Vous vous rendez compte ? Dans le *Guardian* ! C'est fou.

Si j'étais encore chez Cooper Clemmow, ce serait ma plus grande réussite. Je pourrais me précipiter dans le bureau de Demeter : *Regardez ! J'ai conçu le projet de A à Z* !

Mais je ne travaille plus.

Nous sommes fin février et je n'ai pas de job. Ni de perspective de job. En revanche, j'ai les doigts douloureux à force de remplir des dossiers de demandes d'emploi, de pister sur Google les agences d'images de marque et d'écrire des lettres de candidature.

À chacune, j'ai joint un mail personnel. J'ai recherché toutes les entreprises de Grande-Bretagne susceptibles de me proposer un boulot. Mon cerveau déborde de noms de produits, de campagnes de lancement, de contacts divers et variés. Je suis épuisée. Et paniquée. À l'occasion, je m'observe dans une glace. Ce que je vois ? Un visage accablé qui n'est pas celui que j'ai envie de contempler. Inutile de dire que je détourne les yeux très vite.

Alors, pour ne pas me laisser anéantir par la peur, je m'occupe. J'ai réorganisé mon hamac, revu mon budget mensuel de façon à le faire durer deux mois. Je marche pendant des heures. D'abord, c'est gratuit. Ensuite, ça libère les endorphines qui, en théorie, devraient me donner la pêche. (Entre nous, le résultat se fait attendre.) Et je suis toujours accrochée à mon compte Instagram. À 4 heures cette nuit (une insomnie gigantesque que je me suis bien gardée de mentionner), j'ai posté quelques images impressionnistes des rues de Londres et la photo du nouveau stand de bretzels de la gare Victoria. J'ai l'air comme ça guillerette, dans le coup, affairée. Personne ne devinerait la vérité.

Flora me contacte régulièrement. Elle m'a laissé des messages téléphoniques, des textos et un long mail commençant par :

Oh my GOOOD, cette salle vache t'a VIRÉE, c'est TELLEMENT INJUSTE !!!!!

Je lui ai répondu mais je ne lui ai pas parlé. Je me sens trop vulnérable. Sarah aussi garde le contact – en fait, elle m'a envoyé une carte adorable. Apparemment, avant mon arrivée à l'agence, son petit ami a été licencié par Demeter. Un excellent maquettiste qui n'avait pas commis la moindre faute. Il est toujours au chômage. Tous les deux sont assez anéantis mais ils essaient de rester optimistes. Sa carte se finissait par une guirlande d'émojis tristes et la phrase : « Je sais comme ça doit être dur pour toi. »

Je suis sûre qu'elle était bien intentionnée mais, tout compte fait, ça ne m'a pas du tout remonté le moral. Ah ! au fait, je ne suis jamais allée au Blue Bear. De toute façon, je ne fais plus partie de la bande. Sans compter qu'offrir des tournées n'est pas dans mes moyens.

Je traîne beaucoup chez moi, mais c'est assez stressant à cause de notre nouvelle coloc. Anita a sous-loué sa chambre pendant son séjour à Paris. C'est complètement interdit par le règlement mais notre propriétaire ne se montre jamais. (Dommage ! Il pourrait faire enlever les protéines.) La nouvelle venue est une blonde joyeuse, aux bonnes joues roses. Elle s'appelle Irena et porte très souvent un foulard à fleurs. J'espérais m'en faire une copine, jusqu'à ce qu'elle invite son groupe d'amis.

Je dis « amis » mais ce n'est pas le terme approprié. Ils font partie d'un groupe religieux. L'Église de quelque chose (je n'ai pas saisi le nom et maintenant j'ai honte de demander). Ils se retrouvent tous dans sa chambre, ils chantent des hymnes, discutent et crient « Oui » à tout bout de champ.

Remarquez bien que je n'ai rien contre l'Église de quelque chose. Ses membres sont certainement de braves gens. Mais ils sont aussi très bruyants. Entre les psaumes, les cartons de protéines et les « Vas-y, tête de nœud » d'Alan, l'ambiance est un peu oppressante.

Dans la cuisine pour me préparer une soupe de légumes. Obligée de m'accroupir sur les cartons maintenant à moitié défoncés. Et si je m'inscrivais à l'Église de quelque chose ? Cette idée me fait sourire. Voilà peut-être la réponse. Mais je n'ai pas l'énergie de crier « Oui » trente fois par soirée. À dire vrai, je n'ai pas d'énergie du tout. Je me sens crevée. Lessivée. Terrassée.

Je remue ma soupe de courge et rutabagas (pas cher et plein de vitamines) en fermant les yeux par lassitude. Pendant un instant, je baisse ma garde et laisse mon esprit s'aventurer dans des endroits où il ne devrait pas aller. Des endroits froids, effrayants et bourrés de questions que je ne veux pas poser.

Et si je ne trouve pas de travail ?

Tu vas en trouver.

Mais supposons que je n'en trouve pas.

Ma joue est humide tout à coup. Je me rends compte que je pleure. La faute à la vapeur. Aux oignons. Aux protéines.

— Ça roule, Cat ?

Alan vient de se matérialiser à la porte de la cuisine et semble faire des exercices pour muscler son cou.

— Au poil, je réponds avec un sourire forcé.

Je saupoudre la soupe d'herbes lyophilisées et remue.

— Une bande de barjes, tu ne trouves pas ? fait Alan en indiquant la chambre d'Irena.

— On doit respecter leur foi, je déclare en même temps qu'un « Oui » puissant résonne dans l'appartement.

— « Nooon », leur répond Alan en se marrant. Ils sont barjos. La nouvelle coloc voulait une autre chambre pour une copine. Elle m'a carrément demandé si je déménageais. Culottée, la nana. Ils veulent transformer l'appart en communauté.

— Mais non !

— Tu crois qu'ils baisent ?

— Hein ?

— Ils n'ont pas tous fait vœu d'abstinence, si ?

— Aucune idée.

— Je me posais la question, c'est tout. Y a des sectes assez portées sur le sexe. Avec des filles chaudes.

Après quelques mouvements de tête, il ajoute :

— À propos, Irena est hyper sexy. Elle a quelqu'un ?

— Je n'en sais rien.

Je verse ma soupe dans un bol, descends de l'échafaudage de cartons et retourne dans ma chambre. *Pourvu qu'Alan ne fricote pas avec Irena*. Je l'ai déjà entendu en pleine action. C'est un peu comme ses délires quand il fait de la gym. En dix fois plus sonore.

Je m'assieds en tailleur sur mon lit et commence à manger en essayant de trouver une pensée positive. *Allez, Katie ! Tout n'est pas si pourri.* Aujourd'hui, j'ai postulé pour différents emplois. Et je vais poster une image amusante sur Instagram.

Mais les images que je fais défiler sur mon téléphone ont l'air de se moquer de moi. Qui je crois tromper avec mes trucs joyeux complètement bidon ? Oui, qui ?

Les larmes se mettent à couler librement sur mon visage. Mes défenses sont en miettes. C'est clair : il ne faut pas trop tirer sur la corde.

Sur un coup de tête, je prends mon hamac en photo. Et puis ma soupe de rutabagas. Pour info : la mixture marron et orange est bien loin des images léchées qu'on trouve sur Internet. Elle fait plutôt penser à de la nourriture de prisonnier. Imaginez si je postais ça sur Instagram. La réalité dans toute sa mocheté. Légende : *Regardez mon dîner au rabais, mes collants qui dépassent du hamac, mes dossiers de candidature.*

Je débloque à pleins tubes. Question de fatigue. Seulement de fatigue…

Soudain mon téléphone sonne. De surprise, j'en recrache ma soupe. Pendant un quart de seconde, je pense *: Un job, un job, un job ?*

Mais c'est Biddy. Le contraire m'aurait étonné.

Je lui ai caché mon licenciement. Je n'ai rien dit à papa non plus. Trop tôt. Bien sûr que je vais les mettre au courant. Mais quand ? Je l'ignore.

En vérité, j'espère de tout mon cœur que je n'aurai pas à leur en parler. J'espère arriver à arranger la situation, trouver un nouveau boulot et leur annoncer, un jour, l'air de rien : « Oui, j'ai changé de job. Aucun problème. C'était le moment de passer à autre chose. » Leur faire croire que c'était ma décision, la chose à faire pour progresser normalement. Leur épargner toute cette angoisse et ces soucis. M'épargner à moi toute cette angoisse et ces soucis.

Parce que si j'avoue à papa que j'ai été virée de chez Cooper Clemmow… Je préfère ne pas y penser. Je serais obligée de gérer sa colère justifiée, en plus de ma propre détresse. De subir ses railleries, sa mauvaise humeur et ses demandes d'explications. Or là, je ne me sens pas assez forte pour le supporter.

Avec Biddy, c'est différent. Elle est plus posée. Ce n'est quand même pas le moment de l'ennuyer. Elle est suffisamment occupée – pour ne pas dire submergée – avec le projet « glamping ». Cette entreprise a demandé plus d'argent et de travail que prévu, exigeant d'elle beaucoup d'énergie. Impossible de la surcharger avec mes problèmes.

Qu'elle m'aide matériellement est tout aussi inconcevable. Je sais qu'elle me proposerait de l'argent sans hésiter, mais son héritage est destiné à financer leur projet, pas à renflouer mon compte en banque. Franchement, je préférerais encore laisser tomber ma chambre à Londres qu'accepter le soutien de Biddy.

Et je peux dégotter un nouveau boulot dès demain. Pourquoi pas, hein ?

— Coucou, Biddy, je dis en essuyant mes larmes. Comment ça va ?

Depuis Noël, elle me téléphone souvent. C'est le bon côté de ce business – on communique beaucoup. Je l'ai aidée à commander les meubles des yourtes, on a choisi ensemble où placer les braseros et les bancs. Elle a aussi des tonnes de questions concernant le site et, pour être honnête, je rends hommage à Alan pour sa patience. En réalité, et tout à fait entre vous et moi, nous sommes tous les deux les vrais architectes du projet.

— Je ne te dérange pas au moins, ma Katie ? Tu n'es pas en train de dîner ? À propos, on vient d'essayer une nouvelle recette de tagine à l'agneau. Au cas où on déciderait de faire table d'hôtes. C'était… pas mal.

Biddy est toujours trop modeste. *Pas mal ?* Traduisez : *absolument divin*. Je la vois en train de garnir les assiettes de louchées odorantes d'agneau mariné aux herbes pendant que papa remplit les verres du vin rouge acheté chez Métro.

— Bravo ! Tu m'appelles pour qu'on parle de menus ?

— Non, désolée, ce n'est pas ça. En fait, il s'agit de…

Biddy bafouille. Elle semble très nerveuse.

— Rien de grave ?

— Non, je t'assure. Écoute…

— Mais dis-moi !

— Les réservations ont commencé.

— Quoi ?

— Oui. Sur Internet. Ça marche, trois familles ont retenu pour le week-end de Pâques et quatre autres pour le week-end suivant. Quatre, tu te rends compte ?

— C'est fou !

Je suis sous le choc. J'espérais bien que des gens viendraient. Mais quatre familles à la fois ?

— C'est génial. Ça y est, Biddy ! C'est le grand lancement !

— Mais non, justement ! C'est le problème ! Je meurs de trouille, ma cocotte. Des vrais clients vont débarquer. Comment va-t-on se débrouiller ? Pour les distraire, en particulier. Et si quelque chose clochait ? Ton père ne sert à rien. C'est un homme bien mais…

Sa voix faiblit. Je serre le téléphone de toutes mes forces. C'est la première fois que j'entends Biddy perdre son calme.

— Tout va bien se passer. Avec tes délicieux petits déjeuners et toutes les activités prévues.

— Mais comment les organiser ? J'ai demandé à Denise, une amie du village, de nous donner un coup de main, mais elle ne fait que poser des questions auxquelles je suis incapable de répondre.

— Dis-lui de me téléphoner. Ou alors… Tu veux que je vienne pour le week-end ?

Qu'est-ce qui me prend ? Un coup de folie ou quoi ? Un aller et retour dans le Somerset coûte une fortune. Comment je vais payer le billet ? Mais il est trop tard.

Biddy semble proche de l'extase.

— Tu viendrais, Katie ? Nous dépendons tellement de toi ! Quand tu es là, tout s'arrange. Naturellement, on t'offre ton billet. Je sais que ton merveilleux travail est très prenant et nous sommes si fiers de toi, mais voilà…

Elle hésite comme si elle n'avait pas le courage de continuer.

— Quoi donc ?

Silence au bout de la ligne. Qu'est-ce qu'elle n'ose pas me dire ?

— Biddy ? Tu m'entends ?

— Katie, tu n'aurais pas quelques jours de vacances à prendre, par hasard ? Juste pour nous dépanner, pendant le démarrage ? Une ou deux semaines. Ou aussi longtemps que tu peux.

— Biddy, je…

Mais je ne sais pas quoi dire. Elle m'a prise au dépourvu.

Elle fait instantanément marche arrière.

— Je sais, je sais ! Je n'aurais pas dû te demander ça. Tu es sur ta lancée et je comprends tout à fait que tu ne viennes pas. Tu as ta carrière, ta vie, ton appartement. Au fait, où en est la décoration ?

— Ça avance, c'est… Oh. Ooooh ! Aaaah !

Je n'y vois plus rien. Alerte noire ! On m'attaque. On me tombe dessus, on m'étouffe. Je me débats, je suffoque… et tout d'un coup, je comprends.

Mon putain de hamac s'est détaché.

J'arrache de ma tête la jupe en jersey noir qui m'empêche de voir et contemple l'étendue du désastre. Horreur ! Accroché à une seule extrémité, le hamac pendouille, vide. Tout mon bordel s'est répandu sur mon lit : les vêtements, les produits pour mes cheveux, les livres, les magazines… Je vais en avoir pour des heures pour tout ranger. Seul point positif : mon bol de rutabagas, posé sur le plancher, est intact.

Un point positif ? Pas sûr.

— Katie ? Qu'est-ce qui se passe ?

La voix inquiète de Biddy sort du téléphone. Je le récupère et dis :

— Ne t'en fais pas. Je me suis cognée contre un truc. Tout va bien. On parlait de quoi, déjà ?

— Je viens de m'apercevoir que je ne t'avais pas dit qu'on te payerait, ma chérie.

— Comment ?

— Tout travail mérite salaire. Tu sais qu'on voulait te dédommager pour tout ce que tu as déjà fait. Figure-toi qu'on a un budget pour te rémunérer.

— Vous allez… me payer ?

C'est une proposition de boulot. J'ai une offre ! Je réprime un rire hystérique et, tout en touillant ma soupe, j'examine l'ironie de la situation.

Soudain, j'ai une idée. J'hésite un peu à la considérer, parce qu'elle a des allures d'échec. Ou d'abandon. Un peu comme si mes aspirations se transformaient en tas de poussière.

J'ai eu tellement de rêves. Allongée sur mon lit, j'étudiais le plan du métro en m'imaginant dans la peau d'une de ces personnes pleines d'assurance que j'avais croisées au cours de mes expéditions d'une journée dans la capitale. Des personnes pressées, avec des buts, des objectifs, des perspectives à long terme. Je me voyais grimper les échelons professionnels pour aller très haut, si je travaillais assez dur. Bosser sur des marques internationales, rencontrer des gens fascinants, mener une vie formidable.

Oui, je devinais que ça serait difficile. Mais sans doute pas à ce point.

— Katie ?

— Excuse-moi. J'étais… dans mes pensées.

Travailler dans le Somerset n'équivaut pas à abandonner la partie. Ce serait plutôt… Quoi ? Un ralliement. Une parenthèse. Pourquoi pas ?

— Attends une seconde, Biddy ! Il faut que je vérifie un truc.

Je pose mon téléphone et fonce frapper à la porte d'Irena. Pas de réponse. J'entre quand même en me disant que c'est un cas d'urgence et que son dieu comprendra.

Je découvre une mer silencieuse de têtes penchées. Pas de chance ! Je les dérange au milieu d'un moment de prière. Tant pis. Trop tard pour faire machine arrière. Je dois savoir.

Avec mille précautions, je me fraie un chemin jusqu'à Irena, assise sur son lit, concentrée, les yeux fermés, tout en cheveux blonds et joues roses. Alan a raison : elle est super sexy.

— Irena, je chuchote. Pardon de te déranger. C'est vrai que tu veux sous-louer une chambre ?

Elle ouvre les yeux.

— Oui, pour mon amie Sonia.

Elle me désigne la dénommée Sonia, au moins aussi blonde qu'elle. Avec un sex-appeal d'enfer. Alan va être au paradis.

— Tu peux avoir la mienne.

— Super ! Quand ?

— Dès qu'on se sera mises d'accord. Retrouve-moi quand tu as fini.

Je repars sur la pointe des pieds en réfléchissant fébrilement. Comment jouer en finesse ? Révéler la vérité à Biddy est impensable. En tout cas, pas maintenant. Elle a déjà beaucoup de problèmes à résoudre. L'embêter avec les miens ne sert à rien.

Alors… Bon. Voici mon plan. 1. Aider Biddy et papa, 2. ne pas les inquiéter, 3. organiser tranquillement ma vie, 4. ne leur donner que le minimum de détails quand tout sera à nouveau sur les rails.

(5. Même quand tout roulera, ils n'auront pas à connaître les aspects moches de mon existence, 6. en particulier l'épisode dans lequel Demeter ne se souvenait plus si elle m'avait déjà annoncé mon licenciement, 7. ou celui où j'ai été prise pour une SDF.)

Il n'y a qu'un os. Minuscule. Qu'est-ce que je vais raconter là, maintenant ?

Je reprends le téléphone et respire profondément.

— Biddy, écoute, il y a un genre de… euh… possibilité. C'est difficile à expliquer… Assez compliqué. Peu importe ! L'important, c'est que je suis en mesure de vous aider. Je peux arriver demain.

Étonnement de Biddy.

— Tu viens ? Oh, ma Katie ! Pour combien de temps ?

— Je ne sais pas encore, je marmonne. Je dois voir des gens, prendre des dispositions. Je dirais deux semaines. Ou un peu plus. Quelque chose comme ça.

— Tu prends un congé sabbatique ? Comme cette gentille dame qui voulait apprendre à faire des confitures – tu te souviens ? Elle avait pris six mois de congé. Tu envisages une période aussi longue ?

J'entends une note d'espoir dans la voix de Biddy. Et honnêtement, je ne sais pas quoi répondre.

Six mois. Il faut que d'ici six mois je trouve du boulot.

— Je resterai aussi longtemps que possible, je déclare en esquivant la question. Je me réjouis de vous voir tous les deux ! Vivement demain !

— Je suis si heureuse, moi aussi. Quelle chance de t'avoir à la maison ! Ton père va être enchanté, tout le monde va l'être. Et puis, avec toi, nous allons vraiment réussir…

Biddy exulte, c'est clair. Pendant qu'elle continue à parler, je m'allonge sur mon lit jonché d'affaires et fixe le plafond couvert de taches. Sa voix enthousiaste et pleine d'affection agit sur moi comme un baume apaisant sur une peau écorchée. J'attends avec impatience de retrouver sa délicieuse cuisine, ma chambre avec une vraie penderie, la vue sur les collines.

En même temps, je suis cent pour cent résolue. Pas question de revenir en arrière. Je me mets entre parenthèses sans renoncer pour autant. Après tout, je n'ai que vingt-six ans. Vais-je laisser un unique revers anéantir mes ambitions ? Que nenni ! Un jour, je reviendrai à l'image de marque. Un jour, je traverserai le Waterloo Bridge en disant : « Voilà ma ville. » Aussi sûrement que deux et deux font quatre.

DEUXIÈME PARTIE

12

Trois mois plus tard

— Très bien. Je comprends. Merci.

Je repose le téléphone et le regarde fixement. Encore un coup de fil d'un chasseur de têtes qui ne donne rien. Encore une petite conférence sur les aléas du marché du travail.

— C'est toujours ce laboratoire pharmaceutique ? demande Biddy.

Je sursaute, gênée. Depuis le temps, je devrais savoir que je ne dois pas prendre les appels des chasseurs de têtes dans la cuisine.

— Ils te font travailler dur, ma cocotte, ajoute-t-elle en posant un bouquet de racines de betteraves sur le comptoir. Je croyais que tu étais en congé sabbatique.

Coupable, je détourne la tête pour éviter son regard. On commence avec un petit bobard bien intentionné et on se retrouve en train d'inventer complètement sa vie.

Tout a débuté une semaine après mon retour dans le Somerset. Un chasseur m'a appelée alors que j'étais avec papa et Biddy. Il a fallu que j'improvise en vitesse. Et j'ai raconté que Cooper Clemmow me consultait pour un budget. Depuis, c'est le prétexte que j'invoque chaque fois que je sors de la pièce pour prendre un appel. Chaque fois qu'un chasseur de têtes me rappelle, « c'est Cooper Clemmow ». Papa et Biddy me croient sans réserve. Normal. Ils ont une confiance totale en moi.

Je n'aurais jamais dû adopter la version de Biddy. Mais c'était facile. Trop facile. Quand je suis arrivée à la ferme, elle avait déjà expliqué à papa que je prenais un congé sabbatique. Pour eux, ça allait de soi. Cette histoire m'avait déjà dépassée mais j'aurais encore pu rectifier le tir.

Je ne l'ai pas fait. Tout le monde me croit en congé sabbatique. Même ma copine Fi. Car, si je lui dis la vérité, cela risque de se retrouver sur Facebook et tomber sous les yeux de Biddy. Elle a dit : « Qu'est-ce qu'ils sont généreux, les patrons anglais ! », puis elle est passée au récit d'une soirée de fous dans les Hamptons où elle a bu plein de pink margaritas. « Vraiment géant. Il faut que tu viennes. » Je n'ai même pas su quoi répondre. En ce moment, ma vie est bien loin des pink margaritas, des capuccinos et autre macchiato, les cafés cools des endroits à la mode. Ces temps-ci, quand je vais sur Instagram, c'est seulement pour promouvoir Ansters Farm.

J'ai parlé à Fi du camping de luxe et elle m'a posé quelques vagues questions pour me demander ensuite quand j'allais rentrer à Londres. « La grande ville ne te manque pas ? » Sa remarque a touché un nerf sensible. Bien sûr que Londres me manque. Et puis elle m'a décrit tous les gens connus qu'elle avait aperçus dans un bar d'hôtel, ce même week-end dans les Hamptons.

Je sais que c'est toujours la même Fi ; ma grande copine pleine de bon sens… mais c'est difficile de concilier la Fi new-yorkaise très glamour et la vieille amie à qui je confiais tout. Nous avons de moins en moins de points communs. Je devrais peut-être m'offrir le voyage à New York pour cimenter notre amitié. Mais avec quoi ?

De toute façon, ce n'est pas ma priorité. Il y a beaucoup à faire. À commencer par l'épluchage des betteraves. Soudain, le bip de mon téléphone annonce l'arrivée d'un mail. Il provient de McWhirter Tonge, l'entreprise qui m'a reçue pour un entretien.

L'air dégagé, je sors dans la cour. Devant moi, des champs baignés du soleil de mai. Dans le village des yourtes, de la fumée monte d'un feu de camp. Au loin, le croassement des choucas perchés dans un bosquet de frênes. Au lieu de m'absorber dans la contemplation du site, je concentre toute mon attention sur le mail. Parce qu'on ne sait jamais… Pourvu que…

Angoissée, je scrute l'écran. J'ai passé un entretien la semaine dernière (en disant à papa et Biddy que j'allais voir des amis). Jusqu'à présent, c'est le seul rendez-vous que j'aie décroché ; la seule miette d'espoir qui m'ait été donnée ; la seule de mes candidatures qui ait abouti à quelque chose. Leurs bureaux se trouvent à Islington. Rien de grandiose mais les gens étaient sympas, le boulot m'a paru vraiment intéressant et…

Chère Cat,

Nous vous remercions d'avoir pris le temps de venir nous voir la semaine dernière. Nous avons pris plaisir à vous rencontrer et à bavarder avec vous. Malheureusement…

Malheureusement. Le mot fatal.

Je lâche le téléphone et les larmes me montent aux yeux. *Allez, Katie ! Ressaisis-toi !* Je respire plusieurs fois à pleins poumons en arpentant la cour. Ce n'est qu'un job. Un refus : et alors ?

D'accord. N'empêche que je me retrouve encerclée par une chape de glace. C'était ma seule option. Aucune autre boîte ne m'a proposé d'entretien.

En fait, ce n'est pas tout à fait vrai. Au début de mes recherches, j'ai reçu pas mal de mails me proposant des boulots comprenant « beaucoup de potentiel », « des possibilités d'évolution », « une expérience précieuse ». Il m'a suffi de trois coups de fil pour comprendre le sens de ces formules qu'on peut traduire par : « pas de salaire ».

Quel que soit l'enrichissement que ça peut m'apporter, pas question de travailler pour rien. J'ai dépassé ce stade.

— Tout va bien, Katie ?

La voix de Biddy me tire de ma grisaille. Elle vient de déposer les pelures de betterave sur le tas de compost et me dévisage avec curiosité.

— Un souci, ma cocotte ?

— Non. Juste un truc professionnel.

— Je me demande comment tu y arrives, s'extasie-t-elle. Avec tout ce que tu abats comme boulot ici et tous les mails que tu envoies…

— Ça m'occupe, voilà, je réponds avec un drôle de rire.

Papa et Biddy croient que, pendant les heures passées sur mon ordinateur, je communique avec mes collègues de l'agence. Qu'on échange des tonnes d'idées brillantes. Ils ne se doutent pas que je réponds à des offres d'emploi. Désespérément.

Je m'oblige à terminer la lecture du mail de McWhirter Tonge :

> … Un domaine d'envergure… Candidate avec beaucoup plus d'expérience… On garde votre nom dans nos dossiers… Intéressée par notre filière stages ?

Les stages, c'est tout ce qu'ils voient pour moi ?

OK, je sais, le marché du travail est compétitif. C'est dur pour tout le monde. Mais une pensée me turlupine : me suis-je montrée à la hauteur ? Ai-je complètement merdé pendant l'entretien ? Suis-je nulle de chez nulle ? Dans ce cas, je vais faire quoi ? Grosse panique dans ma tête. Sombre et terrifiante. Et si je ne trouvais jamais de travail ?

Non ! Il faut arrêter ! Ne pas tout voir en noir. Ce soir, je vais envoyer d'autres candidatures, ouvrir le réseau…

— Katie, j'ai besoin de tes lumières. Une femme m'a posé des questions sur nos énergies renouvelables. Rappelle-moi ce que je dois dire.

— Tu parles des panneaux solaires, je dis, ravie de penser à autre chose. De la douche extérieure. Des légumes bio. Pas la peine de mentionner le jacuzzi de papa. Je vais t'écrire une antisèche, si tu veux.

— Tu es la meilleure, ma Katie, fait Biddy en me tapotant affectueusement le bras. Ne laisse pas les grands manitous de Londres envahir ton espace. Souviens-toi que tu es en congé.

— Tu as raison, je réponds avec un faible sourire.

À peine est-elle rentrée dans la cuisine que je m'affale dans l'herbe. Ces jours-ci, j'ai l'impression d'être deux personnes. D'un côté, Cat qui essaie de faire son chemin à Londres ; de l'autre, Katie qui travaille au lancement d'un glamping. Et vous savez quoi ? C'est absolument épuisant.

Voyons le côté positif : aujourd'hui, la ferme est spécialement jolie. J'irai prendre des photos un peu plus tard et les diffuserai sur les réseaux sociaux. Mes yeux tombent sur les panneaux solaires scintillants de la grange où se trouvent les douches. Mon idée ! Je n'en suis pas peu fière. À Ansters Farm, nous ne fonctionnons pas complètement à l'énergie renouvelable : nous utilisons deux chaudières et nos toilettes ne sont ni sèches ni labellisées « vertes ». Mais nous encourageons la biodiversité. Après quelques semaines, j'ai bien vu que certains de nos clients étaient des écolos pur jus. Exemple de question : *Vous soutenez le tourisme durable ? Parce que pour nous, c'est primordial.* Alors que d'autres privilégiaient le confort : *Vous avez de l'eau chaude dans les douches ? Le camping glamour, c'est surtout mon mari qui veut essayer.* Il était important de rassurer les deux camps.

Tout le monde adore la grange aux douches avec ses vieux casiers d'école à verrous et ses anciennes patères, mais la baignoire à ciel ouvert a encore plus de succès : décorée de rayures aux couleurs de l'arc-en-ciel – inspiration Paul Smith – et protégée par des paravents en osier. Ma photo montrant la baignoire, une bouteille de champagne dans un seau posée à côté et une vache qui regarde par-dessus la clôture, je l'ai envoyée à Alan pour qu'il l'ajoute au site.

Il a répondu : « Waouh ! Très cool ! » et j'ai pensé : « S'il aime, c'est sacrément bon signe. »

Cette baignoire est si demandée que nous avons dû instaurer un roulement. À vrai dire, tout a du succès. J'ai toujours pensé que ce camping marcherait. Mais je n'imaginais pas que papa et Biddy y mettraient autant d'eux-mêmes, qu'ils feraient autant d'efforts pour qu'il soit une réussite.

La partie logement est magnifique. Il y a six yourtes, disposées en trois paires pour que les couples avec enfants puissent y loger leur progéniture, mais suffisamment éloignées les unes des autres pour garantir une certaine intimité. Chacune dispose de sa propre terrasse en bois avec brasero incorporé. Papa connaissait un menuisier qui lui devait un service. Le gars nous a construit six grands lits, séparables en lits jumeaux, en utilisant du bois de récupération. L'inscription « Ansters Farm » est sculptée sur chaque tête de lit. Les draps sont en voile de coton – nous avons trouvé un grossiste – et les coussins recouverts d'imprimés vintage. Et des peaux de mouton en guise de tapis.

Chaque famille reçoit en arrivant un petit panier garni de lait, thé, pain et de savonnettes artisanales « Ansters Farm ». Après avoir fait le tour des fabricants de savons bio, Biddy a décidé qu'elle pouvait facilement en confectionner elle-même. Les siens ont la taille de petits biscuits, sont parfumés au romarin et portent les initiales AF. Si les clients le désirent, ils peuvent acheter les mêmes en taille familiale – et ça arrive souvent. Sur commande, elle propose également ses savons avec n'importe quelles initiales, pour offrir. Tout cela, c'est l'œuvre de l'incroyable Biddy !

Nous avons aussi investi dans un bon réseau wi-fi. Pas du niveau « pas mal pour un coin paumé ». Non, un wi-fi de grande qualité. Le réseau provient d'un émetteur situé à une trentaine de kilomètres de la ferme. Au début papa a renâclé. Il a fallu le convaincre de débourser une bonne somme pour l'installation. Mais je connais les Londoniens. Ils prétendent vouloir fuir leur vie quotidienne mais, dès qu'on leur donne le code wi-fi, ils s'évanouissent de soulagement. Pour le téléphone, on capte bien dans la maison. Heureusement. Dans les champs et les bois, c'est une autre histoire. Tant pis pour ceux qui veulent appeler leur bureau au milieu d'une excursion.

Papa a aussi créé à travers champs un sentier réservé aux cyclistes et, pour les gamins, il y a un terrain de jeux et une roulotte destinée aux jours de pluie. Le soir, des multitudes de lanternes éclairent le chemin qui mène aux yourtes. Une vision de conte de fées.

— Mick le fermier !

Des voix d'enfants résonnent dans le petit bois tout proche.

— Mick le fermier !

Eh oui ! Dans cette histoire, la grande révélation, c'est mon père.

J'avais peur qu'il soit une source de problèmes, qu'il traite les gens par-dessus la jambe. Alors, la semaine qui a précédé l'ouverture, je l'ai pris entre quatre yeux.

— Papa, il faut que tu te montres sympa avec les clients. Sérieusement. Biddy a investi son argent dans cette entreprise. Votre avenir dépend de son succès et le succès, de ton comportement, de ton accueil, de ton obligeance. Tu dois faciliter la vie des résidents. OK ? S'ils veulent grimper aux arbres, aide-les. S'ils veulent traire les vaches, montre-leur. Et évite de les appeler « bourrins de citadins ».

— Jamais je ferais ça, s'est emporté papa.

— Oh que si ! Et sois particulièrement gentil avec les enfants ! j'ai conclu.

Il n'a pas ouvert la bouche de toute la journée après cela et j'ai eu peur qu'il ait mal pris mon petit sermon. En fait, il réfléchissait. Au rôle qu'il allait jouer. Et, de la même façon que Biddy m'a stupéfiée avec ses idées, papa m'a sidérée en se créant un nouveau personnage.

— Mick le fermier ! Encore ! Encore !

Papa apparaît, accompagné des triplés de trois ans qui séjournent ici. Deux garçons et une fille. Adorables. Tous les trois en marinière rayée.

Papa, lui, est habillé en « Mick le fermier ». Chemise à carreaux, chapeau de paille et vocabulaire approprié. Il avance en jonglant, assez mal je dois dire, mais visiblement les enfants s'en fichent.

— Qui veut faire un tour dans la camionnette ?

— Moi ! Moi ! hurlent les enfants.

— Qui veut aller voir Agnès, la vache ?

— Moi !

Ce n'est pas Agnès la vache, c'est Agnès la poule Bantam. Mais aucune importance, je ne vais pas le contredire.

— Qui passe les meilleures vacances de sa vie ?

Papa m'adresse un clin d'œil.

— Moiiii !

Les cris des enfants sont assourdissants.

— Allez, on chante notre chanson !

D'une voix tonitruante, papa entonne :

— Ansters Farm, Ansters Farm, jamais on te quittera… Qui veut un bon caramel du Somerset ?

— Moiiiii !

Franchement, il est aussi bon qu'un animateur de goûter d'enfants. Et drôlement malin avec ça. Toutes les cinq minutes, il leur dit qu'ils passent des vacances formidables. Une sorte de lavage de cerveau. Résultat, tous les gamins partent en pleurant parce que Mick le fermier va leur manquer. Et pas mal de parents renouvellent leurs réservations.

Avec papa qui amuse les enfants, Biddy qui enchaîne les confitures et toutes les occupations des adultes, j'ai peur qu'ils finissent par craquer. Mais chaque fois que je leur fais part de mes craintes, ils éclatent de rire et me parlent de leur toute nouvelle idée. La dernière en date ? Apprendre aux gens à faire des balles de foin. Nous proposons toute une série d'activités appelées « Savoir-faire et techniques du Somerset ». Cela inclut le tressage d'osier, le travail artistique du bois, la cueillette de champignons, de fruits, etc. Ils adorent.

Globalement, le camping glamour de papa et Biddy a démarré en flèche. Quant à savoir s'ils font déjà des bénéfices…

Parfois, quand je pense à la somme investie par Biddy dans l'aventure, mon cœur se serre. Elle ne m'a jamais indiqué le montant exact mais je devine que c'est beaucoup. Cet argent, elle aurait pu le garder pour ses vieux jours.

Bon, inutile de se tracasser. Mon job à moi est de les aider à ce que le camping rapporte de l'argent. Et pour commencer, Mick le fermier doit arrêter de distribuer gratuitement des caramels. Pour trois raisons : c'est une boîte par jour qui y passe ; il en boulotte la moitié à lui tout seul ; une mère s'est déjà plainte de ce qu'on donnait à son gamin le goût funeste des sucreries.

Les parents des triplés quittent leur yourte, escortés de Steve Logan qui porte leurs bagages. Steve nous aide le samedi, le jour des rotations. Il se révèle aussi incroyablement exaspérant qu'incroyablement utile. Avec ses mains de géant, il peut porter trois sacs de voyage à la fois. Il faut voir les airs déférents qu'il prend dans l'espoir de recevoir un pourboire. Ridicule !

Pendant qu'il charge les bagages, je l'entends dire :

— Faites attention à vous, monsieur ! Prenez bien soin de vous, de votre femme et des enfants, monsieur. Je vous souhaite un bon voyage. Quelle famille sympathique ! Vous avez de quoi être fier. Vous allez nous manquer.

— C'est vous qui allez nous manquer ! s'exclame la mère, qui porte une marinière rayée comme ses enfants et tient le sachet de lavande qu'elle a confectionné hier. Vous allez tous nous manquer. Mick le fermier et Biddy. Et vous, Katie, vous êtes un ange…

Elle me serre contre elle spontanément et je lui rends son étreinte. Ce sont des clients vraiment charmants. Je suis sûre qu'elle est sincère.

Ici, pour tout le monde, je suis Katie. C'est évident. Je n'ai même jamais tenté d'être Cat. Et je suis même Katie dans une version que parfois je ne reconnais pas. Mes intonations de fille de Londres se sont évaporées. Quel besoin de m'exprimer comme une citadine quand je suis à la ferme ? De toute façon, ça a toujours été un stress de me surveiller. En plus, les amateurs de camping glamour ne veulent pas entendre l'accent londonien. Ils veulent le parler du Somerset. Cette prononciation « Zummerset » épaisse et crémeuse qui a bercé une bonne partie de mon existence.

Disparue aussi, ma frange ! Trop d'entretien. Et finalement ce n'était pas moi. Tant mieux, parce qu'elle aurait été impossible à discipliner maintenant que je ne raidis plus mes cheveux tous les matins. Adieu lissage et chignon. Je suis revenue aux ondulations de Katie Brenner, qui descendent sur mes épaules et se soulèvent dans la brise. Plus d'eye-liner baveux, oubliées les trois couches de mascara. Et j'ai flanqué mes lunettes « de ville » dans un tiroir. Aujourd'hui, on aurait du mal à définir mon look, mais je suis trop occupée pour m'en soucier. J'ai récupéré des bonnes joues – grâce aux délicieux dîners – et je suis bronzée. Un semis de taches de rousseur est même apparu sur mon nez. Bref, je ne me ressemble pas.

Ou peut-être que je ressemble à un autre moi.

— Quels beaux bambins ! claironne Steve tandis que les triplés grimpent dans la voiture. Des petits anges. Des petits anges descendus du ciel.

Je le foudroie du regard. Il en fait des caisses. S'il ne se maîtrise pas, ils vont croire qu'il se fout d'eux.

Erreur. La mère est rayonnante et le père fouille dans sa poche. Il tend un billet à Steve.

— Voilà pour vous. Avec nos remerciements.

Naaan ! Ce pourboire va l'encourager. Pour preuve, au moment où les portières claquent, Steve se fend de quelques courbettes. Finalement, la voiture s'éloigne et nous agitons les mains.

Voilà, c'était les derniers occupants de la semaine. Toutes les yourtes sont vides.

Minute de silence. Moment de répit. Et puis Biddy, très pro, tape dans ses mains.

— Bien ! dit-elle.

Et le cirque recommence.

On arrive à gérer sans problèmes le jour de rotation des clients à condition de ne pas s'arrêter une seconde. Biddy et moi allons chercher les produits de nettoyage dans le cellier avant de commencer à briquer les deux premières yourtes. Au bout d'une demi-heure, Denise arrive du village. Soupirs de soulagement. On ne sait jamais si elle viendra ou pas.

Pendant qu'elle s'attaque au ménage, nous passons aux détails de déco. Fleurs fraîches dans les vases. Renouvellement des provisions dans les paniers, savons, brins de lavande, cartes de bienvenue posées sur les lits. Sur chacune, on peut lire, joliment calligraphié :

À Nick, Susie, Ivo et Archie, très bon séjour à Ansters Farm.

À James, Rita, Chloe et Henry, très bon séjour à Ansters Farm.

À Giles, Cleo, Harrison, Harley et Hamish, sans oublier Gus le chien, très bon séjour à Ansters Farm.

Nous sommes en période de petites vacances scolaires. Cette semaine comme la précédente. Cette année, les écoles ont choisi différentes périodes de fermeture pour coller à un jour férié et c'est tout bénéfice pour nous. Les yourtes sont archi-combles, avec des lits de camp et des lits d'appoint partout. Tout en étalant les couvertures, je fais une rapide vérification sur mon téléphone : Harley est une fille. D'accord. Avec ces prénoms à la mode, on ne sait jamais.

« À Dominic et Poppy. »

Un père divorcé et sa fille. Quand il a réservé au téléphone, il l'a répété deux fois. Précisant qu'il voulait passer des moments agréables avec sa petite fille, que sa mère ne lui faisait pas assez prendre l'air, qu'elle avait besoin de jouer dehors et qu'il était en désaccord avec beaucoup des décisions de son ex-femme… Son chagrin était perceptible. Drôlement triste, tout ça.

Les clients nous téléphonent souvent, alors qu'ils peuvent retenir leur yourte en ligne. Ils prétendent vouloir vérifier un détail mais, à mon avis, avant de déposer des arrhes, ils veulent s'assurer que l'endroit existe vraiment et que nous ne sommes pas des meurtriers sanguinaires. Après tout, c'est de bonne guerre.

« À Gerald et Nina. »

Ceux-là sont les grands-parents d'une des familles qui va arriver. Laquelle ? J'ai oublié, mais ça va me revenir.

Finalement, les yourtes sont prêtes. Biddy prépare le goûter dans la cuisine – une gentille attention pour nos résidents. Au menu : une théière fumante, des scones maison et les confitures d'Ansters Farm (avis aux amateurs : elles sont en vente).

Notre cuisine n'est pas terrible, avec ses placards en aggloméré moche et ses comptoirs en formica. Rien à voir avec le style « rustique » des cuisines de Londres avec leurs fourneaux Aga, leurs garde-manger dernier cri et leurs plans de travail en chêne épais conçus par Plain English. Mais chez nous, les dalles sont authentiquement anciennes. Nous couvrons la table d'une nappe en lin, accrochons des banderoles et… ça fonctionne.

En retournant à la cuisine, je tombe sur papa.

— Paré à l'arrivage ? demande-t-il.

— Tout est en ordre, commandant !

J'effleure le foulard noué autour de son cou.

— Super bandana, Mick le fermier ! J'ai oublié de te dire que les douches ont eu droit à une mention spéciale dans un formulaire d'appréciation. « Très bien pour un glamping. »

— Très bien tout court, réplique papa en faisant semblant de grogner.

Il est enchanté, c'est clair.

— Au fait, j'ai vu quelque chose qui pourrait t'intéresser, poursuit-il. La demeure de Howells Mill, à Little Blandon, a été transformée en appartements.

Je ne vois pas où il veut en venir.

— Belles salles de bains, précise-t-il. Pression maximum dans les douches.

Incompréhensible. Quel rapport entre la pression des douches à Little Blandon et ma pomme ?

— Au cas où tu chercherais quelque chose. On pourrait t'avancer l'acompte. Les prix sont raisonnables.

Tout d'un coup, la lumière se fait. Papa pense que je pourrais acheter un appartement dans le Somerset.

Comment répondre ? Je me tortille…

— Papa, tu sais que je vais retourner à Londres…

— Je sais que tu as ça en tête… mais on peut changer d'avis. (Regard de côté, légèrement fuyant.) En tout cas, c'est l'occasion de réfléchir à tes projets d'avenir, tu ne crois pas ?

— Mais, papa…

Je m'immobilise. La brise fait voleter mes cheveux. Combien de fois ai-je répété que je voulais vivre à Londres ? J'ai l'impression de me cogner le crâne contre un mur.

Silence bucolique, ponctué de meuglements lointains. Le ciel est bleu, l'air léger, mais la culpabilité m'accable.

— Kitty-Kate, je pensais qu'on t'avait récupérée après ces quelques mois. Tu es moins maigrichonne, moins nerveuse. La fille de là-bas, ce n'est pas toi.

Il ne pense pas à mal, mon papa. Mais il appuie là où ça fait mal. J'ai désespérément essayé de retrouver ma confiance en moi au cours de ces dernières semaines, en me persuadant que la perte d'un boulot n'est qu'un mauvais moment à passer. Mais s'il avait raison ? Si la fille de là-bas, comme il dit, n'était pas moi ? Peut-être que je ne percerai jamais à Londres. Peut-être que je dois laisser ma place à d'autres.

Une petite voix me souffle le contraire. *N'abandonne pas ! Seulement trois mois sont passés. Tu peux encore y arriver.* D'accord, mais les recruteurs et les chasseurs de têtes semblent penser exactement le contraire.

— Papa, je dois y aller ! À plus !

Avec un vague sourire, je m'enfuis vers la maison.

Je suis plongée dans la vérification des activités prévues pour demain quand Denise déboule dans la cuisine en portant un grand casier en plastique. Elle l'utilise pour, je cite, « ramasser les merdes de c't'engeance de campeurs ».

— V'là le travail ! annonce-t-elle. J'ai fait un dernier tour. Impec.

— Formidable. Merci, Denise. Tu es la meilleure !

Elle l'est. À sa manière. Quelquefois, elle ne vient pas travailler. Mais quand elle est là, elle se donne à fond. Elle a dix ans de plus que moi, déjà trois filles. Il faut les voir, le matin, trottiner vers l'école avec leurs nattes archi-serrées.

— C'est incroyable, les trucs que les gens laissent !

— Un vrai foutoir ? je demande pour témoigner ma sympathie.

Je suis toujours étonnée par le désordre de ces gens si chic. Et par leur je m'en-foutisme. Une famille n'a pas arrêté de donner n'importe quoi à manger à Colin, l'alpaga, alors qu'on avait spécifié que c'était interdit.

— Tu ne devineras jamais. Regarde !

Les yeux étincelants, Denise sort du casier un vibro rabbit.

— Oh non !

— C'est quoi ? demande Biddy, occupée à touiller quelque chose sur le feu. Un jouet ?

Oh, cette Denise, alors ! Ne comptez pas sur moi pour expliquer à ma belle-mère ce qu'est un vibro rabbit. Et à quoi il sert.

— Euh, rien de spécial… Denise, remets ce machin dans le casier, s'il te plaît. Tu l'as trouvé dans quelle yourte ?

— Bof, j'en sais rien.

— Écoute, tu es censée coller une étiquette sur les choses oubliées pour que nous puissions les renvoyer à leurs propriétaires.

— Tu vas renvoyer ça par la poste ? ricane Denise.

— Eh bien… Sans doute pas, en fait.

— Et ça ? fait-elle en brandissant un tube de crème censée traiter « les cas persistants de verrues génitales ».

— C'est pas vrai !

— Il y a aussi ce top violet. Pas mal, hein ? Je peux le garder ?

— Non ! Laisse-moi voir le reste.

Le casier est plein. Un pistolet à eau, des bottes d'enfant en caoutchouc, une pile de papiers, une casquette de base-ball.

Les clients de la semaine ont été particulièrement bordéliques. Mon téléphone sonne.

— Ansters Farm, à votre service.

— Bonjour ! C'est Katie ?

Je reconnais le débit volubile de la mère des triplés. Merde !!! J'ai oublié son nom.

— Oui. Qui est à l'appareil ?

— C'est Barbara. Nous avons fait demi-tour et nous serons chez vous dans vingt minutes. On a oublié...

Craquements sur la ligne. Le réseau est très mauvais sur les petites routes de campagne. C'est même étonnant qu'elle ait pu nous joindre.

— Barbara ? Vous m'entendez ?

Sa voix émerge au milieu des parasites :

— ... très confidentiel... Vous l'avez certainement trouvé... Vous imaginez comme je me sens...

Oh my God ! C'est Barbara qui a oublié d'empaqueter son sex toy ? Je plaque ma main devant ma bouche pour m'empêcher de rire. Barbara, avec son visage sans maquillage et ses triplés super sains ?

— Hum...

— ... absolument morte de honte... Je dois venir le récupérer en personne... À tout de suite...

Ça coupe.

— La propriétaire est en chemin pour venir chercher son bien, j'annonce.

— Elle a craché le morceau ? demande Denise en se gondolant. Moi, j'aurais pas osé.

— Pas vraiment. Mais elle a dit que c'était délicat et qu'elle était vraiment gênée...

— Alors, c'est peut-être le tube de crème.

Punaise ! Je n'y avais pas pensé.

— Oui, c'est possible.

Nous avons d'un côté le vibro lapin, de l'autre les verrues génitales ! Sacré programme !

— Je pense qu'elle vient chercher sa crème, diagnostique Denise. Surtout si c'est sur ordonnance.

— Mais elle peut se procurer un autre tube.

— Le vibro mérite plus le détour…

Je croise le regard de Denise et le fou rire me prend.

— Quelle galère ! Lequel on va lui rendre ?

— Les deux.

— C'est ça ! Je me vois bien lui dire : « Voici un vibromasseur et une crème contre les verrues génitales. Faites votre choix ! »

Là, je m'écroule d'un rire hystérique.

— Tu n'as qu'à découvrir lequel lui appartient, conseille Biddy, toujours plantée devant ses fourneaux. Entame la conversation sur le sujet et, dès que tu es sûre de l'objet, va le chercher.

Mon rire redouble.

— Quel genre de conversation ?

— Je m'en charge ! Franchement, les filles, vous êtes nulles ! Mets ça dans un sachet, Katie. Ton père ne veut pas voir ces machins traîner. Oui, oui, je sais ce que c'est, ajoute-t-elle en me regardant avec un air amusé. Ils ont changé de forme, c'est tout.

Waouh ! Biddy m'étonnera toujours !

À peine dix minutes plus tard, la voiture remonte l'allée. Ils sont carrément revenus pied au plancher. Nous avons décidé que Biddy papoterait dehors avec Barbara pendant que Denise et moi serions cachées dans la cuisine, à portée de voix. Dès que l'objet perdu serait désigné, nous le rendrions à sa propriétaire, dûment emballé.

— Bonjour, Barbara ! s'écrie Biddy sur le perron de la cuisine. Désolée que vous soyez obligés de revenir.

— Oh, c'est entièrement ma faute, répond Barbara, les joues rouges, en sortant de la voiture. Mais je n'étais pas tranquille. Pour n'importe quoi d'autre, ça me serait égal. Mais ça…

Je regarde Denise avec un air interrogateur, puis j'attrape le sex-toy. Oui, à mon avis, il s'agit du lapin…

— Je comprends, fait Biddy avec son calme habituel. Quand c'est intime à ce point…

— Oh, il ne m'appartient pas à proprement parler. Il est à mon mari.

Quoi ? Avec Denise, on se regarde avec effarement. Ma main du vibro au tube de crème.

— Il prétend pourtant que j'en profite plus que lui, précise Barbara avec un joyeux sourire.

Au tour de Denise de ne plus pouvoir se contenir.

— Arrête !

Retour sur le vibromasseur. Comment vais-je parvenir à regarder Barbara dans les yeux ?

— Katie est allée le chercher, explique Biddy. Elle le rapporte dans une minute.

— Absolument !

Je descends les marches de la cuisine en essayant de réprimer le tremblement nerveux de ma voix.

— Et le voilà. Hum… Sain et sauf.

J'ai enveloppé le lapin dans du papier puis dans un petit sac pour qu'il échappe à tout regard malencontreux.

— Je suis vraiment soulagée ! s'exclame Barbara en récupérant le sac. Vous l'avez trouvé dans le lit ? Ou je me trompe ?

Impossible d'ouvrir la bouche, sinon j'explose. Heureusement, Biddy prend le relais.

— Je ne sais pas, ma chère, dit-elle tranquillement. C'est bien possible.

— Je suis trop distraite, soupire Barbara. Sans compter qu'aucun contrat n'est encore signé. Alors vous imaginez combien c'est confidentiel. Je suis morte de honte. C'est si peu professionnel d'oublier un manuscrit en vacances !

Manuscrit ? Livre ? Au secours !

— Vous l'avez si bien emballé, s'enthousiasme Barbara en tâtant le sachet en papier. Il faut juste que je vérifie qu'il s'agit bien de...

Meeeerde !

— Je m'en occupe, dis-je en essayant de lui prendre des mains.

— Mais non !

Elle commence à déchirer le papier. Au moment où j'aperçois un éclat de plastique, mon estomac se retourne. Littéralement.

— Laissez-moi faire ! je crie en lui arrachant le paquet.

Ignorant ses protestations, je me rue à l'intérieur en criant : « Les papiers ! Les papiers ! » Et je flanque par terre le paquet du vibro.

Denise a pris de l'avance. Elle a déjà rassemblé les feuillets qu'elle me tend. Je ressors à toute vitesse et les fourre dans les mains de la pauvre Barbara.

— Voilà ! Voilà ! Désolée ! On s'est emmêlé les pinceaux !

— Pas de souci, répond Barbara, un œil sur les papiers. Oui, c'est bien ça. Une fois encore, désolée pour le dérangement mais, vous comprenez, c'est vraiment confidentiel.

— Pas la peine de vous excuser, je réponds, encore sous le choc.

— On a vu bien pire, ajoute Denise qui m'a suivie dehors.

— Ah oui ?

Barbara semble hésiter. Elle pique un fard. Ses joues naturellement rouges ont viré à l'écarlate.

— En fait, reprend-elle, en même temps que le livre, j'ai laissé un autre… euh… objet. Je crois l'avoir vu dans le sachet…

Stupeur dans les rangs. Personne ne bouge. Et puis Denise, d'une voix étranglée :

— Bien sûr !

Elle court chercher le lapin pour le rendre à sa propriétaire. Impossible de regarder Barbara. Mais impossible aussi de ne pas la regarder.

— Bon… Amusez-vous bien ! je dis.

Curieusement, nous arrivons à tenir le coup jusqu'au départ de Barbara et de sa famille. Puis Biddy se tourne vers moi et c'est le déchaînement. Denise se contente de secouer la tête.

— Ah, c't'engeance de campeurs !

Nous sommes toujours dans un état proche de l'hystérie quand papa s'approche.

— Réveillez-vous, les filles ! Il y a une voiture dans l'allée ! Les premiers clients arrivent.

Les heures suivantes sont englouties dans un tourbillon. C'est toujours pareil, le samedi : une foule de noms et de nouvelles têtes à retenir, des réponses à donner, le tout avec un charmant sourire. Voilà Archie… lui, c'est Ivo… Hamish est allergique aux produits laitiers. Je ne l'ai pas indiqué sur le formulaire de réservation ? Désolée…

Ces familles ont l'air assez sympa. J'ai un petit faible pour Gerald et Nina qui, à peine installés sur leur terrasse, ont préparé des gin tonic bien tassés à partager avec les voisins. Poppy, elle, gambade déjà avec son père vers les enclos des animaux tandis que Hamish, Harrison et Harley gardent le nez sur leurs iPad – je ne suis pas leur mère, ce n'est pas mon problème. Le mien est de m'assurer que chaque client a été convenablement enregistré, bien accueilli et dirigé vers le bon campement. C'est le cas pour tous, à l'exception des Wilton.

Je fais un tour dans le village des yourtes pour m'assurer que tout est OK. Je m'aperçois que Gus, le chien, cavale dans le pré des moutons. Je m'approche de la yourte de son propriétaire :

— Bonjour et bienvenue ! Gus me semble être le plus merveilleux des chiens, mais ça ne vous ennuierait pas de l'empêcher de franchir la clôture ? Les moutons sont vite effrayés.

— Certainement, répond le maître.

Je me souviens qu'il s'appelle Giles et qu'il vient d'Hampstead. Il tient un exemplaire du guide *The Campfire Gourmet*. En allant chercher son chien, il me dit :

— Vivement demain pour les cours de tressage d'osier.

— Vous ne serez pas déçus. Et si vous voulez un petit déjeuner anglais complet, inscrivez-vous… à moins que vous ne péfériez le préparer vous-même.

— C'est ce que nous allons faire, dit-il avant de siffler le chien. Sur le feu de camp.

— Bravo ! À plus tard.

Une caresse sur la tête de Gus et je retourne vers la ferme. Je me sens… sinon extatique, du moins satisfaite. Le contingent de la semaine est presque au complet. On n'arrête pas de faire des progrès. Denise, qui apprend vite, s'occupe désormais aussi des détails de décoration et Biddy déborde d'idées nouvelles et…

— Tellement authentique. Absolument merveilleux.

Quoi ? La voix me fige. Une voix sonore, impérieuse, qui me rappelle…

Non.

— Quel panorama étonnant ! Regarde cette vue, Coco. Et tout est bio ?

Mon cœur bat à cent à l'heure. C'est impossible.

— … j'adorerais goûter à la vraie cuisine de l'Ouest. Il faut que vous me recommandiez un endroit…

Impossible, mais vrai. Demeter est ici.

À Ansters Farm.

Me voici clouée sur place, entre deux yourtes, telle une gazelle paralysée. Son interlocuteur ne répond pas assez fort pour que je l'identifie. Je n'entends que le ton arrogant de Demeter qui crache des questions.

— L'eau de la rivière est pure ? Les aliments sont tous produits localement ? Quand vous dites renouvelable… ?

Je suis toujours plantée dans l'herbe. Il faut que je bouge. Que je me reprenne. J'ai du mal à respirer. Qu'est-ce qu'elle fiche ici ?

— Je m'appelle Demeter, fait-elle. De-me-ter. Un nom de la Grèce antique.

Je repère mon père qui sort de la cuisine, avec sous le bras le gros dossier qui contient les photocopies, les formulaires d'inscription des clients et tout ce que papa et Biddy ne veulent pas lire sur écran. Je me précipite vers lui en prenant soin de ne pas me faire voir.

— Qui sont ces gens ? Tu permets que je vérifie ?

J'attrape le dossier et commence à le feuilleter. Avec mes mains tremblantes, la tâche n'est pas facile.

— J'ai trouvé. Ils s'appellent Wilton.

Mon cerveau bouillonne. Je connais Demeter Farlowe, mais c'est peut-être son nom de jeune fille. Wilton serait le nom de son mari ? C'est ça ?

Pourquoi pas ?

Je lis sur le formulaire : James et Rita.

— Rita ?

— Oui, rigole papa. Drôle de nom pour une femme de cet âge. C'est ce que j'ai pensé en l'écrivant.

— C'est toi qui as pris la réservation ?

J'ai besoin du moindre petit bout d'information pour savoir comment c'est arrivé.

— Elle a téléphoné de sa voiture. Ne me dis pas que je me suis trompé en inscrivant les arrhes. Parce que j'ai fait exactement comme tu m'as dit, Kitty-Kate…

— Non, non…

J'ai le vertige. L'impression que mes poumons se bloquent. L'adresse indiquée est bien la sienne. C'est elle. Demeter. Ici.

— Ça n'a pas l'air d'aller, ma Katie.

— Elle ne s'appelle pas Rita, OK ? Je viens de l'entendre. Son nom est Demeter. De-me-ter.

— Demeter ? C'est pas un nom !

— C'est son foutu nom ! Une déesse de la nature ou un truc comme ça.

J'ai vraiment envie de le secouer. S'il l'avait écrit correctement…

— De-me-ter, répète papa en fronçant le nez. Chacun ses goûts. Écoute, Katie, ce n'est jamais qu'un nom. Y a pas de mal. On ne va pas en faire tout un plat !

Y a pas de mal. Il en a de bonnes, papa !

— Pas de problème, je dis après un petit moment de réflexion. C'est juste que je n'aime pas les erreurs. Il faut qu'on rectifie sur le registre. Qu'on leur explique pour les cartes de bienvenue. Je regrette, mais ça fait amateur.

Papa se dirige vers les douches en sifflotant gaiement et je retourne à mon poste d'observation, à portée de voix de Demeter. C'est sûrement Biddy qui se charge de l'accueillir. Et, apparemment, elles n'en ont pas fini. Pas étonnant avec elle qui s'assure toujours de monopoliser l'attention.

— J'ai lu l'article vous concernant dans le *Guardian*, bien sûr. Et votre brochure que quelqu'un m'a donnée. Je ne me souviens pas qui. C'est donc réellement une ferme authentique.

— Oh oui ! Les Brenner occupent ces terres depuis plus de deux cents ans. Moi, je suis une nouvelle venue.

— Fabuleux ! Je suis une grande adepte des techniques rurales authentiques. Nous avons hâte de commencer les activités, n'est-ce pas, Coco ?

Coco, c'est sa fille. Chloe sur le formulaire.

— Bon, je vous laisse vous installer, annonce Biddy. S'il vous manque quelque chose, n'hésitez pas à venir à la ferme. En mon absence, il y a toujours Mick, le fermier, ou Katie, que vous n'avez pas encore rencontrée. C'est la fille de Mick. Ma belle-fille.

— Merveilleux, répond Demeter. Merci mille fois. Dernière question : les draps sont en fibre bio ?

J'en ai assez entendu. Je fonce vers la ferme, n'arrêtant ma course qu'une fois en sécurité dans ma chambre. Assise sur mon lit, je fixe le vieux papier peint en reprenant mon souffle. Comment vais-je survivre à une semaine de Demeter ? L'idée est insupportable. Je dois me tirer.

Mais je ne peux pas. Papa et Biddy comptent sur moi.

J'enfouis mon visage dans mes mains. Demeter ! Merde, il faut toujours qu'elle détruise tout…

J'y pense soudain. Quand elle va me reconnaître, mon secret va être découvert. Papa et Biddy vont apprendre mon licenciement. Savoir que mon congé « sabbatique » est un bobard. Ils se feront un sang d'encre. Quelle horreur !

En serrant mon oreiller contre moi, je me creuse les méninges. Je dois me protéger. Top priorité : Demeter ne doit pas découvrir qui je suis.

Elle me connaît comme Cat. Si elle m'associe à quelque chose, c'est à Birmingham. Jamais elle n'imaginera que je suis Katie, une fille de fermier du Somerset. De toute façon, elle est nulle pour situer les gens. La question est : suis-je capable de la berner ?

Je me lève lentement et me plante devant le grand miroir ovale de ma vieille armoire pour bien m'observer. Je n'ai plus les mêmes cheveux, ni le même type de vêtements, ni le même nom. Bon, mon visage n'a pas changé mais elle n'est pas physionomiste. Mon accent est différent lui aussi et je peux même faire ressortir les intonations du Somerset.

Tout d'un coup, prise d'une subite inspiration, je vais chercher la palette d'ombres à paupières que Biddy m'a offerte pour Noël il y a des siècles. J'opte directement pour un bleu nacré et un violet soutenu, badigeonne le tout sur mes yeux, m'enfonce une casquette de base-ball sur la tête et m'examine à nouveau.

Je ressemble aussi peu que possible à la dénommée Cat.

— Salut ! J'suis Katie Brenner, je dis à mon reflet. Jamais quitté c'te ferme. J'connais même pas la ville de Lunnon.

La seule façon de savoir si mon ex-boss va se faire avoir, c'est d'essayer.

Dans la cuisine, Biddy colle des étiquettes sur ses pots de confiture.

— Mon Dieu, Katie ! Ton maquillage ! s'écrie-t-elle en découvrant mon nouveau look.

— C'est un essai, j'explique en disposant des verres sur un plateau. Je vais proposer de la limonade à ceux qui ont manqué le goûter.

En me dirigeant vers la yourte occupée par Demeter, je n'en mène pas large. Mais courage ! Chaque pas réclame un effort. Presque arrivée à destination, je m'arrête et lève les yeux.

Demeter est sur sa terrasse. En chair et en os. J'en frissonne.

Assise, seule, elle porte la version impeccable et luxueuse du costume campagnard : pantalon souple en lin gris, chemise sans col et une paire de ce qui ressemble à des babouches marocaines. Elle parle au téléphone :

— Non, cette fois, pas à Babington House. Ansters Farm. Oui, ça vient d'ouvrir. Tu n'as pas vu le papier du *Guardian* ?

Oh ! Ce ton snob ! Forcément : elle vient de découvrir le dernier endroit tendance.

— Oui, des activités manuelles ! Goûter à la vraie vie d'une ferme. Tu sais comme je suis folle de nourriture bio… Absolument ! Le retour à la simplicité. Des produits locaux, de l'artisanat local… oui, très impliquée…

Demeter écoute son interlocuteur puis reprend :

— En pleine conscience. C'est exactement ce que j'ai dit à James. Ce savoir-faire à l'ancienne mode… Tellement important pour les enfants. Je sais (hochements de tête vigoureux). Retour à la terre et tout. Et les gens sont si pittoresques. Bons comme le pain…

Je bous d'indignation. Pittoresques ?

— Je dois y aller. Les gosses ont disparu Dieu sait où… Pour le reste, je te tiens au courant. Ciao !

Elle raccroche, consulte encore son téléphone, pianote fébrilement et se passe la main dans les cheveux plusieurs fois. Elle a l'air sur le qui-vive. Probablement très excitée à l'idée de faire partie des premiers à tester notre glamping. Elle fourre enfin le téléphone dans sa poche et jette un coup d'œil autour d'elle.

— Bonjour, fait-elle en remarquant ma présence.

Mon souffle raccourcit, mais j'arrive à garder l'air calme. Je prends mon meilleur accent régional.

— Bonjour. Bienvenue à Ansters Farm ! Je suis Katie, la fille du fermier. Née et élevée ici, j'ajoute pour faire bonne mesure.

Est-ce que c'est trop ? Je suis tellement désespérée…

— Voici de la limonade maison. Bio, bien sûr.

— Quelle gentille attention ! s'écrie Demeter dont les yeux brillent à la mention bio. Vous voulez bien l'apporter jusqu'ici, s'il vous plaît ?

Mes genoux flageolent tandis que je grimpe sur la terrasse. Et si elle me reconnaissait ? Si elle me dévisageait, sous ma casquette, et disait : « Minute, tu ne… »

Mais non.

— Katie, j'ai une question… Un moment, excusez-moi…

Elle répond au téléphone.

— Salut, Adrian (rire résigné). Non, pas de souci. Les samedis, c'est fait pour ça, non ? Oui, je viens d'arriver et j'ai vu le mail de Rosa…

Et vlan ! C'est comme si j'étais transportée au bureau. Rosa, Adrian. Des noms que je n'ai pas entendus depuis des mois. Si je ferme les yeux, je me retrouve assise à mon poste de travail, dans le brouhaha étouffé du bureau, le cliquetis des claviers, le couinement de la chaise de Sarah.

Et je me souviens de mon dernier jour. Flora me disant que Demeter avait des ennuis. Un problème avec Sensiquo et la date limite de présentation. Eh bien, visiblement, elle en est sortie très vite, de ses ennuis. J'entends encore Flora : « Quand on couche avec un associé, on ne risque pas grand-chose, hein ? »

— Bonne nouvelle ! lance Demeter. Tu peux l'annoncer à mon équipe, lundi ? Ils ont vraiment besoin qu'on leur booste le moral. Ouais.

Elle fait les cent pas exactement comme quand elle s'énerve au bureau.

— Oui, le bien-être des vaches est un concept génial. Impossible de me rappeler qui a eu cette idée.

Ça alors ! Le bien-être des vaches, c'était moi. Elle a oublié ?

Tandis que je la regarde arpenter la terrasse, je sens la colère monter. C'était mon idée, mon avenir, ma vie. Pas une vie parfaite dans une maison parfaite, d'accord, mais ma vie à Londres. Elle a volé en éclats. Et le pire, c'est que j'ai compté pour des prunes. Elle ne se souvient pas du tout de moi. Quand je pense que j'avais peur qu'elle me reconnaisse ! Quelle blague !

Je meurs d'envie de lui verser la limonade sur la tête. Mais je reste aussi imperturbable qu'un mannequin de bois, le plateau dans les mains, attendant qu'elle finisse sa conversation.

Elle s'adresse finalement à moi.

— Allons, posez cette limonade ici, merci. Je voudrais vous poser quelques questions sur les activités prévues. Voyons ce programme. Je suis allergique à l'osier et je vois que, demain, c'est atelier de tressage. Je suis également allergique aux champignons, alors je ne pourrai pas participer à la cueillette de mardi.

Maintenant j'ai envie de rire. Allergique à l'osier ! Ça lui ressemble tout à fait.

— Je comprends, mais les activités ne sont pas obligatoires donc…

— Mais si je ne tresse pas d'osier, que vais-je faire à la place ?

Elle fixe sur moi ses yeux perçants.

— Proposez-vous des activités de remplacement ? Étant donné que j'ai payé pour le tressage d'osier et la cueillette de champignons, je suppose que d'autres options vont m'être fournies. Quelque chose de rustique. Ou alors, du yoga. Vous organisez des cours de yoga ?

Elle est vraiment insupportable !

— Je vais trouver une solution, je déclare aimablement à la façon d'un concierge de palace. Vous procurer des activités sur mesure.

Comme prévu, l'expression « sur mesure » fait merveille.

— Quelque chose de sur mesure. Oui, j'adore !

Le sourire aux lèvres, elle se sert un verre de limonade. Maintenant qu'elle se trouve au centre du monde, elle peut se laisser aller à être aimable.

— C'est un endroit magnifique. Et ce calme ! Nous allons passer un séjour très relaxant. J'adore.

En revenant vers la ferme, je réfléchis, essayant de démêler mes idées qui partent dans tous les sens. Elle ne m'a pas reconnue. Elle m'a bien regardée mais sans me remettre. Parfait. Je suis hors de danger. Mes secrets seront bien gardés.

Il reste un gros problème : je ne peux pas la supporter. Comment vais-je arriver à me contenir ? À rester polie ? Comment maîtriser le sentiment d'injustice qui gronde en moi ?

J'ai des envies de vengeance. Inonder sa yourte, par exemple. Cette nuit. Sortir avec une lampe de poche, tirer le tuyau d'arrosage…

Non, Katie ! Stop !

Je réprime avec énergie tous les fantasmes de représailles qui me viennent à l'esprit. Demeter est la plus influente de tous nos clients. Il faut éviter qu'en rentrant à Londres elle se répande en commentaires négatifs sur Ansters Farm. À nous de faire en sorte qu'elle et sa famille passent une semaine de rêve.

Certes. Mais…

Je me pose sur une souche d'arbre, contemplant la vue pittoresque d'un œil morose. Il faut que je me reprenne avant de rentrer, sinon Biddy va s'apercevoir de mon changement d'humeur. Une minute plus tard, Steve apparaît dans mon champ de vision. Et je souris malgré moi.

Les écouteurs vissés aux oreilles, il marche en se dandinant et en battant des bras. Ma parole ! La danse des canards de notre classe de CP. Peut-être qu'il s'exerce en prévision de sa fête de mariage.

Sûrement. Je réprime un fou rire avant d'agiter la main pour attirer son attention. Il s'approche et retire ses écouteurs.

— Salut, Steve. Écoute, je risque d'avoir besoin de ton aide demain. Une pensionnaire réclame une activité sur mesure.

— Sur mesure ? C'est quoi ça ?

— Je n'en sais rien, je soupire. Faut que j'invente un truc. Elle ne peut pas toucher à l'osier parce qu'elle est allergique.

— Quelle cliente ?

— Elle loge dans « Primevère ». Elle s'appelle Demeter.

Steve a l'air aussi perplexe que papa.

— Ouais, je sais. C'est un prénom qui vient de la Grèce antique. Ça veut dire déesse de l'agriculture et des moissons.

Steve réfléchit.

— Ben, elle peut aller ramasser les fraises, si elle veut.

J'examine sa suggestion. Le ramassage de fraises va-t-il impressionner mon ex-boss ?

— Pas mal. Mais pas assez artisanal. Elle veut s'initier aux activités de la ferme. Ou faire du yoga. Sauf que nous n'avons pas de classe de yoga. Elle ne pourrait pas t'accompagner dans ton travail aux champs, par hasard ?

— Demain, je fais l'épandage du fumier, grogne Steve. Ça va pas lui plaire.

— Idéal, je dis en rigolant. « Bonjour Demeter, bienvenue à votre session d'épandage de fumier. »

— J'aurais dû m'en occuper hier, mais ton père voulait que je consolide des barrières.

Il me regarde comme si c'était ma faute.

— C'est pas que je critique les campeurs, mais t'as vu l'état de l'échalier dans le champ nord ?

J'acquiesce machinalement. En fait, je suis totalement absorbée par la vision de Demeter perchée sur un distributeur de fumier. Tombant du siège et atterrissant dans la bouse.

— Et j'te dis pas leurs déchets, continue Steve. Ils aiment les piques-niques mais…

Ou Demeter qui défriche à mains nues. Ou sarclant un vaste enclos. Demeter qui paie enfin pour ses fautes.

Une ébauche d'idée me vient. Oh ! une idée très méchante et particulièrement tordue. Je me félicite. Sur mesure, ça veut dire que c'est moi qui décide. Que je peux inventer ce qui me plaît.

Nous y sommes ! L'heure de ma revanche a sonné. Demeter veut goûter à la vraie vie d'une ferme ? Elle veut de l'authentique ?

Eh bien, je vais lui en donner.

13

En général, les journées commencent ainsi. Après le petit déjeuner, vers 10 heures, nous sonnons une cloche et ceux qui veulent participer aux activités se rassemblent dans la cour. Aujourd'hui, tous les pensionnaires se réunissent dans un joyeux brouhaha. Le tableau est tellement sympa que je prends quelques photos. Et devinez quoi ? Naturellement, c'est la famille de Demeter qui est la plus photogénique.

Elle porte une autre tenue rurale chic : pantacourt en lin et blouson sans manches. Sa fille, Chloe, avec ses longues jambes qui sortent d'un short en jean et ses longs cheveux ondulés, ressemble à un top model. Je suis sûre qu'elle a déjà été repérée par Topshop pour ses campagnes de pub. Ou qu'elle fait la couverture du prochain *Vogue*. Le fils, Hal, a l'air cool. Cheveux blonds passés au gel, bonne bouille et pas l'ombre d'un bouton. Bien sûr qu'il n'en a pas. Demeter a probablement découvert quelque onguent miracle et bio pour combattre l'acné, disponible en exclusivité dans les beaux quartiers de la capitale.

Le mari, James, est mince avec un petit sourire ironique et des rides en éventail autour des yeux, typiques des hommes d'un certain âge. Je le vois s'adresser à ses enfants qui éclatent de rire. À l'évidence, en plus de partager un look d'enfer et certainement un tas de passe-temps, ils s'entendent bien. Précision : le père porte un jean coupé et un tee-shirt gris, et, aux pieds, des sneakers en daim marron édition limitée que j'ai vues dans *Style*. Aussi branché que sa femme. Chloe s'amuse à le pousser avant de poser sa tête sur son épaule tandis que Hal pianote sur son iPhone – dernier modèle, cela va de soi.

Mon père est à la manœuvre.

— Bonjour à tous. Bienvenue à Ansters Farm.

Applaudissements. À chaque session, papa s'arrange pour se faire acclamer. Comment fait-il ça ? Il a dû être bonimenteur de foire dans une autre vie. Ou Monsieur Loyal dans un cirque, peut-être.

— J'espère que vous êtes impatients d'attaquer le programme des activités. Pour les petits, nous avons prévu la course d'obstacles de Mick le fermier avec des prix pour tous.

Nouvelle salve d'applaudissements. Papa rayonne.

— Pour les adultes, séance de tressage d'osier avec Robin, ici présent.

Robin, un barbu timide, est notre expert en vannerie. (Il enseigne également l'art du madrigal, brasse de la bière et élève des furets. Bonjour, le Somerset !)

— Les ados, vous avez le choix entre l'osier et la course d'obstacles. Je vous préviens seulement que la dégustation de caramels faits maison n'a pas lieu dans l'atelier de vannerie....

Chloe et Hal froncent les sourcils et échangent des regards inquiets. Ils doivent se demander laquelle des deux activités est la moins cool. À eux de se décider. Ma priorité à moi, c'est le démarrage de l'opération Demeter. Même si elle ne m'a pas reconnue hier, je ne veux prendre aucun risque. Par conséquent, hier soir, j'ai passé mes cheveux au rinçage bleu pour cheveux blancs (que j'utilise souvent pour me déguiser). Et je porte des lunettes de soleil. De loin, j'ai complètement l'air d'une inconnue.

Je m'approche de Demeter.

— Bonjour, je dis en forçant sur l'accent. Je suis Katie. Nous avons bavardé hier. Je me suis occupée de votre emploi du temps sur mesure. C'est un stage axé sur la relation corps-âme-esprit. Son but est de vous relaxer, vous reposer, vous revigorer. On y va ?

— Absolument.

Elle dit au revoir à son mari et ses enfants.

— Si je me souviens bien, vous aviez demandé du yoga, je dis alors que nous nous éloignons. Ce ne sera malheureusement pas possible, mais nous proposons un cours de Vedari, une ancienne pratique druidique. Ce n'est pas très différent du yoga, juste un peu plus stimulant.

— Vedari ? Jamais entendu ce nom, commente Demeter.

— Peu de gens connaissent. C'est très ancien, très axé sur la spiritualité, très pointu. Je crois savoir que Gwyneth Paltrow est une adepte.

Les yeux de Demeter brillent. Je savais qu'avec le nom de l'actrice je ferais vibrer la bonne corde.

— La première étape sera donc un cours particulier de Vedari en plein air. Puis changement de lieu pour des exercices équins anti-stress, et déjeuner.

— Fabuleux ! s'écrie Demeter qui m'a écoutée avec attention. Absolument ce que j'avais en tête. J'adore d'avance ce Vedari. Il faut un équipement spécial ?

— Juste vous-même. Rien d'autre, j'assure avec un sourire angélique.

— Une seconde ! Je voudrais me renseigner tant qu'on peut capter.

Et elle tape sur son clavier. Je m'y attendais. Un instant plus tard, elle lève la tête.

— Vedari. Voilà. L'Association nationale des disciples du Vedari. Ancienne et puissante discipline… Souplesse du corps et de l'esprit… Étonnant. C'est étrange, ça ne me dit rien. Je me demande pourquoi.

J'ai envie de répondre : parce que j'ai tout inventé. Parce que ce site a été créé à ma demande en cinq minutes par Alan et mis en ligne pas plus tard que cette nuit.

— Comme je vous le disais, cela s'adresse à un public restreint. Prête ?

Avançant d'un bon pas, les bras largement écartés, je conduis Demeter à travers champs.

— Comme vous le savez, la spiritualité est importante dans l'ouest de l'Angleterre. Des lignes énergétiques de Ley passent un peu partout, on trouve des cercles mégalithiques…

— Comme Stonehenge, répond Demeter à sa manière de première de la classe.

— Tout à fait. Stonehenge est le plus célèbre. À Ansters Farm, nous avons la chance d'abriter un cercle datant de l'époque des druides. Les pierres ont disparu mais son emplacement est là. Un endroit transcendant pour le Vedari.

Nous traversons le pré des ormes. Quelques vaches trottinent vers nous. Des jersiaises. Très pacifiques mais curieuses de nature. Demeter se raidit à leur approche. Mon ex-boss aurait-elle peur ?

— Vous avez l'habitude du bétail ? je demande poliment.

Je me souviens de son discours sur la vie à la campagne à la réunion de travail sur les yaourts.

— Pas vraiment, avoue Demeter au bout d'un moment. Ces vaches sont très grandes, hein ? Mais elles font quoi ? ajoute-t-elle d'une toute petite voix alors qu'une vache arrive près d'elle. Qu'est-ce qu'elles cherchent ?

Elle a blêmi. Ça alors ! Après le discours qu'elle nous a sorti au bureau, voilà qu'elle craint les vaches. Comme Flora !

— Ne vous inquiétez pas ! Continuez à avancer. On y est…

Nous montons sur un échalier, puis je l'emmène au milieu d'un enclos de trois hectares, tout à fait quelconque. Les troupeaux y paissent souvent. Sinon la quantité de bouses séchées et un taillis de chênes dans un coin, ce champ n'a rien de spécial. Il n'offre aucune vue particulière.

Mais je me tourne vers Demeter avec une expression pénétrée.

— Nous voilà dans le Champ Sacré. Les druides y vivaient et y priaient. Sous terre, des flux d'énergie puissants circulent. En vous concentrant, vous les sentirez. À condition d'être réceptive. Il n'est pas donné à tous nos pensionnaires de ressentir les vibrations.

J'ai encore pressé la bonne touche. Pas question pour elle de rater quelque chose, et moins encore les radiations druidiques. Elle ferme les yeux et, trois secondes plus tard, les rouvre en déclarant :

— Ce lieu dégage une aura tout à fait spéciale.

Je souris.

— Vous le sentez. C'est bien. Vous êtes naturellement sensible à ces courants du vortex. Il est temps de passer votre tunique vedari. Vous pouvez vous changer dans le bosquet.

De mon cabas Ansters Farm je sors une sorte de sac à patates customisé par mes soins. Il comporte un trou pour passer la tête et deux autres pour les bras. Dans le genre affreux et rugueux, on ne fait pas mieux. En le tendant à Demeter, je parviens néanmoins à garder un air solennel.

— Comme je dirige la cérémonie, je n'en porte pas. Seuls les disciples revêtent la tunique.

Sa tête en prenant la tunique ! Pendant un moment j'ai peur qu'elle refuse. Suspense affreux.

— Je crois que Gwyneth Paltrow les vend sur son site, je lance. Si vous persévérez dans le Vedari…

— Très bien. Waouh ! C'est vraiment très… authentique, dit-elle en tâtant le jute rêche.

— On trouve beaucoup de contrefaçons, mais celle-ci est d'origine. Les véritables tuniques vedari viennent obligatoirement de notre région de l'Ouest. Nous appelons la première partie de la cérémonie : la Beauté. Il y a ensuite la Vérité. Et, pour finir, la Contemplation.

Une fois parvenues dans le bosquet, je lui tends un autre cabas Ansters Farm.

— Mettez vos vêtements dans ce sac. Retirez vos chaussures, aussi.

Quand elle disparaît derrière un tronc d'arbre, j'ai envie de pouffer de rire. Incroyable comme on peut changer une personne intelligente en imbécile crédule juste avec les mots bio, authentique et Gwyneth Paltrow.

Il faut que je garde mon sérieux pour jouer mon rôle. Je remplis de boue et de brindilles un bol en bois. Quand Demeter émerge du bosquet, l'air assez bizarre dans son sac de patates, je serre les lèvres au maximum pour ne pas exploser.

— Super ! Donc, première étape, la Beauté. La boue de ce bol contient toutes sortes de nutriments bénéfiques pour la peau. Les druides le savaient. La cérémonie commence par une application de boue sur le visage.

— De la boue ?

Elle fixe le bol avec dégoût.

— Ce soin du visage d'origine celtique est bourré d'éléments nourrissants très anciens. Regardez, je dis, en malaxant un peu de boue entre mes doigts. N'est-ce pas magnifique ?

Pour info, ce n'est pas magnifique du tout. Immonde d'aspect et vachement puant. Il doit forcément y avoir un reliquat de bouse là-dedans.

— Très bien, fait Demeter en contemplant sans enthousiasme le contenu du bol. Donc... Gwyneth Paltrow s'enduit le visage de cette boue...

— Certainement. Et vous avez vu son teint ? Allez, on ferme les yeux !

Va-t-elle m'envoyer paître ? Non ! Elle baisse les paupières et je commence à appliquer la boue sur ses joues.

— Voilà ! je m'exclame. Ressentez-vous la chaleur intrinsèque de la boue ?

Je tartine une bonne couche sur tout son visage. Puis j'enduis ses cheveux et commence à masser.

— Cela agit comme un masque capillaire. Stimule la pousse et empêche les cheveux de blanchir prématurément.

Je suis aux anges ! Flanquer des petites claques sur la tête de Demeter histoire de faire pénétrer la boue ? Quel plaisir ! Slap-slap-slap. Tiens ! Ça, c'est pour te punir de m'avoir demandé de teindre tes racines.

— Aïe ! crie Demeter.

— C'est pour améliorer l'irrigation de votre cuir chevelu. Et maintenant, les écorces exfoliantes.

— Hein ?

Avant qu'elle puisse réagir, je frotte la peau de son visage avec les brindilles.

— On respire ! Profondément et longuement. On profite de l'arôme naturel des écorces !

— Aïe !

— Ce traitement est sans pareil pour votre peau. À présent, je vous fais un nouveau masque. Pour un maximum de pénétration.

Je dépose une couche supplémentaire, puis recule d'un pas et juge de l'effet.

Elle est affreuse. Le sac de patates pendouille lamentablement, de travers sur ses épaules. Ses cheveux sont complètement emmêlés, son visage noir de boue.

Ah, si je pouvais me laisser aller à rigoler ! Mais pas question. Je dois me contenir.

— Parfait, je dis en parvenant à garder une expression neutre. Attaquons maintenant la partie active de la cérémonie. La Vérité.

Demeter tapote son visage avec précaution.

— J'aimerais de l'eau pour me nettoyer, dit-elle. Vous avez ça ?

— Non, non ! Pour en retirer tous les bénéfices, cette boue doit rester toute la journée sur votre visage. Vous venez ?

Nous sortons du bosquet et marchons en plein champ. Il faut la voir zigzaguer pour ne pas poser un pied nu dans une bouse. C'est franchement hilarant. Non, Katie ! Interdiction de rire !

Je m'arrête soudain et ordonne :

— Placez-vous en face de moi. Voilà. Maintenant, on reste sans bouger pendant un moment.

Je joins mes mains façon prière de yogi. Demeter m'imite.

— On se penche en avant pour que les mains touchent le sol.

Demeter obéit immédiatement. Elle est drôlement souple, en fait.

— Très bien ! Levez la main droite vers le ciel. Cette posture se nomme Acceptation.

Demeter s'exécute aussitôt. On peut dire qu'elle se donne à fond. Je parie qu'elle espère m'entendre m'exclamer : « Mais vous être meilleure que Gwyneth Paltrow ! » Ou un compliment du même acabit.

— Excellent ! Je vous demande maintenant de tendre votre jambe gauche vers le ciel. Cette posture s'appelle Connaissance.

La jambe se lève, un peu tremblante.

— L'autre jambe maintenant. Pour la posture Vérité.

— Quoi ? fait Demeter. Comment lever en même temps mon autre jambe ?

Sourire implacable de ma part.

— La posture Vérité renforce les membres et l'esprit.

— Mais c'est impossible. Personne ne peut faire ça.

— C'est une position de niveau avancé, je concède en haussant les épaules.

— Montrez-moi.

— Désolée, mais je n'y suis pas autorisée car je ne porte pas la tunique vedari. Vous débutez, alors ne vous inquiétez pas. Ne forcez pas ! Assez pour aujourd'hui : on abandonne la Vérité.

Comme je le prévoyais, cette phrase produit la même réaction qu'une cape rouge agitée devant un taureau.

— Je peux le faire, s'entête Demeter. Je suis sûre que je peux.

Alors, une seule main en appui au sol, elle lance en l'air la seconde jambe et s'écroule dans une bouse de vache.

— Merde ! s'écrie-t-elle. Je m'y prends mal.

Elle recommence et s'effondre dans une autre bouse.

— Attention aux déjections des vaches, je dis aimablement.

Demeter tente cinq essais et dégringole chaque fois dans une bouse différente. Résultat, elle est rouge de fureur et couverte de merde.

— On arrête. Une règle fondamentale du Vedari impose de ne pas surpasser les limites imposées par l'âge.

— Quel âge ? s'énerve-t-elle. Je ne suis pas vieille.

— Nous allons passer à la phase Contemplation.

Nous nous rendons sur un carré d'herbe dénué de toute bouse de vache.

— Allongez-vous ici. Les pierres druidiques vont aider au repos de vos muscles et de votre esprit.

Demeter examine le sol avec attention avant de s'étendre sur le dos.

— Dans l'autre sens, s'il vous plaît !

La mine dégoûtée, elle roule sur le ventre.

J'explique :

— C'est la version druidique du massage aux pierres chaudes. La seule différence est que, au lieu d'être chauffées artificiellement, les pierres diffusent la chaleur naturelle de notre mère la terre.

Et je répartis plusieurs cailloux sur son dos.

— Maintenant, on se relaxe et on médite. Le but est de sentir les énergies dégagées par les pierres pénétrer dans votre corps. Je vous laisse. Libérez vos pensées. Nourrissez-vous de l'aura des lignes de Ley. Plus vous vous concentrerez longtemps, plus vous recevrez les effets bénéfiques de la cure.

Je m'éloigne et m'assieds dans l'herbe, contre un arbre. Malgré le soleil, l'air est frais. Je me couvre de mon Barbour, récupère mon iPad dans mon cabas et lance un vieil épisode de « Friends », que je regarde en levant les yeux de temps à autre pour voir ce que fabrique Demeter. Contrairement à ce que je pensais, elle ne se relève pas. Elle est bien plus résistante que je ne le supposais. Finalement, à mon corps défendant, j'éprouve de l'admiration pour elle.

Une fois l'épisode terminé, je retourne à l'endroit où elle est étendue. Dieu seul sait ce qu'elle ressent à plat ventre dans un pré glacé, exposé au vent et plein de bouses de vache.

— Je vais retirer les pierres de votre dos, je lui annonce. Selon une tradition ancestrale, un peu de votre stress devrait disparaître chaque fois qu'une pierre est enlevée.

Et cette méditation ? Avez-vous communié avec les énergies suprêmes ?

— Oui, répond-elle aussitôt. J'ai senti une aura. Incontestablement.

Tandis qu'elle se relève, je suis partagée entre pitié et sympathie. Parce qu'elle est restée face contre terre, son visage, déjà maculé de boue, est tout chiffonné. Elle a la chair de poule sur les bras et les jambes. Ses cheveux ont tout du nid d'oiseau. Et, par-dessus le marché, elle claque des dents. Pourvu qu'elle ne me fasse pas une crise d'hypothermie ! Un peu inquiète, je lui propose mon vieux Barbour pourri.

— Vous avez l'air d'avoir froid. Mettez ma veste. C'était un exercice très ambitieux. Peut-être trop.

— Non, merci. Je n'ai pas froid du tout, dit-elle en regardant ma veste d'un œil dédaigneux.

Elle prend son air hautain, lève le menton.

— Je n'ai pas trouvé cet exercice trop ambitieux. Au contraire, c'était extrêmement stimulant. Je suis naturellement douée pour ce genre de choses.

La commisération que j'éprouvais disparaît immédiatement. Pourquoi faut-il toujours qu'elle frime ?

— Alors c'est parfait. Je suis ravie que ça ait marché.

En rentrant à travers champs, je remarque qu'elle a toujours la chair de poule. À deux reprises, je lui offre ma veste, qu'elle refuse. Plus entêtée, ça n'existe pas !

— J'ai quelque chose à vous dire, m'assène-t-elle, alors que je referme la barrière du pré aux ormes. J'ai bien aimé le granola maison du petit déjeuner. Il serait encore meilleur avec des graines de chia. Ou des baies de goji.

— Il contient déjà des baies de goji, je lui fais remarquer.

Mais elle n'écoute pas.

— Comment s'appellent ces nouvelles graines excellentes pour la santé ? On vient de les découvrir. Mais on ne doit probablement pas pouvoir les trouver par ici, dit-elle avec un sourire condescendant qui me hérisse le poil.

Mais bien sûr ! Comment pourrait-on les trouver dans une région agricole dont la spécialité est justement de cultiver des graines ?

— Vous avez sans doute raison. On passe à l'exercice suivant ?

Et je me fends d'un gentil sourire.

Sur le chemin des écuries, je lui permets de se rhabiller. Et quand elle croit que je ne la regarde pas, elle enlève le plus gros de la boue. Puis elle insiste pour consulter ses mails.

— Je travaille dans l'image de marque, m'explique-t-elle royalement en faisant défiler ses messages.

L'image de marque. Oui. Ça me rappelle quelque chose.

— Bon, j'ai terminé. Vous m'emmenez aux écuries ?

Les écuries. C'est faire beaucoup d'honneur à nos quatre malheureuses stalles, notre petite sellerie et notre unique cheval. Carlo est là depuis des siècles. Un brave et grand bourrin. Papa menace tout le temps de s'en débarrasser mais il n'y parvient pas. La vérité est que nous l'aimons beaucoup, ce vieux Carlo. Il est facile comme tout, n'embête personne et reste dehors presque toute l'année. Cela dit, il est paresseux. Terriblement paresseux.

Hier, je l'ai conduit dans l'écurie spécialement pour cette occasion. J'ai aussi cloué une pancarte sur la porte de la cour. Elle indique « Sanctuaire équin ».

— Nous y voilà. Prête à attaquer les exercices équins anti-stress ? Mettez ça sur votre tête. J'ai oublié de vous demander : aimez-vous les chevaux ?

Je lui tends une bombe, qui n'est sûrement pas de la bonne taille, mais c'est seulement pour l'apparence. Je sais déjà que Demeter ne monte pas à cheval car elle l'a dit un jour, au bureau. Je parie pourtant qu'elle va s'en tirer par une pirouette ou un gros bobard. D'ailleurs, la voilà qui lève le menton.

— Les chevaux, vous dites ? Je ne monte pas, mais je sais beaucoup de choses sur eux. Ils sont dotés d'une énergie particulière qui a des vertus apaisantes.

— Exact. Nous allons puiser dans ces ressources. Cette activité est centrée sur l'affinité profonde avec le cheval. Elle se fonde sur une très ancienne coutume.

— J'adore ! s'enthousiasme Demeter. Ces coutumes ancestrales sont merveilleuses.

— Ce cheval est particulièrement mystique, je dis en caressant le flanc de Carlo. Il apporte calme et sérénité aux gens.

Pur mensonge. Carlo est si paresseux que le seul sentiment qu'il suscite est une intense exaspération. Mais, tout à fait imperturbable, je poursuis :

— Carlo est ce qu'on appelle un cheval bourré d'Empathie. Les chevaux se divisent en trois catégories : selon leur qualité spirituelle, ils sont liés soit à l'Énergie, soit à l'Empathie, soit à la Détox. Carlo représente l'Empathie.

Un cheval pour la détox ? Là, Katie, tu dépasses les bornes. Mais visiblement, Demeter gobe mes fadaises.

— Étonnant, murmure-t-elle.

Carlo pousse un hennissement.

— Je crois qu'il vous aime bien.

Demeter rosit de plaisir.

— Vraiment ? Je dois monter dessus ?

— Non, non. Ce n'est pas un exercice d'équitation. Plutôt une affaire de connexion. Pour l'établir, nous utilisons un outil qui a été forgé dans cette ferme voilà plusieurs générations. Ceci, je chuchote, est un instrument authentique dont on se sert pour nettoyer les sabots à Ansters Farm depuis le Moyen Âge.

Encore un mensonge. Ou peut-être pas, au fond. Qui sait ? C'est un vieux cure-pied en fonte qui traîne dans l'écurie depuis toujours. Alors, il se peut fort bien qu'il date de l'époque médiévale.

— Nous allons enlever la boue, les cailloux, le fumier des sabots de Carlo en employant la méthode traditionnelle du Somerset.

— Si je comprends bien, les méthodes diffèrent d'après les comtés.

J'ignore sa question à vrai dire assez pertinente.

— L'activité repose sur la confiance. L'empathie. Et la relation à l'autre. Attrapez l'antérieur gauche de Carlo et levez-le.

Après avoir caressé la jambe de Carlo, je montre la manœuvre à Demeter.

— À votre tour. Vos mains vont transmettre la puissance du cheval à votre corps.

Visiblement pleine d'appréhension, Demeter se place contre Carlo, flatte sa jambe et s'efforce de soulever son sabot. Évidemment, le vieux canasson ne se laisse pas faire. Elle est trop hésitante et lui, trop obstiné.

— Essayez de lui parler. D'accéder à son âme. Présentez-vous.

— D'accord.

Elle s'éclaircit la voix.

— Coucou, Carlo. Je m'appelle Demeter et je vais nettoyer ton sabot.

Elle tire sur son sabot sans résultat aucun. On dirait qu'il est soudé au sol.

— Je n'y arrive pas.

— Encore une fois. Caressez doucement sa jambe de haut en bas. Faites-lui des compliments.

— Carlo, tu es un formidable cheval. Je me sens très proche de toi.

Elle tente de soulever le sabot de toutes ses forces, son visage devient cramoisi. Je peux vous dire d'avance que c'est mission impossible.

— Laissez-moi faire.

Je soulève le sabot de Carlo.

— Comme ça. On enlève la boue avec le cure-pied.

Je retire un minuscule fragment de boue et lui passe l'instrument. En voyant sa tête sidérée, je réprime un sourire. Cela dit, je la comprends. C'est un boulot absolument répugnant : les énormes sabots de Carlo sont incrustés d'une boue aussi dure que du ciment.

Bien fait !

Demeter commence à gratter.

— Oh là là ! s'écrie-t-elle au bout d'un moment. C'est très… difficile.

— Un travail foncièrement authentique. Certaines tâches sont plus gratifiantes quand elles sont traitées à l'ancienne mode. Vous n'êtes pas de mon avis ?

Comme tes foutus questionnaires remplis à la main. Drôlement authentique, ça aussi.

Quand elle a fini de récurer les quatre sabots, elle est à bout de souffle et transpire abondamment.

— Très bien. Vous avez l'impression d'avoir établi une connexion avec Carlo ?

— Oui. Enfin… je crois.

— Félicitations. Il est temps de passer à l'exercice de purification spirituelle.

Je sors Carlo de l'écurie et l'attache. Je tends ensuite un vieux balai à Demeter.

— Mes ancêtres se servaient de ce balai. Dans son manche, vous sentez le fruit d'un travail honnête. En balayant le fumier de l'écurie, vous balayez le fumier de votre vie. Aidez-vous de la fourche, c'est sans doute plus pratique. Il n'y a qu'à flanquer toute la paille souillée dans la brouette.

— Attendez une seconde !

J'ai droit à son regard d'aigle en piqué.

— Éclairez-moi. S'agit-il d'une… métaphore ?

— Effectivement, la réalité côtoie la métaphore. Très malin de votre part d'avoir deviné.

— C'est-à-dire ? demande Demeter de plus en plus déroutée.

— Afin de vous débarrasser des saletés abstraites, vous devez nettoyer les saletés concrètes. C'est ensuite que votre conscience sera atteinte et que vous en tirerez les avantages. Pas une minute à perdre. Commencez !

Demeter est comme frappée de stupeur. Puis, telle une esclave docile, elle commence à balayer avec tant de zèle qu'elle regagne mon admiration.

Elle ne s'est pas plainte, n'a pas renoncé ni poussé des cris d'horreur devant les trucs dégueulasses que je lui ai imposés. Elle ne s'est pas comportée comme ces gamins qui, après avoir dit qu'ils voulaient apprendre à s'occuper des poneys, ont trouvé qu'ils sentaient mauvais et ont fichu le camp en me laissant le sale boulot.

Je l'encourage :

— Formidable. Quelle vigueur !

Je sors pour profiter du soleil et tire un thermos de café de mon cabas. Je suis en train de m'en verser une tasse quand Steve Logan surgit. Catastrophe ! Mon programme « sur mesure » n'a pas besoin de témoin.

— Qu'est-ce qu'il fait là, Carlo ? demande-t-il. Et celle-là, elle fait quoi, bordel ?

— Chut. Boucle-la !

— C'est pas une campeuse ?

— Si.

— Mais elle déblaie du fumier.

— Elle est... volontaire.

— Volontaire ? Qui a envie de déblayer du fumier pendant ses vacances ? Une folle ?

Attention ! Steve semble fasciné. Si je n'y prends pas garde, il va lui poser mille questions. Je décide subitement de le mettre dans la confidence.

— En fait, Steve, c'est plus que ça. Mais si je te le dis... (Je baisse la voix.) Bon, c'est un secret, OK ?

— Oui, dit-il en hochant la tête.

— Je ne plaisante pas.

— Moi non plus.

Murmure quasi sépulcral de Steve :

— Rien ne sortira jamais de cette écurie.

Quel ton mélodramatique ! Mais, comme je suis en pleine action, je ne relève pas. Et je l'entraîne dans la sellerie, hors de vue de Demeter.

— J'ai connu cette femme. Dans ma vie précédente. À Londres, en fait… Elle est… Comment dire ? Elle m'a joué un sale tour. Alors je lui rends la monnaie de sa pièce.

J'avale plusieurs gorgées de café en attendant que le cerveau de Steve digère l'information.

— Compris, dit-il finalement. Le pelletage de fumier. Bonne idée de vengeance.

Et puis il fronce les sourcils comme s'il venait de voir un défaut dans mon plan.

— Mais pourquoi elle est d'accord ?

Je hausse les épaules.

— Probablement parce que je lui ai assuré que c'était enrichissant. Un truc de ce genre.

L'air perplexe de Steve me fait rire. Il se sert un café, le boit pensivement.

— Je vais te dire un secret. On sera à égalité comme ça.

— Non, Steve, pas la peine de…

— Kayla ne me convient pas au lit.

— Quoi ?

— Plus maintenant. Avant, oui, mais…

— Steve ! Je ne veux plus rien entendre.

Il continue néanmoins sur le mode triomphant et sinistre à la fois.

— C'est la vérité. Maintenant tu sais. Et (regard en coin) ça peut changer les choses.

— Changer quoi ?

— J'te dis juste que c'est nouveau. Tu peux en faire ce que tu veux.

Oh my God ! Il veut dire que… Non, je refuse de comprendre ce qu'il veut dire.

— Je peux t'assurer que je ne vais rien en faire du tout.

— Penses-y, c'est tout.

— Dans tes rêves, Steve. Bon, j'y vais. À plus.

Je sors en trombe de la sellerie et stoppe net. Demeter ne balaie plus. Elle n'a pas le nez sur son téléphone. Et elle n'arpente pas l'écurie avec impatience. Non, elle se tient à côté de Carlo, le bras sur son encolure, tandis que lui a posé la tête sur son épaule.

Je cligne des yeux de surprise. C'est un tour que j'ai enseigné à Carlo il y a longtemps, qu'il fait rarement spontanément. Mais le voilà qui câline Demeter à sa manière de vieux cheval gentil. J'ai complètement fabriqué le concept du cheval plein d'Empathie… et finalement c'est presque vrai. Demeter a les yeux fermés ; son corps est détendu. Elle a soudain l'air vidée, comme si elle venait de fournir un effort considérable.

En la regardant ainsi, je songe qu'elle ne lâche jamais vraiment prise. Elle ne déconnecte jamais. Même quand elle se « détend », elle garde son esprit de compétition et son obsession pour les graines de chia. Elle devrait peut-être passer un week-end à regarder la télé et manger des corn-flakes pour bien décompresser.

Je fais signe à Steve de filer discrètement. Puis je m'assieds sur un seau renversé pour l'observer. Mais, attendez… Ses épaules frémissent, se secouent. Ma parole, elle pleure. J'ai souvent arrosé de larmes les crinières de mes poneys. Mais jamais je n'aurais cru que Demeter se laisserait aller à sangloter.

Mon exercice équin complètement bidon aurait-il marché ? Suis-je parvenue à débarrasser mon ex-boss de son stress ?

Ce matin, ce n'était pas mon but. Mais en contemplant la scène qui se déroule sous mes yeux, je me sens toute chose. C'est un peu comme regarder un enfant dormir, un agneau gambader ou un coureur de marathon se désaltérer. On se dit qu'ils assouvissent un besoin et on se sent d'une certaine façon satisfait pour eux.

Une seule question se pose : pourquoi ? Demeter a une vie parfaite, alors pourquoi pleure-t-elle à chaudes larmes sur l'encolure de Carlo, nom d'un chien ?

Un moment plus tard, elle lève la tête, m'aperçoit et sursaute. Sans attendre, elle sort un mouchoir de sa poche et s'essuie le visage.

— Je faisais une pause, dit-elle brusquement. J'ai fini de balayer. Je fais quoi maintenant ?

— Rien. Nous en avons terminé pour la matinée. Nous allons rentrer à la ferme. Vous pourrez vous laver et faire un break avant le déjeuner.

Tout en flattant l'encolure de Carlo, je lui demande :

— Cet exercice vous a plu ?

— C'était très bien. Très relaxant. Vous devriez proposer cette session à tous vos pensionnaires. Elle mérite de figurer sur votre brochure. En fait, vous devriez avoir une brochure séparée pour chaque activité.

La patronne autoritaire est revenue au galop. Je suis beaucoup plus intriguée par la Demeter d'aujourd'hui. La Demeter fragile qui fond en larmes.

— Tout va bien ?

Un peu hésitante, je pose la question en sortant des écuries.

— Bien sûr, répond-elle sans me regarder. Un peu fatiguée, voilà tout. Désolée d'avoir perdu mon sang-froid. Je suis gênée. Ça ne me ressemble pas du tout.

Elle a raison. Ça ne ressemble pas à la Demeter que je connais. Mais peut-être a-t-elle une face cachée. Sur le chemin du retour, je marche perdue dans mes pensées.

Le déjeuner est servi dans la grange. C'est l'occasion pour les pensionnaires de parler de leurs occupations de la matinée. Les adultes de la classe de vannerie sont déjà installés. Un joyeux brouhaha résonne. J'observe Demeter. Est-elle épuisée ? Va-t-elle se mettre en retrait ?

Mais non ! Bien sûr que non !

Elle a déjà retrouvé son air supérieur. Son tempo s'accélère. Elle a le regard brillant, résolu. L'ancienne Demeter dans toute sa splendeur.

Avec son entrain habituel, elle interrompt la conversation entre Susie et Nick.

— Comment s'est passé le tressage d'osier ?

— Super, répond Susie. Et vous, c'était bien ?

— Divin. J'ai adoré. Vous savez que c'était une série d'activités créées spécialement pour moi ? précise-t-elle avec désinvolture. Un stage basé sur la relation corps-âme-esprit. Je le recommande absolument. Pas facile mais vaut les efforts requis. Je me sens compétente. En pleine forme. Ces lasagnes sont végétariennes ? Sans gluten ?

Pendant le déjeuner, Demeter régale tous les campeurs du récit de son programme, tellement plus intéressant et authentique que le leur.

— Une ancienne pratique, le Vedari… Vous n'en avez pas entendu parler ?… Oui, le créneau est très étroit… J'ai vraiment senti une aura… Eh bien, je suis assez experte en yoga…

Tout le monde bavarde, mais la voix de Demeter couvre les conversations. Un clairon qui résonne haut et fort, sans jamais s'arrêter.

— Une expérience absolument fascinante… Apparemment, Gwyneth Paltrow… La chaleur naturelle des pierres irradiait dans tout mon être…

Menteuse ! Je l'ai vue de mes propres yeux : elle tremblait de froid. Mais à l'entendre, c'est comme si le dalaï-lama en personne venait de la féliciter : « Bravo, Demeter, tu es la meilleure ! »

Curieusement, elle n'a pas mentionné Carlo une seule fois. Encore moins leur câlin et les larmes qu'elle a versées. Elle a supprimé le seul moment vrai et honnête de la matinée.

Les enfants arrivent en chahutant et en rigolant. Pendant qu'ils s'entassent dans la grange, tout rouges d'excitation après leur course d'obstacles, Demeter se lève.

— Coco ! Hal ! Je suis là. James, tu as regardé la course des enfants ? Venez ! Je vous ai réservé des places.

Je m'approche, fascinée. La famille idéale, dans de parfaites tenues, passant des vacances idylliques. J'imagine qu'ils vont avoir une conversation intelligente sur l'environnement. Ou sur le nouveau groupe indie branché que, le week-end dernier, ils sont allés applaudir ensemble, parce que tous les quatre s'entendent à merveille.

En fait de bavardage sympathique, aucun ne parle. Tous, y compris James, sont accrochés à leur téléphone.

— Je croyais qu'on avait dit « pas de téléphone pendant les repas », fait remarquer Demeter d'une voix taquine que je ne lui connais pas.

Elle agite la main pour attirer l'attention de sa progéniture.

— Hé, les enfants, je vous parle.

Personne ne lève le nez. Je n'en reviens pas. Au bureau, personne ne l'ignore quand elle parle.

D'une main, elle masque l'écran du téléphone de son fils.

— Comment s'est passée la course ?

— Pas mal, fait Hal. Ce téléphone est merdique. Il m'en faut un nouveau.

— Ton anniversaire est bientôt. Ça tombe à pic. On ira en choisir un ensemble, répond sa mère.

— Mon anniversaire ? Tu ne veux quand même pas que j'attende mon anniversaire…

— On verra, dit Demeter en adressant à son fils un sourire que je ne lui ai jamais vu, un peu anxieux, presque craintif.

Quasiment… désespéré ?

Non, je me fais des idées.

— Coco, goûte la salade. Elle est bio. Et délicieuse.

— Granma dit que la bouffe bio, c'est de l'arnaque, réplique Coco avec un petit ton effronté qui me donne envie de la gifler. C'est vrai, hein, papa ?

— Oui, dit James distraitement. Tout ça, c'est de la connerie.

J'en tombe presque à la renverse. Quoi ? James n'est pas fan de nourriture bio. Comment ça ? Mais pour Demeter, c'est une religion.

Coco appuie sa tête sur l'épaule de son père comme je l'ai vue faire ce matin. Mais je comprends que ce geste n'a rien de gentil… C'est… comment dire ? Calculé. Comme si elle essayait d'exclure sa mère de leur groupe. Le regard de Demeter a d'ailleurs quelque chose de douloureux. Elle fronce les sourcils, prend son téléphone et consulte ses messages avec un air de grande lassitude.

On dirait qu'elle a laissé tomber le masque. Elle est l'autre Demeter. La fatiguée, stressée, qui a besoin de l'affection d'un cheval.

Suis-je désolée pour elle ? Je crois, oui. Incroyable mais vrai.

— Pardon ! Katie ?

Je suis tellement étonnée que je n'ai pas remarqué qu'on me tirait par la manche.

— Je peux vous aider ? je dis en affichant mon sourire professionnel de commande.

Devant moi se tient Susie : cheveux blonds coupés court, short beige, tee-shirt blanc et sneakers imprimé Cath Kidston. Mon ordinateur mental se met en marche automatiquement : mère d'Ivo et Archie. A ramassé la brochure sur une aire de jeux gonflables à Clapham.

— Comment ça se passe ? Vous aimez votre séjour ici ?

— Oh oui ! Nous avons beaucoup apprécié la vannerie. Mais maintenant… Euh… Demeter nous a parlé du Vedari, et Nick et moi adorerions essayer.

— Pardon ?

— Pouvons-nous pratiquer les exercices de Vedari ? Il paraît que c'est fantastique.

Je reste sans voix. C'est une plaisanterie ?

Susie revient à la charge.

— Katie ?

— Oui, bien sûr. Je vais jeter un coup d'œil au programme. Vedari. Voilà ! Parfait. Allons-y tous. Pourquoi pas ?

Je me rends compte de ma voix légèrement hystérique.

— Excusez-moi, j'en ai pour une minute.

Et je me rue dans la cour où je me défoule en donnant des coups de pied dans une balle de foin. Je ne sais pas ce que j'espérais réaliser ce matin, mais c'est en train de sacrément mal tourner.

14

Le lendemain matin, je m'encourage mentalement.

— Assez pensé à Demeter ! C'est mon ex-boss. Et alors ? Elle m'a suffisamment obsédée comme ça. Il est temps de passer à autre chose.

Plus facile à dire qu'à faire. Car Demeter monopolise votre attention, quoique vous fassiez. C'est ce genre de personne, voilà tout. À 9 h 30, Biddy et moi n'en pouvons déjà plus de ses instructions spéciales à propos du petit déjeuner. *Du lait d'amande... Du café plus chaud... Il y a du pain de maïs ? La cuisson de mon œuf à la coque : exactement cinq minutes et demie, s'il vous plaît.*

Au bout d'un moment, ses enfants la rejoignent à table. Je les observe pendant qu'ils déjeunent. De loin, ils sont parfaits et charmants. De près, c'est une autre histoire. Coco a l'air de mauvais poil en permanence et Hal n'arrête pas de l'asticoter.

Ils sont exigeants, eux aussi. Comme leur mère. Ils veulent du Nutella (il n'y en a pas) et des pancakes (il n'en y a pas non plus). Ensuite Coco demande si nous avons des smoothies fraîchement mixés, d'une façon tellement désagréable que je suis à deux doigts de lui donner une claque.

Je fais le tour de leur table pour remplir les verres d'eau. Demeter fixe l'écran de son téléphone. Soudain, je la vois tiquer. Elle fait défiler ses messages de haut en bas et retour.

— Oh non ! s'exclame-t-elle. Quoi ? Non ! Pas ça !

— Qu'est-ce qui se passe ? demande James.

Elle semble totalement paniquée. Avec la même tête que dans l'ascenseur, à l'agence. Je suppose qu'il s'agit encore d'un de ses énormes cafouillages.

— Un truc au bureau. Ça… ça n'a aucun sens. Il faut que j'appelle Adrian.

Je réfrène ma curiosité. Plus question de concentrer mon attention sur Demeter. Je vais m'occuper des autres pensionnaires. Et je sors.

Dans la cour, Susie me salue amicalement.

— Bonjour ! je lui dis à mon tour. Tout va bien ? Je voulais vous informer que, cette semaine, il n'est pas possible de s'inscrire aux sessions de Vedari. Désolée. Peut-être une autre fois.

Susie semble déçue.

— Dommage ! Le Vedari paraît tellement énergisant.

Vite, changeons de sujet !

— Comment était le cours de vannerie ?

— Amusant. Très bien. Mais…

À l'évidence, la sympathique Susie n'est pas entièrement satisfaite. Il y a un truc qui cloche.

— Quelque chose ne va pas ? je demande.

— Non. Enfin… (Elle s'éclaircit la voix.) J'ai trouvé que certains participants accaparaient le professeur.

Elle se tait car Cleo, une autre mère de famille, s'approche de nous.

Cleo vient de Hampstead. Son look est différent de celui de Susie. Elle porte une robe mi-longue imprimée et un pendentif d'améthyste sur un lien de cuir. La tenue s'accompagne bizarrement d'une paire de chaussures de marche.

— Bonjour, Cleo, je dis, en tâchant d'ignorer le regard furieux que lui lance Susie.

— Pour le petit déjeuner, nous venons de faire cuire des œufs et des pissenlits sur notre brasero, nous signale-t-elle. Le tout saupoudré de sumac. Délicieux.

— Nous avons dégusté le petit déjeuner de Biddy dans la grange, contre-attaque Susie. Absolument succulent.

— Et la vannerie, hier, formidable ! s'enthousiasme Cleo en feignant de n'avoir pas entendu le commentaire de Susie. J'ai fabriqué trois paniers.

— Formidable pour les gens qui ont piqué les meilleurs brins d'osier, marmonne Susie dans sa barbe.

Cleo se tourne vers elle.

— Oh, Susie ! J'espère que Hamish ne vous a pas dérangé avec son violon, ce matin. Il est très doué. Malheureusement, je dirais !

— Ça doit être dur pour vous, rétorque Susie. Mais je suis certaine que si vous ne le poussiez pas autant, il serait comme tous les gosses.

OK. C'est la guerre. Il faut sans doute que je les aie à l'œil. Et peut-être que je prévienne la prof de poterie.

Soudain, Demeter surgit de la cuisine, le téléphone dans la main. On a l'impression qu'elle a reçu un coup sur la tête.

— Un souci ? je dis.

Elle ne répond pas. Je me demande même si elle m'a vue.

— Demeter ?

Elle remarque enfin ma présence.

— Désolée. Je… oui… Tout va s'arranger. Je dois seulement… James !

Elle se dirige vers son mari et commence à lui parler. Hélas, je parviens seulement à capter quelques bribes de leur échange. Ce qui, évidemment, pique ma curiosité.

James :

— Ridicule. Si tu as les mails…

Demeter :

— Je ne les trouve plus, c'est l'ennui.

James :

— … absurde…

Demeter :

— Exactement. C'est ce que je ne cesse de dire… Regarde !

Elle lui montre son téléphone mais il regarde ailleurs, comme s'il pensait à autre chose.

James :

— Ça va se tasser. Comme toujours.

Demeter :

— Oui.

Mais elle semble mécontente de cette réponse. Toujours hyper stressée. Elle arrive pourtant à prendre sur elle et part retrouver les autres devant le minibus qui va les emmener à l'atelier de poterie.

Tout ça ne me concerne plus. Poutant, pendant le reste de la matinée, alors que je fais les comptes avec papa, je ne peux pas m'empêcher de me demander quel est le problème.

Le jour de la poterie est toujours excellent. D'abord parce que tous les gens aiment faire de la poterie, quel que soit leur âge. Ensuite parce que la prof, Eve, a un talent pour « aider » les participants juste ce qu'il faut pour que leur pichet ou leur vase se tiennent d'aplomb. Elle va cuire les objets ce soir de façon à ce qu'ils puissent emporter leurs œuvres comme souvenirs de leur séjour.

À l'heure du déjeuner, je m'attends donc à retrouver un groupe de gens ravis. Surprise ! La troupe qui se dirige du minibus à la grange fait plutôt grise mine. En tête : Demeter et Eve – la première s'adressant avec volubilité à la seconde. Assez loin derrière, le reste de la bande affiche des airs exaspérés. Quand Demeter se trouve à portée de voix, je commence à comprendre pourquoi.

— … et donc nous avons eu la chance de faire une visite privée de la collection à Ortigia. Vous connaissez le conservateur, le signor Moretti ? Non ? Un homme charmant.

J'avais oublié que la céramique était un des trucs chéris de Demeter. Elle a dû assommer la pauvre Eve pendant toute la matinée.

Je m'adresse à sa victime.

— Contente de vous revoir, Eve ! Vous devez être fatiguée. Venez donc prendre un verre !

Je l'installe près de Susie et Nick, à bonne distance de Demeter. Le déjeuner commence dans l'effervescence habituelle des bavardages. Au menu : salade et tourte au porc, une spécialité de notre région. Malgré mes bonnes résolutions, je ne peux m'empêcher de rôder autour de la table de Demeter et de sa famille.

Plus je les observe, plus mon opinion se confirme : ils sont épouvantables. Coco est provocatrice et mal élevée. Hal ignore délibérément sa mère. Et James, qu'on pourrait croire du côté de sa femme, a l'air ailleurs. Si Demeter semble distraite, ce n'est rien à côté de son mari. Il passe son temps sur son téléphone. À croire qu'il a *oublié* qu'il était vacances !

Au moment du dessert, ils se mettent à parler d'une pièce montée par l'école dans laquelle Coco joue. Demeter en profite pour étaler ses connaissances sur Shakespeare. Puis elle parle d'une production de la Royal Shakespeare qui était « sublime » et « révolutionnaire » tandis que Coco bâille ostensiblement et lève les yeux au ciel.

Demeter ne peut pas se retenir de pérorer, c'est clair. Elle ne s'aperçoit pas qu'elle rase tout le monde ? D'un autre côté, je vois bien qu'elle essaie d'être serviable.

Au bout d'un moment, Coco explose.

— Arrête de nous *saouler*, maman ! De toute façon, tu ne verras même pas ma pièce.

— Mais si, je viendrai te voir !

— Mais non ! Tu n'assistes jamais à rien. Tu sais comment Granma t'appelle ? Madame Invisible.

Coco croise le regard de son père en ricanant.

— C'est vrai, hein, papa ? Par exemple, Granma me dit : « Et comment va Madame Invisible, aujourd'hui ? »

— Madame Invisible ? Je ne comprends pas l'allusion, dit Demeter sans se démonter.

Mais, quand elle prend son verre d'eau, ses mains tremblent.

— Ça veut dire « la mère invisible », explique Hal en levant le nez de son écran. Enfin, maman, t'es jamais là !

— Pas du tout. Je suis présente à tous les événements, à toutes les soirées de parents d'élèves…

Je ne l'ai jamais vue aussi secouée.

— Et mes matchs de basket ? Est-ce que tu *sais* seulement que je suis dans une équipe de basket ?

Mine déroutée de Demeter.

— Du basket ? Je ne… Quand… ? James, tu étais au courant ?

— Papa assiste à tous les matchs. C'est un vrai supporter.

— Ça suffit, Hal ! Il te fait marcher, Demeter. Il ne joue pas au basket.

— Mais alors, pourquoi… Pourquoi tu ?

Puis, élevant carrément la voix :

— *James*, pourrais-tu, si ce n'est pas trop te demander, participer à cette conversation au lieu de pianoter sur ton clavier ?

— Hal, arrête de te comporter comme une buse, ordonne James. Et excuse-toi.

— Je m'excuse, murmure Hal.

Je m'attends à ce que James insiste pour qu'il s'excuse *correctement*, comme mon père l'aurait fait. Mais non. Il s'est déjà déconnecté du monde extérieur. Peu m'importe son intelligence et son importance. Pour moi, ce type est un boulet. Au fond, peut-être est-ce un de ces maris qui n'acceptent pas le succès de leur femme. Je me demande ce qui a poussé Demeter à l'épouser.

Hal continue à déjeuner pendant que Coco dépiaute un morceau de pain. Demeter, l'air sombre, ne dit plus un mot. À cet instant précis, je la plains infiniment.

Après le café, les deux enfants quittent la grange. Théoriquement, je devrais aller aider Biddy pour son cours de pâtisserie. Mais impossible de partir. L'abominable spectacle offert par Demeter et sa troupe me fascine trop. Je me poste près d'un ancien vaisselier en chêne et, l'oreille aux aguets, plie et replie des serviettes de table. Précaution inutile : Demeter et James sont bien trop absorbés dans leur bulle pour remarquer ma présence.

Demeter porte sa tasse à ses lèvres avant de la reposer sans avoir bu.

— Alors, comme ça, ta mère m'a surnommée Madame Invisible ? Sympa !

— Désolé que ça te soit revenu. J'ai dit à ma mère qu'elle dépassait les bornes.

— Mais elle *sous-entend* quoi, en fait ?

— Oh, écoute ! s'impatiente James. Tu n'es jamais à la maison le soir. Soit tu travailles tard, soit tu assistes à des réceptions…

— C'est pour mon boulot ! J'y suis obligée, tu le sais bien, James ! Et je…

Il la coupe brusquement.

— Ils insistent pour que j'aille à Bruxelles.

Elle pâlit. Son souffle s'accélère. Un long silence s'instaure. Le moment est si intense que je pourrais bien m'évanouir.

— D'accord, dit-elle finalement.

Elle respire difficilement.

— Très bien, répète-t-elle après une autre pause interminable. Je suis vraiment surprise.

— Je sais. Désolé. Voilà pourquoi j'ai été très préoccupé ces temps-ci.

Je suis toujours plantée à côté du vaisselier. La conversation prend un tour très intime. Peut-être que je devrais leur faire savoir que je suis à portée de voix ? Impossible. Trop tard. Je serre les doigts si fort qu'ils en deviennent blancs.

Demeter respire un grand coup avant de parler. Je vois qu'elle marche sur des œufs.

— Je croyais qu'on avait déjà parlé de Bruxelles, qu'on avait choisi de…

— Je sais ce qu'on a décidé. Je sais sur quoi on était d'accord. Je me souviens de ce que j'ai dit…

James se frotte nerveusement les yeux. Demeter regarde ailleurs, la tête basse. C'est l'image même de la tristesse.

Surgit soudain devant mes yeux la photo du tableau d'affichage de son bureau. Un couple hyper glamour, au sommet de la réussite, posant en tenue de soirée sur le tapis rouge. Et le voilà maintenant : fatigué, malheureux, chacun évitant le regard de l'autre.

— Et alors ? demande Demeter.

— Alors, j'ai menti. J'ai prétendu ne pas vouloir aller à Bruxelles parce que je pensais que c'était ce que tu voulais. Mais j'en ai *envie*. La boîte me veut vraiment là-bas. Et j'en ai assez de faire des compromis. C'est une occasion unique. Il n'y en aura pas d'autre de cette importance.

— Je vois. Très bien. Donc… nous déménageons à Bruxelles ?

— Non. Tu as ton job. Il y a les écoles des enfants. Il s'agit d'un contrat de trois ans. Après ça, on verra. J'espère que je tomberai sur de bonnes opportunités à Londres. Qui sait ? Mais en attendant… Demeter, je *veux* ce boulot.

Comme toi, tu as voulu aller chez Cooper Clemmow… Je veux y aller.

Elle croise les mains sur la table.

— Parfait. Accepte. On s'arrangera au mieux.

— Tu es toujours si *généreuse*. Je m'excuse d'avoir été un salaud.

— Mais non. Tu n'étais pas heureux. Maintenant je comprends.

— Pas heureux et salaud.

— Un peu salaud, concède Demeter avec un petit sourire réticent.

James lui rend son sourire et plisse les paupières d'une manière charmante.

Ils se regardent dans les yeux, sans un mot, pendant un bon moment. Je sens qu'ils se sont retrouvés. Les raisons qui les ont amenés à se marier me semblent *évidentes*. Mais, bordel, que d'émotions !

— Tu m'as soutenue, dit Demeter en faisant tourner sa tasse de café lentement. Quand je suis entrée chez Cooper Clemmow, tu m'as soutenue et tu as renoncé à la proposition de Bruxelles. Depuis, tu n'as pas le moral. Je m'en rends compte maintenant.

— J'aurais dû me montrer plus honnête, soupire James. Je croyais que j'étais capable de rejeter cette offre. En tout cas, j'ai essayé de toutes mes forces.

— Erreur de jugement, monsieur l'idiot !

— C'est un gros poste, tu sais.

— Parfait. On est de taille à affronter ce changement. On survivra. Bon, et ensuite ?

— Ils veulent me rencontrer. (Une pause.) Demain.

— *Demain ?* proteste Demeter. Mais nous sommes en vacances. Quand vas-tu…

— Je fais un saut à Gatwick cet après-midi et je suis de retour dans… disons… trois jours.

— Pourquoi si longtemps ?

— Ils veulent deux réunions.

Il prend les mains de Demeter dans les siennes.

— Ce n'est pas l'idéal, mais il y a plein de choses à faire ici. Tu es occupée. Quant aux enfants, ils ne s'apercevront même pas de mon absence.

— De toute façon, mieux vaut que je m'habitue à ton absence.

— Il faudra qu'on s'organise. Mais tu vas voir, c'est positif.

Son visage s'anime. On le sent gonflé à bloc.

— Très bien, dit-il. Je les appelle de ce pas pour leur donner mon accord définitif. Je t'aime.

— Je t'aime aussi, répond Demeter en secouant la tête tristement, mais son ton est contraint.

James se penche pour l'embrasser avec une tendresse que je n'aurais pas soupçonnée. Puis il quitte la grange sans m'avoir vue. Demeter reste immobile. Elle semble abasourdie ; son visage est terriblement las. Au bout d'un moment, elle se secoue, attrape son téléphone et commence à pianoter. Son regard s'éclaire et elle se permet même un demi-sourire.

Elle termine son texto, pose son téléphone, se cale contre le dossier de sa chaise. Tout d'un coup, elle me repère.

— Ah, Katie ! Ça tombe bien ! lance-t-elle avec son ton autoritaire. Je voulais vérifier quelque chose avec vous. Est-ce que vous avez prévu une autre activité sur mesure demain ? Parce que, naturellement, je ne participerai pas à la cueillette des champignons.

Je la fixe bêtement. Quoi lui répondre ? Déjà que je ne sais même plus comment la considérer.

Avant, elle était ma boss cauchemardesque avec une vie parfaite et brillante. Maintenant, c'est une personne normale. Avec des blocages, des problèmes et des défauts, comme tout le monde. Une femme qui essaie de faire de son mieux même si les choses tournent mal. Je la revois affublée de son sac à patates, allongée dans l'herbe boueuse. Du coup, je me mords les lèvres. L'épreuve était probablement trop pénible.

— OK. Pas de problème. Je vais vous mitonner quelque chose de spécial.

Cette fois, ce sera *sympa*, je me dis. Vraiment *fun*. On va passer la matinée ensemble à faire un truc amusant. J'attends ce moment avec impatience. Presque.

Un taxi vient chercher James à 15 heures. Je le regarde partir par la fenêtre de la cuisine. Demeter l'embrasse puis s'en retourne lentement en faisant défiler ses mails.

— *Oh non !* tempête-t-elle soudain comme si le monde se mettait une fois de plus à tourner à l'envers.

Toujours plongée dans ses messages, elle se dirige vers le banc où ses enfants sont assis.

— Maman, se plaint Coco, tu as oublié de mettre mon sweat Abercrombie and Fitch dans la valise.

— De quoi tu parles ? Ton sweat ? Et celui que tu as sur le dos ?

— Je voulais l'autre. Celui-là est foutu !

— Ma puce, c'est toi qui as fait ta valise.

— Tu as dit que tu vérifierais.

— Coco, je ne peux pas m'occuper de ta valise en plus du reste. De toute façon, tu as pris un sweat. Alors quel est le problème ?

— Oh, super ! Faut que je fasse tout moi-même et que je *travaille* en classe puisque, comme tu le dis tout le temps, les études, c'est *important*. Encore une règle de Madame Invisible, je suppose.

— Je te prie de ne pas m'appeler comme ça. De toute façon, tu as un sweat.

Manifestement, Demeter fait des efforts pour garder son calme.

— Il est *nul*, ce sweat, réplique Coco qui tire furieusement sur celui qu'elle porte (un Jack Wills qui doit coûter, au bas mot, 60 livres).

Je n'en crois pas mes oreilles. Elle se prend pour qui, cette gamine ? Et qu'est-ce qui est arrivé à Demeter ? Où est passée la toute-puissante wonder-patronne de la création de Cooper Clemmow ? On dirait que, quand ses enfants sont présents, elle s'éteint pour devenir cette femme angoissée et craintive que je ne reconnais pas. C'est bizarre. Et ça sonne *faux*.

Son téléphone retentit et elle répond immédiatement.

— Bonjour, Adrian, fait-elle, l'air méfiant. Oui, je suis consciente de ce qui se passe. Mais je ne comprends pas. Les messages sont contradictoires. Tu as parlé à Lindsay chez Allersons ?

Visiblement, la réponse la met dans tous ses états.

— Non, impossible. C'est absurde !

Elle se lève et s'éloigne pour continuer à parler discrètement. Les deux gamins restent plantés là, accrochés à leur téléphone, comme s'ils étaient ensorcelés. Quelque chose dans leur attitude me fait bouillir.

Ce n'est pas mes oignons, je sais. Mais quand même. Moi qui pensais que Demeter avait une assurance de tous les diables. Eh bien, je l'affirme : son culot n'est *rien* à côté de celui de ses enfants. Impulsivement, j'ouvre la porte de la cuisine et sors dans la cour.

— Salut, je dis en arrivant à côté de leur banc. Tout se passe bien ? Vous appréciez vos vacances ?

— Oui, merci, fait Coco sans se donner la peine de lever les yeux.

— Vous avez fait quoi pour remercier votre maman ? je demande sur ton de la conversation.

— Hein ?

Elle tombe des nues. Son frère ne dit rien mais lui aussi paraît complètement étonné.

— Elle travaille dur pour vous offrir ce séjour et vos belles fringues (geste de la main vers le sweat Jack Wills). Vous pourriez au moins être *reconnaissants*.

Les gamins en restent comme deux ronds de flan.

— Elle *adore* travailler, fait remarquer Coco en roulant des yeux avec dédain.

— Biddy adore faire de la pâtisserie. Mais tu lui dis merci quand elle te donne un gâteau.

— C'est pas pareil, crache Coco. C'est notre *mère*.

— On dit pas merci pour des vacances, déclare Hal comme s'il s'agissait d'un article de la Convention de Genève auquel, par principe, il ne veut pas déroger.

— Comment je pourrais savoir ? je dis gaiement. Quand j'avais votre âge, mon père n'avait pas les moyens de m'emmener en vacances. Croyez-moi, j'aurais bien aimé partir comme vous qui voyagez souvent.

— On voyage pas tant que ça, rectifie Coco, la moue boudeuse.

Il y a des claques qui se perdent ! J'ai vu des photos d'elle dans le bureau de sa mère. Ski, plages de sable blanc, hors-bord sur fond de palmiers.

— J'avais dix-sept ans quand je suis allée à l'étranger pour la première fois. Aujourd'hui, je ne peux pas me le permettre. Et je ne pourrais *jamais* me payer un sweat Jack Wills. Tu as de la chance, Coco. Tu te rends compte ? Un Jack Wills !

Coco caresse son sweat, celui sur lequel elle tirait cinq minutes auparavant. Elle jette ensuite un coup d'œil à mon tee-shirt, anonyme et banal.

— Ouais, fanfaronne-t-elle. Jack Wills, c'est cool.

— À plus, je dis en tournant les talons.

Je me perche sur un muret tout près de là et fais semblant d'éplucher le dossier des activités. Si j'imaginais que les deux gosses allaient commenter mon petit sermon, j'en suis pour mes frais. Ils regardent en silence leur téléphone avec la même expression boudeuse, comme si je ne leur avais jamais parlé.

Un moment plus tard, Demeter les rejoint. Elle n'a pas trop la pêche. Elle se pose sur le banc et reste immobile, les yeux dans le vague, en se mordillant les lèvres. Personne ne parle. Tout à coup, Coco lève les yeux l'espace d'un quart de seconde et grommelle :

— Super vacances, maman.

Demeter ressuscite instantanément. La lassitude s'efface de son visage. Elle regarde Coco comme une fille qui vient de recevoir une demande en mariage.

— Vraiment ? Tu t'amuses bien ?

— Ouais. Genre… euh. Bon, euh… Merci.

— Ma puce, mais je suis si contente ! s'exclame Demeter.

La voilà rayonnante parce que sa fille la remercie à contrecœur. C'est pitoyable. *Tragique.*

— Ouais, lâche Hal.

Une syllabe qui semble porter Demeter au comble de la joie.

— C'est divin de passer du temps ensemble, déclare-t-elle.

Je détecte pourtant un tremblement dans sa voix. Elle a aussi ce drôle de regard affolé que je connais si bien. Qu'est-ce qui lui tombe sur la tête ?

À cet instant, papa apparaît, un tas de brochures sous le bras, et lance son baratin.

— Vous, vous et vous, leur lance-t-il, vous êtes incontestablement les pensionnaires les plus délicieux de notre camping. Nous en avons vu défiler beaucoup, mais *vous*… vous êtes au top de la liste. Mes compliments.

— Merci, dit Demeter.

Elle rit et même Coco a l'air ravie.

— Pour cette raison, poursuit papa, nous aimerions accueillir tous vos amis l'an prochain. Parce que je suis certain qu'ils sont *aussi* merveilleux que vous.

Il dépose une pile de brochures Ansters Farm sur les genoux de Demeter.

— Faites tourner ! Répandez la joie d'Ansters Farm ! Nous garantissons un rabais de dix pour cent à ceux qui viendront de votre part.

Son petit numéro enchante Demeter.

— Ainsi, nous sommes vos meilleurs pensionnaires, plaisante-t-elle.

— *De loin* ! s'écrie papa.

— Si je comprends bien, vous nous réservez le discount de dix pour cent ?

Papa fait son charmeur.

— Ce serait injuste si je n'en parlais pas à d'autres personnes. Mais j'espère que ce sont vos amis qui en bénéficieront.

— Bien sûr, dit Demeter en riant.

Elle tourne et retourne la brochure, l'ouvre et examine la maquette.

— Pas mal du tout. Attrayante. Bon design. C'est curieux, il me semble que je l'ai déjà vue passer. Qui l'a conçue ?

— C'est ma fille, Katie, qui l'a faite entièrement.

— Katie ? Comme… *Katie* ?

— La même !

Il m'aperçoit.

— Katie, notre pensionnaire aime ta brochure !

— Venez me voir ! ordonne Demeter avec une telle autorité que mes jambes se croient obligées de lui obéir.

Je ramène mes mèches bleutées sur mon visage, remonte mes lunettes de soleil sur mon nez. Au secours ! Terrain miné ! Et si je trouvais une bonne excuse pour filer ? Mais non. Pas question. Je m'avance, le cœur battant d'espoir. Il faut croire que je suis encore sous son emprise. Que j'attends toujours ses félicitations.

Non seulement elle parcourt ma brochure, mais elle la lit et l'étudie avec attention. Elle fait ça en vraie pro.

Quand je pense… Combien de temps ai-je rêvé de ce moment ?

— Qui a écrit le texte ? demande-t-elle.

— C'est moi.

— Qui a choisi les caractères et le papier ?

— C'est moi.

— Elle a aussi créé notre site web, intervient papa avec fierté.

— Un copain geek m'a aidée, je précise.

— Mais vous êtes responsable du contenu créatif ?

Demeter me fixe en plissant les yeux.

— Oui.

— Le site est top. Et *cette* brochure, très réussie. Je m'y connais, dit-elle à papa. C'est mon gagne-pain.

— Elle est épatante, ma Katie ! s'exclame papa en me tapotant les cheveux. Maintenant, si vous voulez bien m'excuser…

Brochures à la main, il se dirige vers un autre groupe auquel il fait exactement le même cinéma.

— Dites-moi, Katie, vous avez suivi une *formation* ? m'interroge Demeter qui inspecte toujours la brochure sous toutes les coutures.

— J'ai fait des études pour devenir maquettiste.

— Vous êtes douée. Je n'aurais pas fait mieux moi-même. Je crois que vous avez un talent rare. Si seulement nos *juniors* avaient le même !

Je la regarde, me sentant toute chose. Franchement, la situation est assez surréaliste.

— Je travaille à l'agence Cooper Clemmow, continue-t-elle. Spécialisée dans l'image de marque. Voici ma carte.

Elle me tend une carte professionnelle que j'attrape gauchement, au bord du fou rire hystérique.

— Si un jour vous pensez à quitter cette ferme pour travailler à Londres, appelez-moi. Je pourrais peut-être vous trouver quelque chose. Pas de panique, ajoute-t-elle gentiment en voyant ma tête. Notre équipe est très sympathique. On s'y intègre généralement très bien.

— Merci, je bredouille. C'est très... Merci... Je dois juste...

Les jambes vacillantes, je retourne à la maison, traverse la cuisine et monte directement dans ma chambre. Je pose la carte au milieu de mon lit et la regarde une seconde avant de me mettre à hurler :

— Noooooon !

Je me frappe la tête sur mon vieux papier peint. Je m'attrape les cheveux. Je crie encore. Je bourre mon oreiller de coups de poing. C'est insupportable ! C'est extraordinaire !

Finalement, j'ai obtenu ce que je voulais. Demeter a regardé mon travail. Elle l'a aimé. Elle veut me donner ma chance.

Mais aujourd'hui, à quoi ça sert ?

À bout de souffle, je m'affale sur une chaise et passe en revue mes différentes options.

1. Je descends et lui parle : « Devinez qui je suis ! C'est moi, Cass. » Résultat : elle pètera les plombs, retirera son offre de job, révélera à papa et Biddy que mon congé sabbatique est pur pipeau et provoquera un sacré foutoir. Option nulle.

2. J'accepte l'offre de travail faite à « Katie » Brenner. Pour être très vite démasquée, poursuivie pour escroquerie

et interdite de boulot dans la pub à tout jamais. Option nulle.

3. Il n'y a pas de troisième option.

J'ai beau me triturer les méninges comme une folle, c'est peine perdue. Mon cerveau finit par tourner à vide et aucune solution ne se profile. De toute façon, je dois donner un coup de main à Biddy. Je me secoue, descends dans la cuisine et attaque l'épluchage des pommes de terre. Effet calmant garanti ! En tout cas, jusqu'à ce que papa fasse irruption en sifflant gaiement. Il se coiffe de son chapeau de Mick le fermier en vue du spectacle de magicien qu'il donne plus tard. (Pour info : ses tours ne marchent jamais. Heureusement, quoi qu'il fasse, les gamins se roulent par terre de rire et les adultes sont ravis que leurs enfants soient divertis.)

Après quoi, il me félicite.

— Cette Demeter aime vraiment ton travail. On le savait que tu avais du talent, Kitty-Kate.

— De quoi tu parles ? demande Biddy, absorbée dans la confection d'une pâte à tarte.

— La pensionnaire qui apparemment est une experte en brochures. Tu aurais dû voir sa tête quand je lui ai dit que Katie l'avait créée pour nous.

— Oh, Katie, c'est merveilleux ! s'exclame Biddy. Tu lui as parlé de ton travail à Londres ? Vous devriez peut-être… comment on dit ?… Vous connecter ?

Panique à bord ! Je pousse un cri.

— Non ! Ce n'est pas le moment. Elle est en vacances. J'ai sa carte alors je la contacterai plus tard.

— Mais, mon chou, à ta place je n'attendrais pas. Elle risque de t'oublier. Écoute, si tu trouves ça gênant, je peux aborder le sujet avec elle. Comment s'appelait ton agence à Londres, déjà ? Cooper Clemmow – c'est bien ça ?

Impossible ! *Pas question* que Biddy confie à Demeter que j'ai un boulot top niveau dans une boîte de Londres qui s'appelle Cooper Clemmow.

— Non ! Écoute, Biddy, ces gens de Londres sont du genre stressés et irritables. Ils viennent ici pour se détendre et se changer les idées. Si on leur parle boulot pendant leurs vacances, c'est un mauvais point pour nous. Ils risquent de le mentionner dans les commentaires en ligne de TripAdvisor, j'ajoute subitement.

J'ai tapé juste : Biddy frissonne.

Il faut dire que TripAdvisor est terrifiant. Jusqu'à maintenant, nous avons eu trois appréciations. Toutes positives. Mais on sait aussi que ça peut être désastreux.

— Elle a raison, Biddy, intervient papa. Il ne faut pas se mettre trop en avant.

— Ah, tu vois ! Il faut jouer la discrétion. C'est primordial (j'essaie d'impressionner Biddy). *Pas un mot* à Demeter sur le travail. *Pas de questions* sur l'endroit où elle bosse. Et pas d'allusion… (rien que cette idée me rend malade) à Cooper Clemmow.

Je me remets à éplucher les pommes de terre. Ouf ! je l'ai échappé belle. Mais l'alerte n'est pas levée. Malgré mes avertissements, Biddy peut prendre l'initiative de me faire mousser auprès de Demeter. Un seul mot maladroit et tout peut déraper. Oh là là ! Je ferme les yeux, respire fort. Est-ce le moment de leur cracher le morceau ? De tout leur dire ? Mais la vérité va les bouleverser. Ils ont déjà assez de tracas…

— Katie !

La voix de Biddy me fait sursauter. Elle rigole.

— Mon chou, je crois que cette pomme de terre est assez pelée !

Effectivement, je me suis tellement acharnée qu'elle a la taille d'une bille.

— Manque de concentration, j'explique.

— Au fait, j'ai oublié de te dire : le premier client du gîte arrive ce soir.

— Super, je dis distraitement. Excellente nouvelle.

La création d'une chambre d'hôtes est l'idée de Biddy. Pour accueillir dans la maison des gens qui ne souhaitent pas camper. C'est une chambre au rez-de-chaussée, avec entrée indépendante – un salon que nous utilisons rarement. Biddy l'a rafraîchie (peinture Farrow and Ball, sur mon conseil) et papa a transformé les toilettes extérieures en salle de douche communicante. Avis aux amateurs : les draps sont en percale de coton, comme dans les yourtes.

— Qui est-ce ? Il reste longtemps ?

— Une seule nuit. Sans doute pour se faire une idée sur les yourtes. Il voulait y dormir mais je lui ai dit que nous étions au complet.

— Il veut participer aux activités ?

— Zut ! lance-t-elle, l'air ennuyé. J'ai oublié de le lui demander. Il sera bien temps de lui poser la question ce soir. Il a un drôle de nom. Astalis. (Elle consulte le registre.) Oui, Astalis. Si je l'ai écrit correctement…

Gros moment de flottement.

— Astalis ? je bredouille d'une voix qui me semble appartenir à quelqu'un d'autre.

— Alex Astalis. Je me demande s'il a un rapport avec celui qui est célèbre... Tu vois de qui je veux parler ?

Alex débarque. Mais pourquoi ? Ah, mais bien sûr ! Je connais la réponse *exacte*.

Allez, Katie, ressaisis-toi !

— Il a appelé quand ?

— En début d'après-midi. Vers 14 h 30.

Environ dix minutes après que James a annoncé à Demeter qu'il partait en voyage. Je la revois en train d'envoyer un texto, sourire aux lèvres. Eh bien, elle n'a pas traîné. Pas perdu une minute.

— J'espère qu'il trouvera le lit confortable, s'inquiète Biddy. À mon avis, le matelas est trop dur mais ton père dit que ça va.

— Ne te fais pas de souci ! je fais mollement.

J'ai envie de lui crier : *Il s'en fout du lit ! Il s'en fout de la chambre. Il va passer toute la nuit dans la yourte avec Demeter !*

Et dire que je m'attendrissais ! Que j'étais prête à me montrer sympa ! Mais regardez-la ! Dès que son mari a le dos tourné, elle fait venir son amant. Il lui dit qu'il l'aime et il l'embrasse et, hop, *moins d'un quart d'heure* après, elle demande à son jules de rappliquer. La salope. La sale *garce* égoïste !

Après la déception, le tourment. Je me torture en imaginant Alex et Demeter dans la yourte. Les bougies allumées. La partie de jambes en l'air sur la peau de mouton. Et puis la colère me gagne. Je bouillonne de fureur et de frustration. Et de jalousie ? OK, aussi d'un zeste de jalousie.

Intense.

Et maintenant, la peur prend le dessus. Et si Alex me reconnaissait ? Il est physionomiste, lui, au contraire de Demeter. Même déguisée, je ne peux pas tomber sur lui, sous peine *d'imploser…*

Bon. Assez flippé. Tout va bien. Je n'ai qu'à dire que je suis malade. Trouver un prétexte de ce genre. De toute façon, je ne veux pas le voir. Plutôt mourir.

— À quelle heure il arrive ? je demande le plus naturellement possible.

— Vers 11 heures. On a tout le temps de préparer sa chambre, fait-elle, toute guillerette. Tu as des projets pour Demeter ? Elle m'a dit que tu lui préparais un autre programme sur mesure. Vous vous entendez bien, toutes les deux.

Cette histoire m'est complètement sortie de l'esprit. Je m'étais promis que je lui organiserais un truc sympa et fun. Mais c'était avant de découvrir quelle garce hypocrite, malhonnête, égocentrique elle est.

— Si tu veux lui apprendre à faire de la pâtisserie, je peux t'aider, suggère Biddy.

Mais je secoue lentement la tête.

— Ne t'en fais pas. Je vais cogiter. Ce sera sa dernière activité avec moi et je veux lui trouver quelque chose de vraiment *parfait*.

15

Le lendemain matin, je retrouve Demeter à 10 heures. Pour l'occasion, j'affiche une humeur conviviale et enjouée, très « salut les campeurs ! ». Elle est habillée comme sa fille, Coco : débardeur gris sur un minuscule short en jean. Avec des bottes en caoutchouc (je lui ai recommandé quelque chose de « confortable » pour marcher). Elle a d'assez jolies jambes, mais le contraire eût été étonnant, non ? Elle doit penser qu'elle ressemble à Kate Moss au festival de Glastonbury. Et que son short super sexy va affoler Alex.

Honnêtement, je la hais ! Mais je parviens à masquer mon humeur de dogue sous un sourire.

— Prête pour notre expédition à la découverte de la nature ? Je l'ai concoctée spécialement pour vous. Cela consiste en une grande marche dans la forêt pour surprendre toutes sortes d'animaux. Ça vous va ?

— Très bien. Mais j'ignorais qu'il y avait tant de choses à voir dans la forêt.

— Si, si ! Ne vous inquiétez pas ! Vous n'allez pas vous ennuyer. Vous n'avez pas oublié votre protection solaire, j'espère ? Parce qu'il fait chaud, aujourd'hui.

C'est même carrément la fournaise. Biddy a déjà tartiné tous les enfants d'écran total. Et elle prépare des sucettes glacées pour le déjeuner.

— Je mets un indice 50, en fait, m'informe Demeter. Une marque *merveilleuse* que j'achète chez Space NK. Il contient de l'huile de néroli, du lait d'argan et…

— Cool, je fais avant qu'elle me prenne la tête avec ses trucs de charlatan. Allez, on démarre.

Si j'ai parlé de protection solaire, c'est pour avoir l'air sérieuse. Parce que, là où on va, Demeter n'en aura pas besoin. Ha ! Ha ! Ha !

J'avance d'un pas alerte à travers champs. Le sang bouillonne dans mes veines. Je suis surexcitée, ce matin. Normal : réveil à 5 heures, hyper lucide, concentrée sur Demeter.

Et sur Alex. Sur eux deux.

Pour tout dire, je me suis fait tout un film avec Alex dans le rôle principal (et Demeter en figurante occasionnelle). Ce qui est *ridicule*. Ce mec, je ne l'ai rencontré que quatre ou cinq fois. Il a déjà oublié mon existence. Alors, je voudrais qu'on m'explique pourquoi je pense tout le temps à lui. Pourquoi je me sens… quoi, exactement ?

Trahie. Voilà, c'est ça. Je me sens trahie qu'il choisisse une fille comme Demeter, qui est très mariée, très déplacée, très… *demeterienne*. Alors qu'il aurait pu…

Bon. On arrête là ! Juste une précision avant de sombrer dans le mélo. Je ne dis pas : *Oh, j'aurais aimé qu'il tombe amoureux de moiiii*. Bien sûr que j'aurais aimé, mais c'est plus profond. Plus : *Tu te crois vraiment fait pour Demeter, Alex ? Si tu veux mon avis, c'est une erreur. Elle n'a pas ton sens de l'humour. Ni ta désinvolture, ni ton insolence électrique. Je ne vois pas comment ça peut coller entre vous. Non, vraiment, je ne vois pas…*

— Qu'est-ce que vous dites ? demande Demeter.

Je viens de me rendre compte que je marmonne dans ma barbe.

— Je répète des incantations vedari. Pour me concentrer. Bien. À partir de maintenant, on ouvre l'œil pour surprendre les campagnols.

— Des campagnols ?

— Un peu comme des souris, en plus rares. Ces champs en sont pleins.

Elle n'a aucune chance d'apercevoir le moindre campagnol mais, ainsi, elle va me ficher la paix. Nous marchons donc en silence, Demeter fixant le sol avec détermination.

Arrivée à la lisière de la forêt, j'entame mon speech de parfaite guide touristique.

— Bienvenue dans la forêt d'Ansters. Ici, nous trouvons une biodiversité très riche d'animaux, de plantes et même de poissons qui se côtoient dans une parfaite harmonie.

— Des poissons ? s'étonne Demeter.

— Dans les ruisseaux et les étangs qui pullulent à travers ces bois vivent des espèces inhabituelles.

Au fond, c'est peut-être vrai. Passons.

Je l'emmène exprès dans la partie la plus dense de la forêt. Demeter surveille les ronces nerveusement. Elle est trop *bête* aussi d'avoir mis un short !

— Aïe ! s'écrie-t-elle soudain. J'ai marché dans les orties.

— Pas de chance !

En nous enfonçant dans la forêt, nous tombons sur quelques abeilles égarées, ce qui a l'air de déplaire fortement à mon ex-boss.

— Elles ne vont pas nous piquer, j'espère ?

Je ne résiste pas au plaisir d'une petite plaisanterie.

— Sûrement pas ! Pas folles, ces guêpes !

Impossible de savoir si Demeter a saisi. Elle inspecte avec anxiété le sentier envahi de hautes herbes folles qui s'étend devant nous. Je la rassure.

— Pas de problème. Je vais nous dégager le chemin. Restez derrière moi, ce sera plus facile.

Je m'empare d'une longue baguette souple et commence à fouetter vigoureusement les herbes. De temps en temps, mon geste est si ample que la baguette s'abat comme par hasard sur les jambes de Demeter.

— Aïe !

— *Pardon !* Je n'ai pas fait exprès ! Allez, on continue. Regardez autour de vous : nous sommes entourées de bouleaux, de frênes, de sycomores aussi bien que de chênes.

Je lui accorde trente secondes de contemplation avant d'attaquer.

— Quels sont vos plans pour ce soir avec les enfants ? Vous devez être triste que votre mari se soit absenté. Toute seule dans la yourte. Sans personne d'autre.

Un nouvel accès de rage me saisit, à la voir là dans son petit short en jean, profitant du soleil et se préparant à une nuit de sexe torride.

— Oui, acquiesce-t-elle en haussant les épaules. C'est dommage qu'il soit parti. Mais on ne peut rien y faire. Dites-moi, les sycomores, ce sont lesquels ?

— C'est vraiment triste, quand on y pense. Vous êtes venus en *famille*. (Je souris si fort que mes joues en tremblent.) Et votre charmant mari, avec lequel vous êtes unie par les liens du mariage… Depuis combien de temps, au fait ?

Stupéfaction de Demeter.

— Quoi ? Euh… Dix-huit ans. Non, dix-neuf.

— Félicitations ! Vous devez *vraiment* beaucoup l'aimer !

— Eh bien, nous avons des hauts et des bas.

— Comme tous les couples !

Et je pars d'un rire hystérique. Pendant les jours précédents, je suis arrivée à rester imperturbable en présence de Demeter, mais aujourd'hui on dirait que je perds un peu de mon calme.

— Parlez-moi des oiseaux intéressants qui nichent dans ces bois, dit-elle avec son expression « de vive intelligence » qui a le don de m'*exaspérer*.

— Bien sûr !

Je lui montre du doigt un corbeau qui vient de s'envoler d'une branche.

— Regardez ! Vous l'avez vu ?

— Non, concède-t-elle en tendant le cou. C'était quoi ?

— Un spécimen très rare. Le grand… vantard à crête. (J'ai failli dire : *Le grand Demeter à crête.*) Proche de la fauvette mais beaucoup plus sauvage. La femelle, en particulier, est une prédatrice, sans pitié. En un mot : nuisible.

— Vraiment ?

Demeter a l'air fascinée.

— Oh oui !

Je poursuis sur ma lancée.

— Une créature funeste. Vicieuse et égoïste. Elle liquide les oisillons femelles pour éliminer la future concurrence. Elle a un très bel aspect, un plumage brillant. Mais elle est sournoise. Très prétentieuse, aussi.

— Comment un oiseau peut-il être prétentieux ?

— Tout son art consiste à se lisser les plumes, je dis après réflexion. Avant de crever les yeux des autres oiseaux.

— *Quelle horreur !*

— Son but est d'atteindre le sommet. Tout accaparer. Elle se fiche que les autres oiseaux de la forêt doivent lutter pour survivre. Mais quand leur moment est venu, ils se vengent.

— Comment ? fait-elle, captivée.

— Par toutes sortes de moyens, je conclus avec un sourire mielleux.

J'attends d'autres questions mais j'en suis pour mes frais. Demeter se contente de me regarder bizarrement.

— Hier soir, j'ai parcouru un guide d'ornithologie locale. Le grand vantard à crête n'y figure pas, m'informe-t-elle.

— Parce que c'est une rareté. On continue ?

Je me remets en route mais elle ne me suit pas. Elle m'examine comme si elle me voyait pour la première fois. J'ai peut-être exagéré avec mon histoire de grand vantard à crête. Pourvu qu'elle ne suspecte rien !

— Vous avez toujours vécu à la campagne ? demande-t-elle.

Ouf ! Nous voilà revenues en terrain connu.

— Oui. Je suis née à la ferme, je dis en forçant sur l'accent campagnard. Mon père pourrait vous montrer les marques qu'il traçait pour me mesurer à chaque anniversaire, sur le mur de la cuisine. C'est ma maison, mon foyer.

— Je vois.

Rassurée ? Pas complètement. Néanmoins, elle m'emboîte le pas.

— Les étangs vont vous plaire, je lui annonce. La faune y est magnifique.

On les a toujours appelés « les étangs » mais, en fait, il n'y en a qu'un. C'est une pièce d'eau très large et très profonde prolongée par une grande tranchée qui se transforme selon les saisons en mare ou en marécage. À cette période de l'année, c'est un marécage. Autrement dit, un cloaque d'un mètre de profondeur, tapissé de plantes aquatiques d'un beau vert vif où logent toutes les grenouilles du voisinage. C'est là que Demeter se dirige. Vous savez quoi ? *Je veux* la voir immergée dans la bouillasse, couverte d'herbes gluantes, hurlant de fureur et – touche finale – immortalisée sur une photo particulièrement gratinée que Flora se fera un *plaisir* de diffuser sur Internet. Mon portable est dans ma poche, dans sa coque étanche. Je suis fin prête. La seule difficulté est d'arriver à la faire entrer dans le marécage. Mais, promis, juré, elle ira. Même si je dois plonger la première.

Tandis que nous cheminons, je me sens patraque. Cœur qui tambourine. Oreilles bourdonnantes. Tressaillement au moindre bruissement. *Est-ce que je veux vraiment faire ça ? Ne devrait-on pas plutôt rentrer à la ferme ?* Le doute me rend malade.

C'est alors que des images s'imposent à moi. Demeter avec son petit sourire suffisant envoyant un texto à Alex pour le convoquer séance tenante. Demeter m'ordonnant de lui teindre les cheveux… Me fourrant dans les bras ses boîtes de chez Net-À-Porter… Se plaignant de son bref trajet en voiture pour venir travailler… Me dévisageant bizarrement dans l'ascenseur de Cooper Clemmow sans plus *savoir* si elle m'a déjà informée de mon licenciement.

Quand je pense que, pendant un moment, je l'ai plainte. Il y a de quoi rire ! *Elle n'a pas besoin de ma pitié.* Il n'y a qu'à voir ses longues jambes enfoncées dans des bottes de caoutchouc de luxe. Sa démarche assurée de patronne. Si elle a connu des moments de fragilité, je peux vous dire qu'ils ont disparu depuis belle lurette. Quelle andouille j'ai été de m'y laisser prendre. Demeter n'a pas sa pareille pour utiliser les gens à son profit. Le mari tourne les talons ? L'amant le remplace immédiatement. Elle efface un mail hyper important ? L'assistante se débrouille pour le retrouver. D'une manière ou d'une autre, elle s'en sort toujours au mieux.

Mais pas aujourd'hui.

— Le ciel du Somerset est connu pour ses oiseaux extraordinaires, je dis en la pilotant vers les étangs. Particulièrement dans notre coin. Si vous levez la tête, vous vous en apercevrez. Regardez *en l'air.* C'est mon conseil du jour.

Et ne regarde pas tes pieds. Ni la gadoue. Et surtout pas la substance glissante qui y est peut-être répandue.

Au détour d'un bouquet de buissons, nous débouchons sur les étangs. Le marécage se détache, carré vert et luisant. Nocif au possible. Pas une âme aux alentours. Les autres sont à des kilomètres, en train de ramasser des champignons. Personne ne vient jamais dans ces bois. Un silence inquiétant nous entoure. Je n'entends que mon souffle et le bruit de nos pas sur la pente boueuse qui descend vers les berges du marécage.

Je l'encourage :

— On regarde en l'air. On scrute le ciel !

Le sol est instable, gras. Périlleux, même sans la fine couche d'huile de chanvre qui recouvre sa surface depuis le tout début de la matinée. Du moment qu'on fait attention, qu'on ne marche pas trop vite, ce n'est pas dangereux. J'oubliais ! À *condition* surtout de ne pas piquer un sprint.

Ce que je vais pousser Demeter à faire.

— Oh, je murmure, très excitée. Vous avez vu les martins-pêcheurs ? Ils sont des milliers. Vite, vite, vous allez les rater !

Je fais semblant d'accélérer et, du geste et de la voix, je l'exhorte à se précipiter :

— Passez devant moi. Si ! Si ! Allez-y d'abord ! Mais dépêchez-vous ! Courez !

Demeter démarre sur la pointe des pieds avant de prendre de la vitesse, comme une folle de shopping à l'ouverture des soldes chez Harrods. Et elle regarde résolument en l'air. Du coup, elle ne s'aperçoit pas que la boue se transforme en patinoire. Elle ne remarque même pas qu'elle commence à déraper. Elle perd pied et c'est la dégringolade. Elle glisse vers le marécage en agitant les bras, telle une débutante sur un snowboard.

C'est le moment d'intervenir.

— Faites attention. Ça glisse. *Oh non !*

J'observe la scène sans ciller. C'est trop drôle. Pas question d'en perdre une miette. Demeter en panique, gesticulant, amorçant un vol plané… Demeter en l'air, juste avant la chute… Demeter réalisant avec horreur ce qui arrive…

Et Demeter atterrissant dans le marécage. Le saviez-vous ? Tomber dans un bon mètre de vase produit un jaillissement d'éclaboussures visqueuses. Elle en a plein le visage, les cheveux. Des herbes collantes ornent son crâne et cascadent sur ses joues. Une sorte de gros insecte rampe sur son épaule.

Mission accomplie !

Elle essaie immédiatement de reprendre pied. Manœuvre périlleuse. Elle s'enfonce plusieurs fois avant d'arriver à se tenir debout au milieu du cloaque, couverte de gadoue, trempée, lamentable, furieuse. C'est l'instant idéal pour la photo que je projette.

— Aidez-moi ! crie-t-elle en gesticulant frénétiquement. Je ne peux pas bouger.

— Oh, ma pauvre ! je crie à mon tour, en sortant mon téléphone.

Tout en prenant soin de dissimuler mon euphorie, je prends quelques photos avant de ranger soigneusement mon téléphone dans son étui.

— Mais vous faites quoi ? hurle Demeter.

— Je viens vous aider. Vous auriez dû vous méfier en arrivant près de ce marécage. Et ne pas vous dépêcher autant.

— Mais vous m'avez dit de courir !

— Bon, ce n'est pas grave ! On sera bientôt de retour dans la yourte. Allez, venez !

— Je ne peux pas bouger, répète-t-elle d'un ton accusateur. Mes pieds sont enfoncés dans la vase.

— Soulevez votre jambe comme ça, je dis en mimant le geste.

Demeter m'imite. Elle lève la jambe. Mais sa botte reste coincée.

— Merde, ma botte ! Où est-elle passée ?

Quelle galère !

— Je vais la chercher, je dis.

Et là, je me sens comme la mère d'une gamine de trois ans.

Je m'approche d'elle dans le marécage et fouille le fond pour trouver la botte. Demeter, perchée sur une jambe, s'accroche à mon bras.

— Voilà, je dis en repêchant la botte. Maintenant on peut y aller.

Je m'apprête à retourner vers la berge, mais Demeter est d'un autre avis.

— Pourquoi m'avoir dit de me presser ? Vous vouliez que je tombe dans cette mare ?

Elle a l'air menaçant. De quoi s'alarmer ? Non. Elle ne peut rien prouver.

— Bien sûr que non, je réplique. Pourquoi j'aurais fait ça ?

— Je n'en sais rien. Mais c'est étrange. Et je vais vous dire autre chose : j'ai *l'impression* de vous connaître.

Elle scrute mon visage. Ma casquette est bien enfoncée mais, par sécurité, je baisse la tête en vitesse.

— Ça m'étonnerait, je dis en rigolant. Je suis une fille du Zumerzet. Jamais mis les pieds à Lunnon. Je ne sais même pas où *se trouve* Chiswick.

— Pourquoi parler de Chiswick ? aboie Demeter.

Ce que je suis conne ! Merde, merde et merde ! Il faut que je me concentre davantage.

— Vous n'avez pas dit que c'était l'endroit où vous travaillez ? Il me semble.

— Non, jamais !

Demeter agrippe mes poignets si fort qu'elle me fait mal.

— *Qui diable êtes vous ?* braille-t-elle.

— Je suis Katie, je déclare en essayant de me dégager. Je vous propose de rentrer pour un bon thé avec un cake ou des tartes à la confiture.

— Vous cachez quelque chose !

De colère, elle fait un mouvement brusque. Du coup, je perds l'équilibre et m'affale dans le marécage, tête la première. Beurk, c'est *immonde* ! Je parviens à m'asseoir et fixe sur elle des yeux pleins de haine. Tout mon sang-froid a fichu le camp. C'est comme si la ficelle de mon cerf-volant s'était cassée. Le cerf-volant s'est échappé.

— Quel *culot* de me faire tomber ! je m'écrie en lui envoyant une giclée de vase.

— Non, mais ça ne va pas, *espèce de malade* ! hurle-t-elle en me renvoyant aussi sec une bonne dose de boue à la figure. Je ne sais pas ce que vous mijotez mais…

— Je ne mijote rien du tout.

Je me traîne jusqu'à l'étang et plonge ma tête dans l'eau claire pour me calmer. Ressaisis-toi ! Je n'avais pas prévu *ça*. Je dois faire attention. Il s'agit de Demeter mais c'est aussi une cliente. Je ne peux pas me permettre une séance de catch dans la boue. Catastrophe pour TripAdvisor !

En verité, ce serait sa parole contre la mienne. Qui croirait-on si on en arrivait là ?

Rassurée, je me redresse. Au moins, mon visage est propre. Toute trace de boue a disparu. Mais en tombant, j'ai perdu ma casquette. Je tire en arrière mes cheveux ruisselants et les noue en un genre de chignon. Il est temps de reprendre mon *rôle* de guide professionnelle.

— OK. Je pense que notre promenade écologique est terminée. Toutes mes excuses pour…

— Attendez ! Ne bougez pas, *Cass* !

Angoisse.

— Non, Cat ! rectifie Demeter d'elle-même, l'œil mauvais. C'est *Cat* ou je me trompe ?

— Qui est Cat ? je fais en essayant de me calmer.

— Ne vous fichez pas de moi ! glapit-elle. Cat Brenner ! C'est vous, hein ? Ne mentez pas !

Avec tout ça, j'ai saboté mon déguisement. La casquette, le maquillage, les cheveux frisés : disparus. Comment j'ai pu être aussi *stupide* ?

Que faire ? je me demande pendant quelques secondes atroces. Nier ? Fuir ? Quoi d'autre… ?

— Oui, c'est moi, j'admets d'une voix que je veux nonchalante. J'ai changé mon surnom. C'est illégal ?

Un corbeau passe en croassant au-dessus de nous mais nous ne bronchons pas. Nous nous regardons, figées dans le marécage, couvertes de vase, comme si le temps s'était mis sur pause. Je suis terrifiée mais, d'un autre côté, soulagée. Finalement, elle sait. Voilà, *je suis démasquée*.

Demeter a son expression nerveuse des mauvais jours. Tour à tour, elle me dévisage, plisse le front, regarde ailleurs. On dirait qu'elle fouille sa mémoire.

À partir de maintenant, les choses peuvent partir dans n'importe quel sens. Ce constat me rend presque fébrile.

— Écoutez, je ne comprends pas, déclare-t-elle. (Visiblement, elle fait de sacrés efforts pour se maîtriser.) *J'essaie* de faire le point, de comprendre, mais je n'y arrive pas. Que se passe-t-il ?

— Rien.

— Vous avez provoqué cette chute, s'énerve-t-elle. Vous m'avez dit de courir pour que je tombe. Vous *m'en voulez* de quelque chose ?

Si je lui en veux ? Par où commencer ?

— Et quand vous m'avez cinglé les jambes avec ce bâton, c'était exprès aussi. Toute la matinée n'a été qu'une vendetta. Et même la semaine *entière*, non ?

Je l'observe : elle passe en revue les faits, revient en arrière, analyse chaque détail. Tout d'un coup, elle lance :

— Le Vedari, c'est une invention ?

Et là, j'explose. Je laisse éclater toute ma colère contenue.

— Il faut être une snob prétentieuse comme vous pour avoir gobé cette histoire. Je n'ai eu qu'à évoquer Gwyneth Paltrow pour vous faire tomber dans le panneau.

— Mais le site ?

— Pas mal trouvé, hein ?

Son visage se défait. Je triomphe.

— Je vois, fait Demeter du même ton pondéré. Donc vous m'avez prise pour une imbécile. Bravo, Cat, ou Katie ! Peu importe votre nom ! Mais je ne comprends toujours pas pourquoi. C'est parce que vous avez été licenciée ? Vous m'en rendez responsable ? Je vous réponds que, premièrement, je n'y suis pour rien. Et deuxièmement, que, comme je vous l'ai dit, perdre un boulot n'est *vraiment* pas la fin du monde.

Sur ces mots, malgré le marécage, elle se redresse pour adopter une stature de patronne tolérante et sympa. Trop, c'est trop ! Ma rage déborde. Mais reste digne, Katie !

— Demeter, quand vous n'avez pas d'argent et que vous préférez mourir que de demander de l'aide à vos parents, perdre son job est *véritablement* la fin du monde.

— Ne dramatisez pas ! réplique-t-elle. Vous en trouverez un autre.

— J'ai postulé partout. Sans résultats. En tout cas, sans proposition avec salaire. Moi, je ne suis pas comme Flora. Je ne peux pas me permettre de travailler pour des prunes. Toute ma vie, j'ai voulu vivre à Londres. Ce jour-là, mon rêve a été détruit. Bien sûr, ce n'était pas votre faute. Mais vous êtes tout de même fautive d'avoir oublié si vous m'aviez prévenue ou pas.

Ma voix grimpe dans les aigus.

— Pour moi, c'était une tragédie, mais pour vous, clairement, un non-événement. Vous étiez genre : *Oh, dites-moi, ma petite machin-chose dont le nom m'échappe : ai-je déjà ruiné votre vie aujourd'hui ou non ? Impossible de m'en souvenir. Soyez gentille de me rafraîchir la mémoire.*

— Très bien, j'en conviens, répond Demeter au bout d'un moment. Ma conduite a été... regrettable. Je traversais une mauvaise période...

Et là, je me lâche complètement.

— Comment ça, une mauvaise période ? Votre vie est parfaite. Vous avez tout, absolument tout.

— De quoi vous parlez ?

— Oh, allez ! Ne faites pas l'étonnée ! Tout vous réussit. Vous avez un job, un mari, un amant, des enfants, de l'argent, un look, des fringues sublimes, des amis célèbres, des invitations à la pelle, une coupe de cheveux divine, une porte d'entrée peinte en Farrow and Ball, un escalier admirable, des vacances... (Je suis à bout de souffle.) Le summum de la perfection. Et vous me demandez de *quelle vie idéale* je parle ?

Silence. Ma respiration est haletante. Demeter s'approche tout près de moi, le visage maculé de vase, les yeux étincelants de fureur.

— OK, *Katie* ! Vous enviez ma vie idéale ? Mais vous ne savez rien du tout ! Alors, ouvrez vos oreilles. Je suis tout le temps crevée. *Tout le temps*. Mon mari et moi nous bataillons pour conserver nos jobs mais nous avons besoin d'argent parce que, oui, nous avons acheté une grande maison avec un crédit colossal et, oui, nous avons dépensé des fortunes en décoration, ce qui était probablement une erreur – mais tout le monde peut se tromper. Je passe ma vie dans les nouveaux restaurants pour établir des contacts professionnels. À assister à des panels de consommateurs, pour la même raison. En ce qui concerne les fêtes et les remises de prix, c'est pareil. Je porte de très hauts talons qui bousillent mon dos et je regarde ma montre toutes les cinq minutes en rêvant de m'échapper.

Ça alors ! Quel choc ! Je revois les boîtes de vêtements Net-À-Porter, les photos sur Instragram, les tweets d'enfer. Demeter ici et là, perpétuellement brillante et souriante. Jamais, au grand jamais, je ne me serais attendue à pareille *confession*.

Elle continue sur sa lancée.

— Je n'ai jamais le temps de voir mes amis. Chaque fois que je rentre tard, les enfants me le font payer. J'ai manqué tellement de moments importants de leur vie que je pourrais en pleurer, sauf que, sur ce sujet, j'ai dépassé le stade des larmes. Je suis une femme de plus de quarante ans dans un monde de jeunes et, un de ces jours, je perdrai mon boulot parce que je suis trop vieille. Mes cheveux grisonnent, comme vous le savez. Et j'ai l'impression de perdre la boule. Alors *foutez-moi la paix* avec ma « vie parfaite ».

— Comment ça, vous *perdez la boule* ?

— Ah ! Et cet escalier admirable que vous évoquez ? Sachez que je les hais, ces saletés de marches.

Demeter tremble de tous ses membres. Au comble de la colère.

— Vous avez déjà essayé de manœuvrer une poussette dans un escalier ? Un *cauchemar* ! Ces marches m'empoisonnent la vie. Tiens, je vais vous raconter ce qui s'est passé la veille de Noël, quand ma fille avait cinq ans. Je remontais des cadeaux de la voiture et j'ai glissé sur les marches verglacées. Résultat, j'ai passé Noël à l'hôpital.

— Oh !

— Alors *plus un mot* sur ce putain d'escalier.

— OK. Désolée d'en avoir parlé.

En fait, je suis secouée. J'avais une telle image de Demeter en manteau de créateur, descendant ces marches d'un pas léger, plus sûre d'elle et royale que jamais. Et voilà que cette vision est supplantée par de nouvelles images. Demeter tirant une poussette avec peine. Demeter trébuchant et tombant.

Le genre de choses qui ne m'avaient jamais *traversé l'esprit*.

— Pardon accordé, dit Demeter. Et moi, je m'excuse de vous avoir laissée quitter l'agence sans aucune considération. Je suis vraiment navrée. Ce jour-là, je n'étais pas dans mon assiette. Mais ce n'est pas une excuse pour vous avoir traitée si mal. Je suis archi-désolée… Cat.

— Katie, en fait. Cat n'a jamais vraiment pris.

— Bon, alors Katie.

Elle me tend une main boueuse. Je la prends. Et, à mon avis, c'est le moment de se tutoyer à nouveau.

— Ne dis rien à papa et Biddy, je t'en prie.

— Leur dire quoi ? Que tu m'as poussée dans la gadoue ? Ne t'inquiète pas. Je n'en avais pas l'intention. Je ne veux pas passer pour une gourde.

— Non, ne leur dis pas que je suis au chômage. Ils croient que… (je regarde mes pieds, gênée) j'ai pris un congé sabbatique de six mois.

— Quoi ?

— C'est parti d'un malentendu et, ensuite, je n'ai pas pu leur avouer la vérité. C'était trop… Je ne pouvais pas, c'est tout.

Demeter a l'air incrédule.

— Ils pensent que tu t'es absentée de Cooper Clemmow pendant tout ce temps ?

— Oui.

— Ils y *croient vraiment* ?

— Ils pensent que j'ai un poste assez important dans la boîte…, je bredouille.

Demeter digère l'information.

— Je comprends. Mais tu vas faire quoi quand les six mois se seront écoulés ?

— Je trouverai du travail. Sinon… C'est mon problème. Je me débrouillerai.

— Je te souhaite bonne chance, dit-elle avec une petite grimace sceptique. Au fait, comment tu sais que ma maison a un escalier ?

Je pique un fard.

— Oh ça ! Un jour, Flora m'a donné ton adresse et… comme j'étais dans le quartier…

— Tu as décidé de jeter un coup d'œil. Et tu t'es dit : *Si cette garce habite ici, elle doit être riche*.

— Non ! Enfin si, en partie ! Quelle maison superbe ! Je l'ai vue dans *Living etc.*

— On croyait que, grâce à la parution, on pourrait la louer pour des séances photo. Mais il n'y a pas eu de demande.

— Elle est pourtant fantastique.

— Quand je la vois, je ne pense qu'au remboursement du crédit. Mais les enfants l'adorent. On ne pourra jamais déménager.

Les traites à rembourser : voilà encore une chose à laquelle je n'avais pas pensé. Pour moi, avec sa vie dorée sur tranche, Demeter n'avait pas ce genre de souci.

— Tu te *comportes* toujours comme si tu menais une vie parfaite, je lui fais remarquer brusquement.

— Comme on dit, je fais bonne figure. Comme tout le monde, non ? J'ai toujours pensé… Tiens, au fait ! Je savais que j'avais oublié un truc. Dans ta liste de mes prétendus privilèges, tu as inclus le mot « amant ». Je n'ai pas d'amant.

Retour de ma colère. Tiens donc ! Madame est dans le déni. Même maintenant, alors qu'on s'achemine vers une « entente cordiale ». Eh bien, les relations diplomatiques sont rompues.

— Mais si ! Tout le monde le sait.

— Tout le monde sait quoi ?

— Que tu couches avec Alex Astalis.

— *Hein ?* Mais c'est du grand n'importe quoi.

Elle se moque de qui ? J'enfonce le clou.

— C'est un secret de polichinelle, à l'agence. C'est pour ça qu'il t'a fait rentrer chez Cooper Clemmow. Élémentaire, chère Demeter. Quand vous êtes ensemble, vous êtes toujours en train de rire et de plaisanter.

— Mais on est de vieux copains. C'est tout ! Qui t'a raconté ça ?

Pas question de mettre en cause Flora.

— Des gens au bureau. Mais c'est de notoriété publique. Vous ne vous êtes pas assez bien cachés.

— Il n'y a rien à cacher ! explose-t-elle. C'est une rumeur grotesque. J'adore Alex, mais franchement ! Il faut être tombée sur la tête pour s'amouracher d'Alex Astalis.

Incroyable ! Elle refuse toujours d'admettre sa liaison.

— Pas la peine de nier. C'est archi-connu. D'ailleurs, pourquoi viendrait-il à la ferme s'il n'était pas ton amant ?

Elle semble sidérée.

— C'est quoi cette histoire, encore ?

— Il n'a pas fait dans la subtilité. Il a réservé sous son vrai nom. Tu lui as téléphoné dès que ton mari t'a annoncé son départ pour Bruxelles. D'après Biddy, il a appelé à 14 h 30. Bien joué.

— Quoi ?

Oh non ! Ça suffit, la vierge effarouchée !

— Pourquoi tu continues à jouer la comédie ? Ça devient pénible.

— Je ne joue pas la comédie ! Alex vient ici ? C'est vrai ?

Sa voix grimpe d'une octave. Elle semble au bord de la panique.

— Oui. Ce matin. Il devrait être arrivé, d'ailleurs. Il va dormir dans la maison.

Demeter ne réagit pas. L'espace d'un instant, je me dis qu'elle n'a pas percuté. Trois secondes plus tard, elle s'affaisse dans le marécage, comme si ses jambes ne la soutenaient plus.

— Il vient pour me virer, murmure-t-elle.

La nouvelle me prend tellement de court que je dois réprimer un rire nerveux.

— *Non !*

— Hélas, si.

Son visage est blême. Elle fixe devant elle un regard vide. Puis elle compte sur ses doigts, comme pour résoudre un problème de logique.

— Alex vient pour moi. S'il voulait qu'on parle d'un projet spécifique, il m'aurait appelée. Donc il veut me surprendre. Une seule explication : il me licencie. Ou il me demande de donner ma démission. Peu importe la manière dont il s'y prend.

— Mais…

Est-ce le choc ? Sans savoir ce qui m'arrive, je me retrouve moi aussi assise dans la boue.

— Mais… tu es la grande chef ! Hyper géniale, en plus. Pourquoi ils voudraient te virer ? Tu *es* l'agence, pour ainsi dire.

Demeter laisse échapper un drôle de petit rire et dit :

— Tu as eu des contacts avec des gens du bureau récemment ?

— Pas vraiment. J'ai juste su que ça n'allait pas *très* bien…

— C'est carrément parti en vrille, tu veux dire. Et je ne comprends pas comment. Non, je ne comprends pas…

Dans un geste de découragement, elle baisse la tête. Ses cheveux mouillés dégagent son cou et laissent apparaître des racines grises sur sa nuque. Elle n'en paraît que plus vulnérable. C'est un aspect d'elle qu'elle veut cacher au monde – comme ce moment de tendresse avec Carlo. En la voyant ainsi, courbée et démunie, j'ai envie de la réconforter d'une petite caresse sur l'épaule. Curieux, non ?

— Écoute, je dis, tu te fais sûrement des idées. Il vient peut-être ici pour se détendre. Il aura vu la brochure sur ton bureau et décidé de faire un break.

Demeter lève la tête.

— Tu crois ?

Sur son visage se mêlent l'espoir et le désespoir.

— C'est possible, je reprends, car la brochure est engageante…

Et je risque un petit clin d'œil. Demeter se met à rire. Pendant un bref moment, elle semble se détendre un peu.

— Elle est mieux que ça, ta brochure. Je ne retire rien de ce que j'ai dit. Tu as du talent, Katie. En vérité, je n'aurais jamais dû te laisser partir. J'aurais dû me débarrasser de cette bonne à rien de Flora, à la place. Tu étais toujours tellement plus dynamique, plus vivante. Au fait, j'y pense ! C'était de *toi*, l'idée des vaches heureuses, n'est-ce pas ? Le concept du changement d'image des yaourts s'appuie entièrement là-dessus.

— Oui, c'était de moi.

Et s'il y avait une possibilité. Si elle…

— J'aimerais t'aider, déclare-t-elle comme si elle lisait dans mes pensées. Surtout maintenant que je sais qui tu es. Mais si je perds mon job, il y a peu de chances… Oh, je sais ! Katie, tu vas aller à la pêche aux infos pour moi. Tu vas le sonder.

— Je ne comprends pas.

— Tu vas aller trouver Alex et bavarder avec lui, pour l'amener à te dire pourquoi il est venu. Tu peux le faire. Oui, tu peux.

— Mais…

— S'il te plaît. *Je t'en prie*. Si je connais ses intentions, je pourrai préparer ma défense. Essayer de sauver ma tête. *S'il te plaît*, Katie…

Est-ce parce qu'elle se souvient finalement de mon nom ? Parce qu'elle me supplie avec cet air si désespéré ? Ou parce que j'ai été assez garce comme ça ? Toujours est-il que j'accepte en hochant lentement la tête.

16

Vous avez déjà vu quelqu'un chanceler de stupéfaction ? Moi, oui : Alex. Quand il m'aperçoit, il vacille littéralement. (Il faut préciser, pour être juste, qu'il est en train de marcher sur un talus de gazon, ce qui n'aide pas.)

Nous nous trouvons dans le modeste jardin de la ferme – une petite pelouse et quelques massifs de fleurs avec un talus qui mène au pré des yourtes. C'est l'endroit où a lieu le thé de bienvenue.

Alex enlève ses lunettes de soleil et met sa main en visière.

— Ça alors ! Katie ! Je veux dire Cat ! C'est *vous* ?

Midi sonne. Il s'est passé beaucoup de choses depuis ma confrontation avec Demeter. En particulier, une grande séance avec éponge et savon. *Toute* cette boue à enlever !

En revenant à la ferme, j'ai appris qu'Alex avait appelé pour prévenir qu'il arrivait une demi-heure plus tard. Le principal souci de Demeter étant de ne pas le rencontrer avant d'en savoir plus, je l'ai cachée dans la réserve à bois. Et elle m'a remerciée avec la plus humble gratitude.

Au fond, je ne connaissais pas Demeter quand je bossais chez Cooper Clemmow. Et tout cas, pas la *vraie* Demeter.

Je veux la connaître mieux, sous son vernis. Découvrir qui elle est sous sa réussite, ses vêtements chics et sa manie de balancer à tout va des noms connus.

Mais là n'est pas la priorité. L'urgence, c'est la promesse que je lui ai faite – est-ce que c'était malin de ma part, l'avenir le dira – et que je veux absolument tenir. Même si l'apparition d'Alex me chamboule considérablement. Même si cette phrase tourne en boucle dans ma tête… *Finalement il ne couche pas avec Demeter… Il ne couche pas avec Demeter…*

Oui, et alors ? Alors rien, parce qu'il couche sûrement avec une autre fille. Ou alors il est *amoureux* d'une autre fille. Et il y a des chances pour qu'il ne me trouve pas du tout à son goût (hypothèse plus que probable, surtout depuis notre dernière rencontre).

Sous ma douche, je me suis passé et repassé le feuilleton « Alex ». Pas génial. Voyons les choses en face : à la fin du dernier épisode, je n'ai pas été très polie. Je lui ai aussi parlé d'une *étincelle* entre nous. (Il n'y a que moi pour sortir une idiotie pareille. Moi, Katie Brenner, experte dans l'art de tout foutre en l'air.)

Vous devinez comme la situation est inconfortable. Mais chose promise, chose due. Et, juré-craché, je vais contrôler ma nervosité. Parfaitement.

Dès que je l'aperçois, je ne suis plus qu'une boule de nerfs.

J'avais oublié combien il était séduisant. Élancé, en jean et polo orange délavé, avec ses cheveux bruns qui brillent dans le soleil. Première réaction : *Il n'est pas en costume de boulot. Donc il ne va pas virer Demeter*. Puis je me souviens : *Il ne porte jamais de costume. Déduction lamentable.*

Son regard est si intense, si concentré qu'il semble deviner tous mes secrets : mes sentiments pour lui, la cachette de Demeter, tout. Mais là, je fantasme. *Ressaisis-toi, Katie !*

Je suis déterminée à adopter une attitude super nonchalante, en espérant être convaincante, ce qui est loin d'être évident.

— Bonjour, bonjour ! je lance.

(Dois-je faire celle qui ne se souvient pas ? *C'est bien Alex ou je me trompe ?* Non. Il va comprendre que je fais semblant et j'aurais l'air ridicule. J'abandonne l'idée.)

— C'est vous, Cat ?

— Katie, je corrige. Appelez-moi Katie.

— Vous paraissez différente, constate-t-il en plissant le front pour déterminer ce qui a changé en moi.

(Réaction totalement masculine. Une fille remarquerait immédiatement : *cheveux bleutés et frisés, pas d'eye-liner, un kilo de plus, taches de rousseur. Et où sont passées ses lunettes ?*)

Il s'approche de son grand pas souple, comme s'il voulait se dépêcher sans toutefois piquer un sprint.

— C'est dingue ! Qu'est-ce que vous faites là ?

— J'habite ici.

— Vous habitez ici ? C'est votre nouveau job ?

— Oui, mais c'est aussi l'endroit où je vis. Où j'ai toujours vécu, d'ailleurs.

Il se passe la main dans les cheveux – une de ses manies.

— Attendez ! Vous ne vivez pas à Birmingham ?

Même si j'ai décidé de ne pas analyser chaque mot qu'il prononce, je cogite aussitôt. Je ne lui ai jamais parlé de Birmingham. Ça voudrait dire qu'il a parlé de moi à quelqu'un ? Ou…

Stop. Ça ne veut *rien* dire.

— J'y ai travaillé un temps, je réponds. Demeter a sans doute mal compris. Mais elle ne s'embarrasse pas de détails. Et pas des jeunes de son équipe, non plus.

Je croise les bras et le dévisage, imperturbable. C'est une tactique. Plus je dirai d'horreurs sur Demeter, plus je l'amènerai à parler d'elle. En tout cas, il ne pourra pas suspecter que je suis en *service commandé.*

Enfin, j'espère !

Il est si malin que je ne suis sûre de rien. Mais je vais faire de mon mieux.

— Vous savez qu'elle séjourne ici ? j'ajoute. Vous êtes venu pour une réunion de travail ou pour faire un break ?

J'attends sa réponse avec impatience. Sauf qu'il n'a pas l'air d'avoir entendu ma question.

— Vous avez parlé à Demeter ? dit-il.

— Bien sûr que non. Juste bonjour et bonsoir. Au début, elle ne m'a même pas reconnue. Typique.

— C'est typique ? s'anime Alex. Vraiment ? Vous avez travaillé pour elle. Vous savez...

Il s'arrête de parler, l'air étonnamment affligé.

— Je sais quoi ?

— Aucune importance. Les jeux sont faits.

Il se réfugie dans le silence. Il est anxieux, on le voit aux petites rides autour de ses lèvres. Il n'a pas l'air de quelqu'un qui s'offre des vacances, plutôt d'un type engagé dans une mission à contrecœur.

Quel manque de prévenance de sa part, tout de même. Le licenciement ne figure pas sur la liste de nos activités. Ce genre de sport n'est pas du tout dans l'esprit d'Ansters Farm.

Après un moment, il demande :

— Dites-moi, elle est là en famille ?

— Oui. Ils sont ravis de leur semaine. Je la préviens que vous êtes là ?

— Non ! Non ! Ne lui dites rien. Laissez-moi le... Écoutez, Katie, j'ignorais que vous étiez là. Votre présence complique les choses.

— Complique quoi ? je demande en jouant l'étonnée.

— Le problème Demeter, crache-t-il. Oh, merde ! Je ne m'attendais pas à tomber sur *vous*. Ça me déstabilise !

— Tout ça ne me regarde pas, j'affirme d'un ton suprêmement indifférent. Simplement, évitez de contrarier nos pensionnaires. Pas de scène, de dispute, etc.

— J'ai bien peur que nous dépassions le stade de la dispute, annonce-t-il avec un petit rire sinistre. Et même pire.

Je m'oblige à hausser les épaules sans rien dire. J'ai le sentiment qu'il aimerait bien se libérer de son fardeau. Tout le prouve : ses yeux tristes, sa façon de croiser fébrilement les doigts, de m'observer...

— Il faut que je vous dise quelque chose, lâche-t-il brusquement. Vous savez tenir votre langue ?

— Évidemment.

— Le moment est *critique*. Je dois signifier à Demeter son départ de l'agence.

J'avais beau le savoir, la nouvelle me frappe en plein cœur. Demeter virée ? Impossible à imaginer. Ça n'a pas de sens. Elle est la reine de la créativité. Celle qui stimule les équipes. Celle qui se remue. Elle mène la danse, les autres suivent. Elle est la boss. *Point final.*

Je réalise après coup que je n'ai manifesté aucune surprise. Idiote, va !

— Le choc me paralyse, j'explique. Je suis incapable de réagir.

Voilà qui devrait couvrir mes arrières. Espérons.

— Je comprends. Croyez-moi, la décision a été dure à prendre. Demeter est incontestablement brillante, mais il y a eu quelques problèmes. Comment dire ? Les choses n'ont pas marché comme sur des roulettes. Adrian le pense – comme *tout le monde*, en vérité.

Essayons d'en savoir plus.

— Quel a été le facteur *déterminant* ? je demande.

— Il n'y en a pas qu'un seul, soupire Alex. Mais la dernière boulette avec Allersons est impardonnable.

Il regarde autour de lui pour être sûr que personne ne peut l'entendre.

— Ceci est confidentiel, d'accord ?

— Cela va de soi. Nous avons une devise : « Rien ne sort des écuries. »

Je me suis moquée de Steve l'autre jour, mais en fait sa formule n'est pas si mauvaise.

Perplexité d'Alex.

— Nous ne sommes pas dans une écurie.

— Ça s'applique à toute la propriété. Vous disiez quoi à propos d'Allersons ?

— Oui, Demeter a rencontré les gens d'Allersons, il y a quelques semaines. Allersons Holding, vous voyez ? Bon. Ils voulaient opérer un « rebranding » total de leur chaîne de restaurants Flamming Red. Énorme job. Apparemment, Demeter a fait forte impression. Elle a sorti des tas d'idées formidables pour rénover l'image des établissements. Elle est allée jusqu'à leur suggérer de monter un atelier de travail qui sillonnerait le pays. Ils étaient emballés.

— Et… ?

— Et elle n'a pas donné suite.

— C'était à elle de le faire ?

— Et comment ! Mais, pour une raison bizarre, elle s'est persuadée qu'Allersons voulait retarder le projet. Elle a passé le mot à Rosa et à Mark. Et plus personne ne s'en est soucié.

— Et ce n'était pas vrai ?

— Non ! Ils attendaient un retour de sa part. Apparemment, ils n'ont pas arrêté de lui envoyer des mails et elle leur renvoyait des messages rassurants. Mais ils n'étaient clairement pas *sur la même longueur d'ondes*. Ils ont fini par contacter directement Adrian – c'était hier matin – et il a explosé.

Je réfléchis à toute allure.

— Vous en avez parlé à Demeter ?

— Évidemment. Hier, nous avons eu plusieurs conversations téléphoniques à ce sujet. Mais – et c'est le pire – elle s'entête. Elle maintient qu'elle n'a pas commis d'erreur, que les gens d'Allersons sont responsables et qu'elle nous démontrera sa bonne foi quand elle rentrera au bureau. Hélas, nous avons un mail qui prouve le contraire. C'est un sacré bordel. Adrian refuse de lui parler. Personne ne veut plus avoir affaire à elle. Ils pensent qu'elle perd la boule, conclut-il d'un air véritablement navré.

— Ça suffit pour la virer ?

— Il y a eu d'autres incidents. D'abord une sacrée gaffe : elle a expédié un mail au mauvais destinataire. Vous en avez entendu parler ?

J'acquiesce en grimaçant.

— Il a fallu qu'elle s'aplatisse un max devant Forest Food. Ensuite, il y a eu le loupé avec Sensiquo…

— Je m'en souviens aussi. Plus ou moins. Une conversation que j'ai surprise.

Et je revois sa prise de bec avec Rosa dans les toilettes.

— Elle a décroché le budget Sensiquo, mais ensuite tout a dérapé. Et puis plusieurs personnes se sont plaintes de sa manière de diriger son équipe, de traiter les juniors, de ses sautes d'humeur…

Il se frappe le front et embraie :

— Je ne *pige* pas. Elle a été ma première patronne. À l'époque, elle était fabuleuse, flamboyante. Elle poussait les autres. Elle y allait *à fond*. Oui, c'est vrai, elle a toujours été un peu impulsive. Mais c'est sa personnalité. Et ses éclairs de génie faisaient tout passer. Elle avait l'âme d'un vrai chef. Elle dirigeait d'une main de maître. Aujourd'hui… Je ne sais pas ce qui lui est arrivé. On me reproche de l'avoir engagée, de prendre sa défense…

— Venir la virer *pendant les vacances*, vous appelez ça prendre sa défense ?

— Je me suis donné beaucoup de mal pour elle, proteste-t-il avec un regard noir. Et je préfère lui parler ici plutôt que de la voir convoquée par Adrian à son retour et que tout se passe devant son équipe. Croyez-le ou pas, je me suis porté *volontaire* pour venir. De toute façon, qu'est-ce que ça peut vous faire puisque vous la détestez ?

— Eh oui ! Elle m'a licenciée. Elle mérite ce qui lui arrive. La garce !

— Vous ne pouvez pas dire ça ! Tout le monde pense qu'elle l'est, mais je vous assure du contraire. Elle traverse une sale période et j'ignore pourquoi.

J'ai envie d'avouer : *Je vois ce que vous voulez dire. Moi-même, je commence à la considérer sous un jour différent.* Mais ce n'est pas conforme à mon rôle. Alors, pour me donner contenance, j'attrape un bleuet et, selon ma sale habitude, je commence à l'effeuiller.

— Katie ! Laisse ce pauvre bleuet tranquille !

C'est la voix, pour une fois réprobatrice, de Biddy. Elle a le chic pour me surprendre quand je fais une bêtise. Je souris et me précipite pour l'aider. Sur le plateau archi-chargé qu'elle apporte dans le jardin se trouvent une cafetière, une tasse et sa soucoupe, un pichet de lait, deux scones avec de la confiture et de la crème épaisse, une tranche de gâteau glacé au citron et deux cookies aux pépites de chocolat.

— Tu crois que ce sera *suffisant* ? je lui souffle tandis que nous déposons ces délices sur une table en fer forgé à l'ombre d'un parasol.

— Je voulais l'accueillir dignement, murmure-t-elle. C'est le premier occupant de la chambre d'hôtes.

Et, s'adressant à Alex :

— Monsieur Astalis, je vous invite à venir découvrir une vraie collation du Somerset. Ensuite je vous montrerai votre chambre.

Tête sidérée d'Alex quand il s'attable. Mais il fait un sourire charmant à Biddy.

— Des scones, quelle chance ! Et de la confiture ! Faite maison, je présume.

Dès que Biddy repart vers la maison, il repose le scone dans l'assiette.

— Je ne *peux pas* avaler tout ça ! Désolé. J'ai pris un petit-déjeuner sur la route, il y a une heure.

— Ne vous inquiétez pas ! Biddy voulait seulement vous souhaiter la bienvenue.

— Bienvenue ? Est-ce que ça veut dire « problèmes coronariens » en patois local ? dit Alex, l'œil fixé sur le bol de crème.

J'adore son sens de l'humour.

— Sérieusement, vous devriez au moins goûter le gâteau au citron. Il est sublime.

— Sans faute, mais plus tard.

Après avoir emballé la tranche de gâteau dans une serviette, il pose les mains bien à plat sur la table.

— Assez tergiversé, déclare-t-il. Je dois parler à Demeter. Où est-elle ?

Motus et bouche cousue : telle est ma devise.

— Biddy veut vous faire les honneurs de votre chambre maintenant. Ça ne prendra pas longtemps. Elle très excitée car… vous êtes le premier client.

— Vraiment ? s'étonne Alex. Je croyais que votre business était déjà opérationnel.

— Pour ce qui est du camping, c'est exact, mais le gîte est tout nouveau. Biddy est assez nerveuse, alors…

— Je ne veux surtout pas la décevoir, fait Alex après avoir avalé une gorgée de café. Mais il est probable que je n'utiliserai pas ma chambre.

— Vous ne restez pas cette nuit ?

Je m'efforce de ne pas paraître dépitée. Parce que – qu'est-ce que vous allez imaginer ? – je ne suis pas dépitée du tout.

— J'ai réservé pour la nuit au cas où les choses prendraient plus de temps que prévu mais je n'ai pas l'intention de rester. Inutile de prolonger.

— Vous nous ferez quand même une bonne critique sur TripAdvisor ?

La question a jailli spontanément, ce qui amuse Alex.

— Comptez sur moi ! Dix étoiles !

— Le classement s'arrête à cinq, je réponds en rigolant à mon tour.

— Alors cinq étoiles et demie.

Il termine sa tasse et me regarde d'un air interrogateur, comme s'il n'avait pas encore pris de mes nouvelles.

— Alors Katie Brenner, comment va la vie ?

— Que vous dire ? Toujours pas de boulot, mais ça va. J'ai aidé mon père à démarrer son glamping. Avec Biddy, ma belle-mère.

— Vous avez tout créé du début à la fin ?

— Oui.

— Tous les trois ?

J'acquiesce d'un hochement de tête. Alex s'empare de la brochure que Biddy a obligeamment laissée sur le plateau. Il l'étudie pendant une minute et me dit :

— La première fois que j'ai vu votre brochure, c'était au bureau. J'ai pensé que *ça ressemblait* au travail de Demeter. Vous avez beaucoup appris à son contact. Félicitations.

Ô joie ! Allégresse ! Mais restons sobres.

— C'est gentil. Au fait, pourriez-vous ne pas dire à mon père et à Biddy que vous me connaissez, s'il vous plaît ?

— Ah bon ?

— C'est compliqué. Ils ne savent pas que je connais Demeter. Et… enfin, qu'importe !

— Très bien.

Il est perplexe et même un peu vexé, mais tant pis. Je ne peux pas *tout* affronter en même temps. De toute façon, il ne va pas rester assez longtemps pour bavarder avec Biddy. Encore moins avec papa.

Quand je lui verse du café, il m'arrête d'un geste.

— Non, je dois y aller !

Il avale tout de même une gorgée. (Un truc que j'ai remarqué en travaillant ici : soixante pour cent des gens qui disent « non merci » quand on leur propose davantage de café en boivent finalement deux tasses supplémentaires.) Nous nous taisons. La brise nous apporte les rires des enfants que papa occupe ce matin à fabriquer des épouvantails. Ensuite, ils iront canoter sur le lac. Ils s'amusent bien ici, c'est indéniable.

Le silence s'éternise. Je suis un peu gênée. Mais de quoi parler ? Soudain, Alex se lance.

— Vous savez, j'ai beaucoup pensé à ce que vous avez dit juste avant de quitter Cooper Clemmow. Ça m'a turlupiné. Pendant deux ou trois nuits, j'ai mal dormi et j'ai failli vous appeler.

Il quoi ?

Je suis sous le choc. Pour gagner du temps, je joue avec une petite cuillère d'un air dégagé. J'ai envie de lui demander : *De quoi parlez-vous exactement ? Pouvez-vous être plus clair ? Pourquoi dormiez-vous mal ?* Mais pas question de m'abaisser. Je préfère m'abstenir.

— Ah bon, je marmonne pour dire quelque chose.

Je fais l'erreur de lever les yeux. Et – devinez quoi ? – je croise son regard profond.

— Eh bien, dit-il doucement.

Les papillons sont de retour. Pourquoi ce regard ? Pourquoi ces mots ?

Je me rends à l'évidence : ma stratégie a explosé en plein vol. Je ne suis plus calme du tout. Comment savoir ce qui a déclenché cela ? Ses yeux ? Sa voix ? Juste… lui ?

— Ce n'est pas tout ça, je dis, mais je dois filer. Une chose à faire. Excusez-moi.

— Mais bien sûr !

Alex se reprend. Ses yeux perdent de leur éclat.

— Navré de vous avoir retenue. Vous devez être très occupée. Bon, allez, c'est parti. Aucune idée de l'endroit où se trouve Demeter ? Votre père croyait qu'elle était avec vous.

— Non, aucune idée. Certainement pas très loin. Si je la vois, je vous l'envoie.

À cause du soleil, il cligne des paupières en me fixant.

— Vous ne la prévenez de rien, d'accord ? Ce qui est prononcé dans l'écurie…

— La *prévenir* ? je répète comme si c'était inconcevable. Faites-moi confiance. Je la bouclerai.

— Tu es renvoyée ! je crie en entrant dans la réserve à bois. C'est vrai ! Adrian te laisse tomber. À cause de l'histoire Allersons, du mail Forest Food, du problème Sensiquo et de ton attitude envers ton équipe. Tout le truc, quoi…

— *Tout ?*

Tapie dans le fond de la réserve à bois, Demeter ressemble à un otage après un mois de captivité. Contrairement à moi, elle n'a pas pris de douche parce qu'elle avait trop peur de tomber sur Alex. Son visage est donc toujours zébré de boue sèche, coiffé d'un magma poussiéreux, et ses épaules sont couvertes de copeaux de bois qui ressemblent à des pellicules géantes. Elle a l'air accablée. Je me demande si je ne me suis pas montrée trop brutale.

Je rectifie en termes moins abrupts :

— Enfin, tu sais ! Tes erreurs. Et tes relations avec les gens du bureau.

— Quelles relations avec les gens du bureau ?

Elle affiche une expression que je lui connais bien : désorientée et *incroyablement* mécontente.

— Ce n'est pas à moi de te le dire !

Silence. Son pied frappe le sol nerveusement. Et ses yeux… Elle me fait penser à un taureau prêt à charger.

— Parle-moi franchement. Tu fais partie de mon équipe. Alors dis-moi.

L'enfer sur terre.

— Ce n'est pas grand-chose, je commence.

— Ça doit l'être, forcément.

— Pas vraiment. *Quelques petits* détails…

Quelle galère !

— À l'évidence, c'est beaucoup plus. Katie, nous sommes entre collègues, ici. Parle-moi franchement. Fais-moi un rapport clair, net et sincère de ce qu'on me reproche. Pas de cachotteries !

Oh non ! C'est *infaisable.*

— Je ne peux pas, j'avoue en me tortillant. Ce serait… déplaisant.

Demeter éclate :

— *Déplaisant ?* Tu ne crois pas que je trouve *déplaisant* de devoir me planquer au milieu des bûches pour éviter un mec qui a travaillé sous mes ordres ? De voir ma carrière partir à vau-l'eau ? De me dire que je deviens folle ?

Les larmes aux yeux, elle se prend la tête à deux mains.

— Tu ne peux pas te mettre à ma place. Tout ça est incompréhensible. *Purement et simplement incompréhensible.*

À ma plus grande consternation, elle se frappe le front avec ses poings.

— Tout ça n'a aucun sens. Je crois que je perds la boule. Je deviens folle. Mais je ne peux me confier à personne. Pas même à James.

— Toi, folle ? C'est ridicule.

Demeter secoue la tête sauvagement, comme si elle ne pouvait pas m'entendre.

— Tout valdingue. Tout se retrouve sens dessus dessous. Les mails, les messages. Je passe mes journées dans un état proche de… la panique. Oui, de la panique. J'essaie de me tenir au courant et je n'y parviens pas. *Clairement*, j'échoue, comme le prouve mon licenciement imminent.

Elle essuie ses larmes.

— Excuse-moi. Ça ne me ressemble pas.

— Tu es brillante dans ton métier, je proteste, de plus en plus mal à l'aise. Tu es mon modèle, tu as des idées étonnantes…

Elle interrompt les louanges.

— Parle-moi plutôt de l'équipe. Où ai-je merdé ? Pourquoi ils me haïssent ?

Je suis le point de lui servir un banal *Non, ils ne te haïssent pas*. Mais quelque chose dans sa physionomie m'en empêche. J'ai du respect pour cette femme. Elle mérite mieux qu'un bobard nul. Je choisis un nom au hasard :

— Prends Rosa. Elle a l'impression…

Comment formuler ma phrase ?

Elle a l'impression que tu vas lui écraser les doigts avec tes escarpins Miu Miu.

— Elle a l'impression que tu n'encourages pas le développement de sa carrière. Par exemple, avec le projet sportif du maire.

— Elle m'en veut pour *ça* ? s'étonne Demeter.

— Elle aurait pu prouver son talent….

— Je rêve ! soupire Demeter en fermant les yeux. Tu veux savoir la vérité ? Elle n'a pas été retenue pour le projet du maire.

— Quoi ?

— J'ai écrit un mail pour la recommander, nous avons envoyé son dossier mais sa candidature a été refusée.

— Mais pourquoi tu ne lui as pas dit ?

— Rosa est une fille hyper sensible. Un peu écorchée, même. J'ai cru la protéger en lui disant que j'avais besoin d'elle, de manière à ce qu'elle ne perde pas confiance.

— Tu as peut-être réussi mais…

— Aujourd'hui elle me déteste, conclut Demeter. Oui, je saisis maintenant. Conséquences involontaires de mes actes, etc.

L'espace d'une seconde, son visage se convulse.

— On ne m'y reprendra plus, dit-elle. Qui d'autre ?

— Mark, je crache en me sentant encore plus mal. Il te hait parce que tu lui as volé la vedette sur le budget de la lotion Drench.

— *Vraiment ?* Mais ça a été une énorme réussite. On a gagné des prix. Excellent pour sa réputation.

— Je sais, mais il avait ses propres idées. Toi, tu as débarqué, tu as récupéré le truc et il s'est senti diminué. Enfin, tu sais, je ne fais que répéter ce que j'ai entendu…

Je me mords les lèvres et me tais. Vu la tête furieuse de Demeter, c'est plus sage.

— Je l'ai sauvé. Putain, je l'ai vraiment *sauvé* ! Ses maquettes ne ressemblaient à rien. Il a du talent mais il accepte trop de commandes en free lance. Je *sais* que c'est à ça qu'il se consacre quand il travaille chez lui. Il a besoin d'argent, il prend trop de boulots en parallèle et la qualité s'en ressent. Bon, évidemment, j'aurais peut-être dû me montrer plus diplomate, concède-t-elle après un moment de réflexion. Quand j'ai une bonne idée, j'en oublie tout le reste. C'est un de mes défauts.

Comme je ne sais pas quoi répondre, je me tais. Demeter, elle, continue sur sa lancée.

— Donc, j'ai deux ennemis dans la place, Rosa et Mark. Il y en a d'autres ?

— Ennemi est un grand mot, je m'empresse de dire alors que c'est exactement le terme qui convient. C'est juste qu'ils ne se sentent pas mis en valeur. Tu savais que Mark avait gagné un prix de créativité ?

J'ai droit à un coup d'œil meurtrier.

— Si je le savais ? C'est moi qui l'ai recommandé. Je participe aux délibérations du jury. Après, je lui ai envoyé une carte de félicitations.

Elle fronce les sourcils.

— En fait, est-ce que je l'ai envoyée ? Je sais que je l'ai *écrite*…

— *Comment* ! Tu ne lui as pas *dit* qu'il avait été primé grâce à toi ?

— Sûrement pas. C'est anonyme.

— Donc personne à l'agence n'est au courant pour ce coup de pouce ?

— J'en sais rien.

— Eh bien, c'est une erreur, je m'énerve. Tu aurais mérité qu'on te témoigne de la gratitude. Tu me rends dingue, Demeter ! Tu es tellement plus gentille que tu ne le montres. Mais tu dois aussi ménager tes arrières.

— Ah ouais ? Et que signifie ce petit prêchi-prêcha ?

Ah, ce ton hautain ! Elle recommence à m'exaspérer.

— *N'oblige* pas les gens à fermer ta robe et à te teindre les cheveux. *Ne dis* pas à Hannah qu'elle fait du cinéma parce qu'elle a des crises de panique.

— Je n'ai jamais rien dit de pareil. Ce n'est pas mon genre. Je soutiens Hannah.

— J'étais présente et je m'en souviens. Tu lui as dit : « Personne ici ne pense que tu fais du cinéma. » Pour elle, c'était comme si tu la traitais de *comédienne.*

— Je comprends.

S'ensuit un long silence pendant lequel Demeter semble ruminer ces informations.

— Je dois avoir de vrais problèmes de communication, avoue-t-elle au bout d'un moment.

Au point où j'en suis, autant faire preuve d'honnêteté jusqu'au bout.

— Au bureau, nous avons une expression pour résumer tes vacheries. C'est « la moulinette de Demeter ».

Autre pause. Elle ressasse, elle rumine. Effectivement, un instant plus tard, elle s'exclame :

— Et les racines ? Tu me détestes parce que je t'ai demandé de me teindre les cheveux ?

— Euh…

Compliqué de répondre. Heureusement, elle enchaîne tout de suite :

— Parce que pour moi, ce serait *impensable*. On est liées par la solidarité féminine, Katie. Si tu me demandais de te teindre les cheveux et si j'avais le temps, je le ferais sans hésiter. *Ça va de soi.*

Elle me regarde sans ciller et je la crois. Elle s'occuperait de mes racines dans la seconde, sans se sentir rabaissée.

Chaque révélation est comme une pièce supplémentaire qui vient compléter le puzzle. D'une certaine façon, la personnalité de Demeter ne *colle* pas à sa réputation. Elle est sans doute irréfléchie mais pas méchante. Elle ne fait pas exprès d'écraser les doigts des gens avec ses talons Miu Miu : elle ne fait simplement pas attention à l'endroit où elle pose les pieds. Et puis elle croit qu'on l'aime comme elle est, c'est-à-dire concentrée sur son boulot sans trop se soucier des détails. L'ennui, c'est que les détails *comptent beaucoup* pour les membres d'une équipe.

Plus je la perce à jour, plus je la trouve horripilante. Parce que, honnêtement, les choses seraient bien différentes si elle était plus attentive aux autres.

— Tu sais, si tu ne confondais pas les noms des gens qui bossent avec toi, ça aiderait. Et cette manière de t'adresser à eux comme si tu ne te souvenais pas de qui ils sont ou de ce qu'ils font, c'est *terrible.*

Pour la première fois, elle a l'air vraiment secouée.

— J'ai un petit problème de reconnaissance visuelle, admet-elle. Rien du tout, en fait. J'ai réussi à le cacher depuis toujours. Ça n'a jamais eu de conséquences sur mon travail.

Quelle tête de mule ! J'ai envie de l'étrangler.

— Tu n'as pas tellement réussi à le cacher, je réplique. Quant aux conséquences sur ton travail, parlons-en. Tu es sur le point d'être licenciée et c'est une des raisons. Les gens croient que tu les traites par-dessus la jambe. Si tu leur avouais que tu as un problème…

Mais j'y pense, tout d'un coup !

— Et si c'était pour ça que tu as du mal à te souvenir de certaines choses ? Un *dysfonctionnement*, un peu comme la dyslexie ? Ça se soigne, ça se rééduque…

— J'aimerais bien, mais c'est pire, dit-elle en souriant tristement. J'ai lu sur le Net les symptômes de la dégénérescence précoce. Je les ai tous.

— Mais tu es en pleine forme, je proteste, assez déprimée par la tournure de la conversation. Tu es sensée, lucide, et *jeune*.

Demeter secoue la tête.

— J'oublie que j'ai envoyé des mails, je me trompe dans les dates, je ne me souviens pas des boulots qu'on m'a confiés. Cette embrouille avec Allersons ! Ils souhaitaient retarder le projet parce qu'ils attendaient les éléments d'une enquête qu'ils avaient commandée. *J'en donnerais ma main à couper.* Mais tout le monde me dit le contraire. C'est donc moi qui perds la boule. Heureusement, je réagis vite et j'arrive généralement à me sortir des situations délicates. Mais pas toujours.

Flash-back : Demeter, debout dans l'open space, fixant l'écran de son téléphone comme si le monde tournait à l'envers, puis regardant son assistante d'un air complètement désorienté avant de détourner l'attention de l'équipe en faisant une annonce sur un sujet complètement différent. Une stratégie pour retomber sur ses pieds, ni plus ni moins.

Cette idée me met mal à l'aise. À mes yeux, Demeter est sans conteste une femme intelligente et puissante, au sommet de son talent et qui gère ses subalternes sans finesse.

Elle va et vient nerveusement en fronçant les sourcils. On dirait qu'elle essaie de résoudre un problème mêlant le théorème de Pythagore et la théorie séquentielle.

— Je *sais* que j'ai vu ce mail, déclare-t-elle soudain. Je l'ai imprimé. Et je l'*ai* quelque part.

— Où ?

— Mystère. Pas dans mon ordinateur : j'ai vérifié plusieurs fois. Mais… Minute ! Est-ce que j'aurais pu le fourrer dans mon sac en raphia ?

Elle se fige sur place et je retiens mon souffle de peur de la perturber.

— Oui. J'ai emporté une liasse de mails à la maison. Ils ne sont pas sur mon bureau, j'ai vérifié. Mais peut-être dans ce sac. Il est resté accroché à la poignée de porte de ma chambre pendant des semaines. Je n'ai même pas pensé à… C'est là que *serait* ce mail ?

Elle me regarde intensément, comme si elle espérait une réponse. Franchement ! J'en sais rien, moi ! D'un autre côté, ce serait *bien* son style d'enfouir des mails dans un sac et d'oublier.

— Peut-être.

— Il faut que j'en aie le cœur net. Je vais aller voir.

— Où ?

— À Londres. Il est seulement midi. Je peux être rentrée ici ce soir. Les enfants sont occupés. Ils ne s'apercevront pas de mon absence.

— Tu vas à l'agence ?

— Sûrement pas. Je ne prends même pas le risque de m'en approcher. Non, je vais chez moi. Voir ce que je peux récupérer. J'ai *besoin* de munitions pour me battre.

— Et Alex ? Il t'attend.

— Quand je serai partie, tu peux lui parler de mon expédition. De deux choses l'une : ou il me suivra ou, et le connaissant c'est plus probable, il ne bougera pas. Encore un service, Katie. Donne-moi une longueur d'avance. D'accord ?

17

Une longueur d'avance, d'accord. Mais pour combien de temps ?

Vingt minutes se sont écoulées. Demeter est partie. Auparavant, je l'ai fait discrètement entrer dans la maison, suis restée en faction pendant qu'elle prenait une douche en vitesse et j'ai surveillé les alentours alors qu'elle quittait la ferme en voiture. Il faut maintenant que je voie ce que fabrique Alex.

Il n'est plus dans le jardin. Quand je frappe à la porte de sa chambre, je n'obtiens pas de réponse. Je le trouve dans la cuisine, assis à la table en formica, devant l'étalage de confitures de Biddy. Il prend une expression bizarre en m'apercevant. Amusée ou inquiète ? Difficile à déchiffrer.

Peut-être *apitoyée* ?

Je jette un rapide coup d'œil interrogateur à Biddy, qui me sourit gentiment. Visiblement, pour elle, tout va bien.

— Salut, la compagnie ! je lance.

— Re-bonjour, Katie, fait Alex d'une voix empruntée. Je viens de bavarder avec votre père. Il me dit que vous travaillez dans une agence du nom de Cooper Clemmow et que vous avez pris un congé sabbatique.

Une paire de cymbales résonnant à l'intérieur de ma tête et de mon corps ne produirait pas plus de dégâts. Tout mon univers s'entrechoque et dégringole alors que, extérieurement, je reste impavide. Impuissante, je fixe Alex en implorant silencieusement. *Non. S'il vous plaît. Nooooon.*

Papa ne résiste pas au plaisir de faire un commentaire :

— Un congé qui n'est pas de tout repos, hein, Kitty-Kate ? Ils l'appellent sans arrêt pour avoir son avis sur tout.

— Ah bon ? dit Alex, toujours coincé. Quel manque d'égards !

Je veux rentrer dans ma coquille. Disparaître.

Au tour de Biddy de mettre son grain de sel :

— Elle est toujours sur son ordinateur pour des histoires de marques. Tout le monde la veut, notre Katie !

— Ces patrons de Londres exagèrent ! soupire Alex.

— Trop exigeants, confirme papa. Quand même ! Elle est en congé ou elle ne l'est pas ?

— Bonne question ! approuve Alex. C'est même le cœur du problème, Mick.

Je me force à intervenir en bafouillant :

— Ce n'est pas… euh… aussi tranché.

— Oui, c'est le sentiment que j'ai, dit Alex en croisant mon regard.

Il parait intrigué et gêné. En même temps, je comprends qu'il ne va pas me trahir. En tout cas, pas dans l'immédiat.

— Vous avez trouvé Demeter ? reprend-il.

— Elle… ne semble pas se trouver… dans les parages, je réponds en faisant bêtement mine d'inspecter la cuisine.

Franchement, ce n'est pas un mensonge.

— Et si tu emmenais Alex faire le tour du propriétaire ? propose Biddy. Vous tomberez peut-être sur elle. C'est votre première visite dans le Somerset, Alex ?

— Absolument. Je ne connais que des villes et la campagne reste un grand mystère pour moi. Je n'ai même pas de bottes en caoutchouc, c'est vous dire.

— Il faut arranger ça, dit Biddy.

Elle ouvre la porte et le fait sortir.

— Respirez fort ! lui conseille-t-elle. Il faut nettoyer vos poumons de citadin.

Il lui obéit en souriant. Puis il admire longuement le panorama vers les collines et les prés.

— Je ne connais rien à la campagne, déclare-t-il soudain, mais, à mon avis, si vous coupiez *ce bosquet*, vous auriez une vue encore plus dégagée.

— Vous avez peut-être raison, dit papa, un peu estomaqué. Oui, au fond, c'est vrai. Qu'est-ce que tu en dis, Biddy ?

— Mais oui, bonne idée. Quand je pense à toutes nos discussions sur le moyen d'améliorer la vue !

— Alors qu'Alex a trouvé la solution du premier coup ! s'enthousiasme papa.

Tous les deux l'observent avec un certain respect.

— Vous savez, c'était juste une suggestion, s'excuse Alex. Moi et la verdure, ça fait deux. Alors, on la fait cette promenade ?

Comme il ne s'agit pas du vrai tour du propriétaire, je me contente de conduire Alex dans la cour de la ferme. Déjà une bonne excuse pour l'éloigner de papa et de Biddy.

— Alors, miss Congé sabbatique ?

— Chut !

Et je continue à marcher.

— Dites-moi au moins pourquoi.

— Pour plein de raisons. À commencer par mon père.

— Il ne peut pas vous reprocher d'avoir perdu votre job ! Il a plutôt l'air du genre compréhensif.

— Il l'est ! Mais…

Comment lui expliquer, moi qui ne parle absolument jamais de mon père, sujet trop pénible ?

— Je veux le ménager et, surtout, je ne supporte pas l'idée de le décevoir. Il est presque *trop* admiratif, vous voyez. Il n'accepte pas que je puisse rencontrer des difficultés. Il déteste Londres ; il refuse ma décision d'y vivre… Savoir que j'ai perdu mon boulot confirmerait cette image négative, alors il est *inutile* de le lui dire. En plus, j'ajoute sur un mode plus positif, si je dégotte un autre boulot à temps, je n'aurai pas à lui avouer la vérité. Il n'aura pas besoin de savoir.

Tout en parlant, je me trouve absurdement optimiste. Mais je dois garder espoir – n'est-ce pas ? Il doit y avoir des milliers de jobs à Londres. Un seul me suffirait.

— Diriger cet endroit, ce n'est pas un travail ? demande Alex.

— Pas celui que je veux, je réponds en me mordant les lèvres. Je sais que, pour beaucoup de gens, ce serait le rêve. Mais j'aime l'univers de l'image de marque. J'aime le travail en équipe, la conception artistique, la… Je ne sais pas, moi ! L'excitation. Et le fun de cette profession.

— Le fun ? Oui, parfois !

Il m'adresse un regard complice et je me souviens subitement de nos rigolades sur le toit de l'immeuble de l'agence. *C'était fun*. Je me sentais grisée par l'air hivernal. Ou était-ce la joie d'être avec Alex ? Juste en ce moment, le fait même de marcher seule avec lui me fait frissonner.

Je me demande s'il éprouve la même chose. Sans doute pas. Je lèverais volontiers les yeux pour juger de son humeur mais, tout d'un coup, tout me semble pesant.

— Si vous n'avez rien trouvé à la fin de votre congé, que direz-vous à votre père ?

— Je n'en sais rien. Je ne me projette pas si loin.

J'accélère l'allure, histoire de ne pas penser à mon avenir. Et, pour changer de sujet, je lance :

— Vous voulez jeter un coup d'œil à… (vite, Katie, improvise !), aux moutons et aux vaches…

— Minute. Qu'est-ce que c'est ?

Planté à l'entrée de la plus grande grange de la cour, Alex examine le foutoir que papa y a entassé.

— C'est du matériel pour brasser de la bière ?

— Oui, je réponds, distraitement car Denise s'approche de moi et j'ai à lui parler.

— Bonjour, Denise ! Tu tombes bien ! Comme tu sais, Susie est un peu malade, aujourd'hui. Tu pourrais aller lui proposer de changer ses draps si elle le souhaite ? Et t'assurer qu'elle est OK ?

— Un peu malade ? réplique Denise avec son air pincé habituel. Tu as vu les bouteilles vides alignées derrière sa yourte ? Je *vais* te dire, moi, pourquoi elle ne se sent pas bien…

Je lui coupe gentiment le sifflet :

— Tu serais sympa si tu pouvais faire ça pour moi. Merci, Denise !

— Des bouteilles de prosecco, marmonne-t-elle avec désapprobation. Cinq.

Je connais par cœur le point de vue de Denise sur le vin italien. Sans parler de son opinion sur le jambon de Parme.

— Quoi qu'elle boive, c'est une *pensionnaire*. On ne doit pas juger les pensionnaires, d'accord ?

Je suis sur le point de me lancer dans un petit sermon sur le service à la clientèle quand j'entends un bruit fracassant en provenance de la grange.

— Et merde !

Ça, c'est Alex.

Pourvu qu'il ne se soit pas blessé ! Ce serait le comble !

Je me précipite.

— Tout va bien ? Vous n'auriez pas dû entrer là, vous savez.

— Cet endroit est dingue, dit-il en riant.

Son visage est tout sale, couvert de lambeaux de toiles d'araignée. Sans réfléchir, je lève la main pour l'essuyer et stoppe à mi-course, très gênée. J'allais faire quoi, exactement ? Lui *caresser* la joue ?

Alex a tout vu. Il a cru, lui aussi, que j'allais le cajoler. Puis retour à la case départ : son regard se fait neutre. Des grains de poussière flottent entre nous. C'est sans doute pour ça que j'ai du mal à respirer, certainement. Pas à cause *du désir*…

Du désir ? De quel genre ? Sexuel ? Le mot sonne bizarrement, mais c'est la vérité. Je sens une vibration passer entre nous. Comme à Londres. Et ce n'est pas seulement le fruit de mon imagination. Lentement, Alex nettoie son visage. Son regard sombre me dit qu'il éprouve le même trouble.

— Cette grange regorge de trésors ! Regardez ce tonneau !

Il s'agit de la barrique que papa avait achetée pour produire la Fameuse Bière d'Ansters Farm ! Que d'argent gaspillé !

— Il fut un temps où mon père était brasseur, j'explique en haussant les épaules.

— Et ça ? C'est un métier à tisser ?

Il désigne un attirail entreposé derrière le tonneau.

— La laine d'alpaga devait nous rendre riches. Mon père est ce qu'on appelle…

— Un entrepreneur ? propose Alex.

— Plutôt « un homme plein d'illusions ». Toutes ces aventures ne nous ont jamais rapporté un penny, je précise d'un ton badin.

— Et ce juke-box des années 1950 ?

— Il voulait organiser des soirées rock'n'roll. Il portait même une banane à l'époque.

— Il fonctionne ?

— Je vais voir s'il y a une prise.

En passant à côté de lui pour trouver l'extrémité du fil électrique, mon buste effleure le sien. On est vraiment à l'étroit, ici ! (J'avoue : il se peut que je me sois délibérément redressée en passant près de lui.)

— Pardon !

— Pas de problème, répond-il d'une voix énigmatique. Vous voulez un coup de main ?

Impossible de ne pas tressaillir quand il m'attrape la main. Après tous mes fantasmes, je me retrouve la main nichée dans la sienne. Bon, Katie, ne confonds pas la « main dans la main » romantique avec une « main dans la main » temporaire établie dans un but pratique.

D'un autre côté, il ne relâche pas son étreinte. Et moi non plus, d'ailleurs. C'est curieux. Son regard est aussi impénétrable que sa voix. Peut-être pas si *impénétrable*, finalement. Mais je n'ose pas croire au message qu'il délivre. Parce que l'expression que je lis dans ses yeux est très explicite.

— Katie ? appelle papa à l'entrée de la grange.

Je sursaute et lâche la main d'Alex.

— Qu'est-ce que tu fais là ?

Il scrute l'obscurité, le chapeau de Mick le fermier à la main.

— Je montrais des trucs à Alex.

— Tiens donc ! Et quel genre de trucs ?

Au soupçon qui perce dans sa voix, je sais très bien ce qu'il pense : *Ne me prends pas pour un imbécile, ma fille. Je t'ai déjà prise en flagrant délit de bêtises dans cette grange.* Uniquement parce que j'y suis seule avec un homme ? Il exagère.

C'est vrai qu'il m'a trouvée en fâcheuse posture dans cette grange à plusieurs reprises (après la fête de fin d'études ; pendant la foire du cidre ; une fois, dans une position *particulièrement* compromettante, avec Steve). Mais aujourd'hui, bon sang, je suis une adulte.

— Monsieur Astalis s'intéressait à ton matériel de brasserie, je déclare.

— J'ai besoin de vos lumières, Mick, renchérit Alex. J'ai toujours voulu fabriquer ma propre bière… En fait, j'y pense : et si je vous achetais ce matériel ? Je pourrais l'installer dans mon garage.

Le visage de papa s'illumine pendant une nanoseconde. Après quoi il adopte ce que j'appelle sa tête d'homme d'affaires, c'est-à-dire un air pingre et méfiant.

— C'est que je prévoyais justement de me remettre à la brasserie. Mon matériel a de la valeur. Faites-moi d'abord une offre.

Je suis rouge de honte. Papa n'a *aucunement* l'intention de fabriquer de la bière. Alex l'a certainement deviné. Mais il ne bronche pas.

— Nous allons nous mettre d'accord, dit-il, imperturbable. Vous vous rappelez combien vous l'avez payé ?

— Je vais vous le dire très vite, fait papa, l'œil brillant. Laissez-moi cinq minutes pour consulter mes registres.

Et il sort de la grange, pratiquement au galop.

— Vous voulez vraiment fabriquer de la bière ? je demande à Alex.

— Bien sûr, votre père m'en a donné envie.

Son sourire est tellement insouciant que, malgré moi, je le soupçonne d'avoir un autre motif. Lequel ? Je vais vous le dire : il achète un vieux tonneau par pure bonté d'âme.

(À moins que la valeur astronomique du matériel ne l'ait immédiatement frappé. Hypothèse hautement improbable.)

— Ah ! Katie, j'ai oublié de vous donner des nouvelles de vos bonnes œuvres.

— Quelles bonnes œuvres ?

— Le centre communautaire de Catford. Nous venons de décider que, l'année prochaine, il ferait officiellement partie des bénéficiaires des donations de l'agence.

— Oh !

— Oui, il fallait que je vous le dise. Eh bien, c'est fait. Nous allons lever des fonds pour ce centre ainsi que pour la recherche sur le cancer.

Il a écouté ce que je lui ai raconté. Il s'en est souvenu. J'en reste sans voix.

— Je suis allé visiter cette maison de quartier, continue Alex. J'ai parlé aux gosses, rencontré les responsables, et vous aviez raison. Leurs initiatives sont sensationnelles.

Ça me dépasse !

— Vous êtes allé *à Catford* ?

Mâchoires serrées, il tripote les boutons du juke-box, avant de se décider à parler :

— Comme je vous l'ai déjà dit, cette histoire m'a turlupiné. Je ne veux pas être un salaud gâté qui ne voit pas plus loin que sa bulle de privilèges. Si vous voulez tout savoir, je me suis senti assez minable le jour où vous m'avez raconté ce que vous faisiez pour votre maison de quartier, votre travail de bénévolat...

Oh là là ! Je me sens terriblement coupable. Il me croit très investie dans une action humanitaire ? Moi ? Vite, une mise au point.

— En vérité, Alex, je ne fais pas de bénévolat. Je n'ai même jamais mis les pieds dans ce centre communautaire. Une fille m'a donné un dépliant un jour, dans la rue. C'est tout.

— Un *dépliant* ? Mais je vous croyais très impliquée. Pas étonnant qu'ils n'aient jamais entendu parler de vous. Je ne comprenais pas.

— Je l'aurais fait si je n'avais pas déménagé, je m'empresse de dire. C'est un beau projet et tout...

— Un merveilleux projet ! Pourquoi suis-je en train de *vous* parler de *votre* œuvre charitable ? Je me le demande.

— Parce que… heu… vous êtes quelqu'un de bien, je réplique gaiement.

Alex a un petit sourire en coin qui me soulage. Le côté comique de la situation ne lui a pas échappé.

— Un de ces jours, je vous emmènerai faire la tournée de vos œuvres charitables, ricane-t-il.

— J'en serais ravie. Merci !

Je trouve enfin la prise du juke-box et propose donc à Alex de le brancher, mais il consulte sa montre en fronçant les sourcils.

— Oh merde ! À force de penser à autre chose… ! Vous ne savez pas *où* je pourrais trouver Demeter ?

À cette heure, elle a quitté la ferme depuis trente minutes. Une vraie longueur d'avance.

Il est temps pour moi d'avouer.

— Il faut que je vous dise. Demeter… Elle est…

— Quoi donc ?

— En réalité, elle…

— Elle quoi ?

Voilà, je perds tous mes moyens. Sous le coup de l'émotion, aider Demeter m'a semblé évident. C'était un acte sensé. Maintenant que je dois cracher le morceau…

— Elle est partie… pour Londres.

— *Londres ?* Quand ?

— Il y a une trentaine de minutes.

Il a l'air furibard, tout d'un coup.

— Mais pourquoi ? Minute ! Vous l'avez *vue.* Vous l'avez *mise au courant.*

— Je l'ai en quelque sorte informée, oui.

— Incroyable ! Vous voulez dire qu'après notre conversation, vous avez couru lui annoncer : « Tu es renvoyée ! »

En plein dans le mille ! Pas la peine de démentir.

— Il fallait qu'elle soit prévenue, je réplique du tac au tac. Demeter a plus à offrir que vous ne le croyez. Elle s'est démenée corps et âme pour Cooper Clemmow. Vous ne pouvez pas la jeter de cette façon…

Il est fou de rage.

— Je me moque de ce que vous pensez d'elle. Ce n'était pas *à vous* de l'avertir. Si elle croit pouvoir échapper au couperet en se taillant…

— Pas du tout ! Elle cherche un moyen de sauver sa tête en retrouvant un mail. Chut ! Voilà papa. On ne se connaît pas, d'accord ?

Alex me foudroie du regard avant d'adresser à papa son plus aimable sourire.

— Alors, Mick ! Annoncez la couleur !

Papa lui tend un bout de papier.

— Voilà le prix d'origine. Je vous le laisse pour moitié moins.

— Très bien, laissez-moi y réfléchir, dit Alex en empochant le papier. Je veux reprendre là où on en était. Il me semble qu'on n'a pas fini ce qu'on avait commencé. On continue la visite, Katie ?

Drôlement menaçant, Alex Astalis ! Je tremble intérieurement avant de me souvenir qu'il n'est plus mon patron.

— On continue. Vous voulez voir quelque chose en particulier ?

— Tout ou presque, rétorque-t-il sans sourire.

Il sort de la grange d'un air résolu. Papa le rattrape et l'interroge :

— Vous êtes dans les affaires ?

— Dans un sens, oui. Merci de votre accueil, Mick. Je suis impatient de continuer avec Katie. Prochaine étape, les écuries, c'est ça ?

Je hausse les épaules.

— Si vous voulez.

— Ma Katie va vous montrer ce que vous désirez. Surtout, n'hésitez pas à lui poser des questions.

— Je n'y manquerai pas, soyez-en sûr.

Il y a du sarcasme dans l'air. Nous marchons sans dire un mot en direction des étables quand, soudain, Alex s'arrête pour consulter son téléphone qui vient de vibrer.

— Quel foutu plantage ! explose-t-il. J'ai fait le déplacement pour épargner Demeter, elle s'est *défilée*, et maintenant Adrian veut savoir si j'ai réglé le problème.

— Elle ne s'est pas *défilée* ! Elle affrontera tout ça. Mais elle veut pouvoir faire valoir ses arguments. En particulier avec un mail des gens d'Allersons qui pourrait bien être chez elle.

— Elle est partie à Shepherd's Bush ?

Je suis nulle d'avoir laissé échapper ce renseignement. Je contre-attaque :

— Peu importe où. Pas la peine de courir là-bas, vous risquez de la manquer. Restez plutôt ici. Elle va revenir ce soir et, à ce moment-là, vous pourrez…

Moment de flottement. Je ne vais quand même *pas* dire : *vous pourrez la virer*.

— Vous pourrez mettre les choses au point, je conclus. Dites à Adrian qu'elle est partie en randonnée et que vous n'avez pas encore pu lui parler. Qu'est-ce qu'il en saura ?

Alex me lance un autre regard noir mais je sais que j'ai marqué un point. Il ne va pas la poursuivre à Londres inutilement. Cela dit, il a toujours l'air mécontent. Pour ne pas dire courroucé.

— Vous n'aviez pas le droit de vous mêler de ça. *Aucun* droit. Vous ne travaillez plus chez Cooper Clemmow ; vous ne connaissez pas les problèmes de l'agence…

— Je sais que Demeter mérite une chance, je dis avec conviction. Elle n'est pas aussi horrible que les gens le pensent et c'est déloyal de la prendre par surprise. Elle demande juste un peu de temps pour rassembler les preuves dont elle a besoin. Elle a parfaitement droit à une procédure équitable. Comme n'importe qui.

J'arrête ma tirade, à bout de souffle. Je crois voir dans son regard que je l'ai convaincu.

— En plus…

Je prends le risque ou pas ?

— Quoi ? aboie-t-il.

— Si vous l'admettiez, vous seriez d'accord avec moi. Il se peut qu'il y ait là une injustice, et est-ce que vous voulez vraiment y participer ? Non.

Il est toujours muet et furieux. Je le comprends. Les gens détestent quand on leur complique la tache comme je le fais maintenant. Dans les grandes largeurs.

— *Très bien*, dit-il au bout d'un moment. Demeter aura la possibilité de se défendre. Je lui laisse le temps dont elle a besoin. Et je fais quoi, moi, dans l'intervalle ?

— Vos désirs sont des ordres. Vous êtes le client.

Il jette un coup d'œil maussade aux écuries. On dirait que rien ne peut améliorer son humeur.

— Vous avez le wi-fi ?

— Bien sûr. Je peux vous trouver un endroit pour travailler. Mais c'est un peu dommage, j'ajoute sans me démonter.

— Pourquoi ? grogne-t-il.

— Profitez plutôt de la campagne puisque vous y êtes. Relaxez-vous. À moins que licencier des gens ne soit pour vous un moyen de décompresser.

Je n'ai pas pu résister. Visiblement, j'ai tapé là où ça fait mal.

— Sympa, merci. J'ai le profil du tyran assoiffé de pouvoir, c'est clair.

— Comme vous m'avez dit que vous vous étiez porté volontaire, j'en déduis que c'est peut-être votre hobby. Comme le cerf-volant ou le brassage de la bière.

Je dépasse les bornes ? Possible. Mais ça m'est égal. J'ai passé tellement de temps à Londres comme une petite souris tranquille, à me taire dès que quelqu'un ouvrait la bouche. Aujourd'hui, sur mon territoire, je fais le contraire. Téméraire ? Imprudente, même ? Tant pis. Je *veux* pousser Alex dans ses retranchements, le faire *réagir*. C'est un jeu dangereux, certes. Mais je devine instinctivement comment m'y prendre.

Effectivement, au début, il est sur le point d'éclater, puis il se calme et une ébauche de sourire lui échappe.

— C'est ainsi que vous vous comportez avec ceux qui louent le gîte ? Trouver leurs points faibles pour les torturer ?

— Trop tôt pour le dire. Vous êtes le premier. Comment ça se passe de votre point de vue ?

Je suis secrètement grisée. J'ai visé juste. Il me regarde en silence avec un demi-sourire. Des mèches folles volètent autour de mon visage. À Londres, je m'empresserais de les discipliner. Ici, ça ne me dérange pas.

Justement, Alex regarde mes cheveux. À croire qu'il est extralucide.

— Je remarque que vos cheveux sont frisés. Et *bleus*. Le style Somerset ?

— Absolument. Il existe ici une sorte de bulle de tendances mode. Je fais régulièrement la couverture du *Vogue* régional. Vous l'ignoriez ?

— Ça ne m'étonne pas.

Son expression me réchauffe le cœur. L'échange de plaisanteries, nous l'avons déjà pratiqué. Plutôt avec succès. Je respire à pleins poumons. Le vent dérange mes cheveux. Moment d'intensité intense. D'ailleurs, les mots me manquent.

— Bon, d'accord, dit-il. Puisque je suis ici, autant apprécier le paysage. Allez-y, briefez-moi sur la campagne.

Et il tourne sur lui-même pour admirer la vue qui s'étend au-delà des bâtiments de ferme.

— Un brief sur la campagne ? Comme si c'était un nouveau budget et que vous alliez changer son image ?

— Exactement. Alors, évidemment, c'est tout vert, fait-il comme s'il était en réunion de brain-storming chez Cooper Clemmow. Le panorama... Thomas Hardy, l'écrivain... Turner, le peintre. À vrai dire, je n'aime pas Hardy... Tiens, c'est quoi, cet engin ?

— Ça ? C'est notre vieille Land Rover.

— *Spectaculaire.*

Il s'approche du Defender, un modèle légendaire qui n'est plus fabriqué, et passe une main admirative sur sa carrosserie. Il a au moins vingt ans d'âge, est couvert de boue et son pare-brise est rafistolé avec du papier collant.

— Voilà un vrai tout-terrain.

— Oui, pas un de ces 4 × 4 conçus pour la ville.

Les yeux d'Alex brillent.

— Je n'en ai jamais conduit.

— Vous voulez essayer ? Voici les clés ! Gaffe à vos abattis, monsieur le rat des villes.

Alex sort lentement de la cour, franchit le portail avec prudence et accélère une fois que nous atteignons les prés.

— Doucement ! Pas si vite ! Tâchez d'*épargner* les moutons, j'ajoute, alors que nous traversons le grand pré aux bouses de vache.

À vrai dire, il longe les clôtures à une allure raisonnable. Mais dès qu'on arrive à l'entrée de la grande prairie, il se comporte comme un gamin dans une auto-tamponneuse.

Cette prairie en friche regorge de trous et de bosses – explication : nous avons touché une prime du gouvernement pour la laisser en jachère. Alex roule pied au plancher, fait demi-tour sans ralentir puis s'amuse comme un fou à enchaîner les virages à fond de train. Si le sol n'était pas aussi sec, le véhicule aurait déjà dérapé plusieurs fois. Il prend de front les dos-d'âne et je suis obligée de m'agripper à la poignée, puis il grimpe sur un talus et surfe dessus. L'élan nous fait décoller (pendant une seconde ou deux). Il pousse des hurlements de joie et je ne peux m'empêcher de rire de bon cœur, malgré le coup que je viens de prendre sur l'épaule au moment de l'envol.

— *Putain !* je crie quand les roues se posent de nouveau. Vous allez nous…

Merde, mais il fonce droit sur le fossé ! On a un gros problème, parce que, derrière les herbes hautes et les roseaux, il ne peut pas voir le fossé. Je m'égosille :

— Ralentissez ! *Ralentissez* !

— Sûrement pas ! Je n'ai jamais autant… Aaaah !

Le Defender fait une embardée. L'espace d'un instant, je me dis qu'on va se retrouver sur le toit. Ma tête cogne le plafond, Alex percute la portière, écrasant la pédale d'accélérateur pour *encourager* le Defender à sortir du fossé.

— Allez ! Allez ! je hurle.

Dans un vrombissement furieux, le Defender s'en tire. Nous roulons encore quelques centaines de mètres puis stoppons net. Il coupe le moteur et nous nous dévisageons, haletants, suffoqués. Du sang dégouline sur le visage d'Alex.

— Quand j'ai dit « gaffe à vos abattis », je ne voulais pas vous porter la poisse, je parviens à articuler.

Il fait un demi-sourire puis fronce les sourcils en m'examinant.

— Moi ça va. Mais *vous* ? Vous avez pris un sacré coup. Toutes mes excuses, je ne savais pas…

— Je survivrai, je déclare en tâtant le sommet de mon crâne, où une bosse s'est déjà formée. Aïe !

— Désolé !

J'ai pitié de lui.

— Ne le soyez pas ! Ça nous est arrivé à tous. J'ai appris à conduire dans cette prairie. J'ai flanqué la voiture dans le fossé. On a dû faire venir un tracteur pour me tirer de là. Essuyez-vous avec ce mouchoir. Vous avez du sang partout.

Il se nettoie et regarde à travers le pare-brise.

— Où sommes-nous ?

— Dans la prairie. Venez ! Sortons !

Il fait un temps magnifique. Un beau soleil de mi-journée brille dans un ciel sans nuages. L'herbe est touffue. Les alouettes chantent sans discontinuer très haut au-dessus de nos têtes.

Je prends la couverture qu'on garde toujours sur la banquette arrière et l'étends par terre. Et de la réserve de cidre bien arrimée dans le Defender, je tire deux canettes.

— Pour connaître les traditions du Somerset, il faut commencer par boire notre cidre local. Mais attention…

Trop tard ! Le liquide jaillit, éclabousse Alex.

— Désolée. Je voulais vous prévenir. Le cidre a été pas mal secoué.

J'ouvre ma canette avec précaution, en la tenant à bout de bras. Ensuite, nous restons au soleil à siroter tranquillement le cidre. Au bout d'un moment, Alex saute sur ses pieds.

— Dites-moi *tout* sur le Somerset, s'excite-t-il. Le nom de la colline là-bas. Celui des propriétaires de la maison qu'on aperçoit à l'horizon. Et ces petites fleurs jaunes, comment s'appellent-elles ? Commencez la leçon. Je suis tout ouïe.

Son côté bouillonnant me fait rire. Tout *l'intéresse.* Je l'imagine très bien coinçant un astrophysicien pendant une fête pour qu'il lui explique les mystères de l'univers. Ça me plaît beaucoup.

Tandis que nous faisons le tour de la prairie, je lui parle du paysage, de la ferme, des fleurs et de tout ce qui attire son attention.

Nous finissons par avoir un peu trop chaud et revenons nous asseoir sur la couverture.

— Et ces oiseaux ? demande-t-il en étendant les jambes.

Je suis contente qu'il les ait remarqués. Ce n'était pas évident.

— Ce sont des alouettes des champs.

— Elles ne se taisent jamais ?

— Non. Ce sont mes oiseaux préférés, je dis en savourant la mélodie familière. Si on sort de bonne heure, on a l'impression que le ciel chante rien que pour soi.

Alex écoute attentivement et je songe que c'est peut-être la première fois qu'il entend des alouettes. Je me demande quel genre d'éducation il a reçue. Je vais tâcher d'en savoir plus.

— Tout à l'heure, je vous ai appelé rat des villes. Vous l'êtes vraiment ? Où avez-vous grandi ?

— L'expression est tout à fait appropriée. Voyons voir : Londres, New York, Shanghai pendant un moment, Dubaï, San Francisco, Los Angeles pendant six mois, quand j'avais dix ans. Nous suivions mon père qui n'arrêtait pas de bouger pour son boulot.

— Waouh !

— J'ai habité dans trente-sept endroits et fréquenté douze écoles.

— Sérieusement ? Trente-sept domiciles, ça fait plus d'un par *an*.

— On a vécu quelques mois dans la Trump Tower, c'était cool.

Il remarque mon expression car il ajoute :

— Pardon. Je sais, je suis un salaud de privilégié.

— Vous n'êtes pas fautif. Vous ne devriez pas...

Non, avant toute chose, il faut que j'aborde une question qui me tarabuste depuis que je suis retombée sur lui.

— Alex, je voulais m'excuser d'avoir eu des paroles malheureuses à l'agence. Quand j'ai dit que je n'avais pas eu de père célèbre pour me mettre le pied à l'étrier.

— Ne vous en faites pas.

Son sourire désabusé prouve qu'il a entendu ce genre de commentaires plus d'une fois.

— Si, justement, je m'en fais. C'était injuste. Je ne sais rien de vos débuts professionnels, des avantages que vous...

— Bien sûr qu'avoir un père comme le mien a été un *atout*. Ne serait-ce que parce que j'ai pu le voir travailler depuis ma plus tendre enfance, j'étais toujours fourré dans son bureau... Il m'a beaucoup appris. Oui, j'en ai tiré profit. Mais il était censé faire quoi ? Ne rien partager avec moi pour ne pas faire de favoritisme ?

— Je ne sais pas. Enfin, ce n'est pas...

— Pas quoi ?

— Eh bien, ce n'est pas juste.

Imperturbable, il renverse la tête et scrute l'immensité bleue.

— Les oiseaux n'ont pas de secrets pour vous. Avec votre famille installée dans cette ferme depuis plus de deux cents ans, vous bénéficiez d'un passé stable, fermement établi. Votre père vous adore plus que tout au monde. Tout ça est indéniable. Vous trouvez que c'est juste ?

— Je suis sûre que votre père vous aime aussi.

Il ne réagit pas. J'observe son profil immobile. Seul le léger tressaillement de ses paupières révèle un certain trouble. Ai-je mis les pieds là où il ne fallait pas ? Mais c'est lui qui a lancé le sujet.

— Votre père ne vous…

Non, impossible de lui demander *si son père l'aimait.* Je reprends :

— Comment était votre père ?

— Super doué. Époustouflant. Et une vraie merde. Très ambitieux. Insensible. Il traitait ma mère très mal. Et, au cas où ça vous intéresserait, il *ne m'a pas aidé* à dégotter mon premier job.

— Mais vous portez son nom, je réplique impulsivement.

— Oui. Je porte son nom et c'est autant un avantage qu'un inconvénient. Il s'est fait beaucoup d'ennemis.

— Et votre mère ?

— Elle a des problèmes de dépression, elle est repliée sur elle-même. Mais ce n'est pas sa faute, ajoute-t-il comme un petit garçon qui défend sa maman.

— Excusez-moi, je ne savais pas.

— J'avais tout le temps peur quand j'étais enfant, poursuit Alex, les yeux toujours levés vers le ciel. Peur de mon père et, parfois, de ma mère. Je passais la plupart du temps à me faire tout petit. À me faufiler, à me défiler. Pour ne pas me retrouver confronté à… des trucs.

— Mais c'est fini maintenant.

Pourquoi cette phrase ? Peut-être parce qu'il me fait l'effet de quelqu'un qui continue à se faufiler et à se défiler ? Qu'il semble en avoir assez ? Il se tourne et, la tête appuyée dans sa main, me dit avec un sourire en coin :

— Quand on a pris une habitude, c'est difficile de s'en défaire.

— Oui, j'imagine.

En fait, le coup des trente-sept domiciles me tarabuste. Rien que l'idée me donne le tournis.

— Tandis que votre père…, fait Alex.

Je lève les yeux au ciel.

— Un bon conseil : si papa essaie de vous vendre des éléments de salle de bains, *refusez*.

— Il est attachant, poursuit Alex comme s'il ne m'avait pas entendue. Solide. Vous devriez lui avouer la vérité. Ce n'est pas… bien de lui cacher votre licenciement.

Je mets un petit moment à capter.

— Ah bon ! Vous croyez ?

— Comment va-t-il réagir quand il comprendra que vous avez des secrets pour lui ?

— Il ne le saura probablement jamais.

— Et s'il l'apprend ? S'il se rend compte que vous ne pouvez pas vous confier à lui en cas de coup dur ? Il sera désespéré.

— Ça, vous n'en savez rien, je proteste. Vous ne connaissez pas mon père.

— Je sais qu'il vous a élevée en grande partie tout seul, réplique Alex d'un ton tranchant. Biddy me l'a dit.

— *Biddy* vous l'a dit ?

— Eh bien, au cours de mon interrogatoire, oui. Je voulais savoir. Elle m'a raconté comment elle était entrée dans votre famille. Elle m'a confié aussi que, si elle avait une *fraction* de l'amour que votre père vous porte, elle serait heureuse.

Je découvre qu'Alex connaît mes points sensibles aussi sûrement que je connais les siens.

— Je sais que mon père m'adore, je dis d'une voix enrouée. Et je l'adore aussi. Mais ça n'est pas si simple. Quand je suis partie, il a eu l'impression que je le trahissais. Il n'a jamais accepté que je devienne londonienne.

— Question : *Êtes*-vous vraiment une Londonienne ?

Quel coup bas ! De quoi faire chuter mon château de cartes déjà très chancelant.

— Vous ne me voyez pas comme une Londonienne ? Pour vous, je suis incapable de survivre dans la grande ville ?

— Vous interprétez de travers. Une fille belle et talentueuse comme vous peut évidemment survivre dans la grande ville. Ce n'est pas le problème. En fait, vous êtes plus tiraillée que vous ne voulez bien l'admettre.

OK. Cette fois, j'en ai ras-le-bol.

— Vous me connaissez *à peine* ! Alors, s'il vous plaît, pas de sermon sur ma façon de vivre !

— C'est vrai, mais j'ai donc un œil neuf, un point de vue différent.

Il ne lui a fallu que deux secondes pour trouver une solution pour améliorer le panorama des collines, d'accord. Mais prière de ne pas confondre. C'était une *vue*. Je suis *moi*.

— Ce que j'en dis, persévère Alex, c'est que vos attaches – la ferme, votre famille, les gens qui vous sont proches depuis toujours – valent de l'or. Vous connaissez le proverbe « Pierre qui roule n'amasse pas mousse » ? Eh bien, c'est tout moi. Sans le moindre *gramme* de mousse. Alors que vous êtes une boule de mousse qui bouge et qui parle.

— Aucun rapport !

— Très pertinent, au contraire. Et il ne s'agit pas seulement de votre ancrage familial. C'est votre façon de parler de la terre. Des alouettes. C'est en vous, votre héritage. Vous êtes une fille du Somerset, Katie. Ne le niez pas. Vous devriez conserver votre accent, vos cheveux. C'est vous.

Je laisse passer un moment avant de répondre, sans m'énerver :

— Je me suis débarrassée de mon accent le jour où j'ai entendu deux filles, dans les toilettes du bureau de Birmingham où je travaillais, qui parlaient de « Katie la rustique ». Je les aurais giflées.

— Un jour, dans les toilettes de l'école, j'ai entendu deux élèves de terminale dire que, si j'avais remporté le prix de conception graphique, c'est parce que mon père avait fait le devoir à ma place. Je leur aurais bien *cassé la gueule*.

— Vous l'avez fait ?

— Non. Et vous ?

— Moi non plus.

Nous dégustons lentement notre cidre. À cette heure de la journée, le ciel est superbement bleu et serein. Aucun bruit ne vient déranger les trilles des alouettes.

— Vous n'êtes pas obligée de choisir entre Londres et le Somerset, dit enfin Alex. Vous pouvez être les deux, sûrement.

— Mon père me fait sentir que je dois choisir. Pour lui, c'est soit un emploi soit…

— Alors soyez plus sincère avec lui. Pas *moins*.

— Arrêtez avec vos bons conseils !

Les mots ont jailli spontanément. Je me relève brusquement et file vers le milieu de la prairie, dans un état de rage avancé. Je n'en peux plus d'Alex et de ses discours raisonnables. D'un autre côté, j'ai trop envie d'entendre encore certaines de ses paroles. Celles que j'ai cru mal comprendre.

Une belle fille talentueuse comme vous. Une belle fille.

Il s'est levé, lui aussi. Il fait tellement chaud que je sens des rigoles de transpiration ruisseler le long de mes bras. D'un geste, je retire ma chemise pour ne garder qu'un léger top à bretelles. Alex regarde mon manège ; il évalue mon corps sans chercher à dissimuler son désir. Ainsi, je ne me suis pas trompée dans la grange. Et je suis en mesure d'affirmer qu'une étincelle *a bien jailli* entre nous, quand nous étions à Londres. Plus besoin de m'excuser ou de me sentir gênée.

Quand je m'approche d'Alex, mon envie de lui est à son comble. Mais attention, je n'ai pas *seulement* envie d'une partie de jambes en l'air avec lui. Je veux prendre le contrôle des événements. Dire au revoir à la petite Katie peu sûre d'elle, à ses complexes et ses déceptions, avoir l'initiative. En principe, je ne suis pas du genre à prendre les devants, mais je vais faire une exception.

Je vais chercher deux autres canettes de cidre dans le Defender.

— Quelle chaleur ! dis-je en lui tendant une canette. Ça ne vous ennuie pas si je prends un bain de soleil ?

Et, avant d'y réfléchir à deux fois, j'enlève mon top.

Pas mal, non, comme premier pas ? C'est la première fois que je me montre aussi audacieuse. D'où un imperceptible essoufflement intérieur.

Mon soutien-gorge est flatteur – un balconnet en dentelle noire. Alex reluque mes seins avec un air extasié. J'ouvre ma canette et il m'imite, dans une atmosphère électrique.

J'ai la tête qui tourne, le cœur qui s'emballe. Ce qui me traverse l'esprit à l'instant présent ? Premièrement : *j'ai commencé à me débloquer.* Deuxièmement : *pourvu que je ne me sois pas gourée.* Troisièmement : *et maintenant* ?

— Je vais peut-être bien prendre le soleil, moi aussi, dit Alex en ôtant sa chemise. Puisque Demeter ne va pas rentrer tout de suite.

Son torse est plus fin que je n'imaginais, presque un torse d'adolescent. Impossible de détacher mon regard de la bande de poils sombres qui descend de son nombril. Alex me contemple avec gourmandise. Mon souffle s'accélère. Nous sommes comme deux aimants.

— Vous avez tout le temps, je confirme d'une voix qui me semble pratiquement inaudible. Personne ne nous dérangera. Nous pouvons lézarder au soleil tout l'après-midi. Aussi longtemps que ça nous plaît.

— Par chance, j'ai emporté de la crème solaire, m'informe Alex.

Nos regards se croisent. Son allusion me ferait rire si je n'étais pas si excitée.

— Quel indice pour vous ? Le soleil est drôlement chaud par ici…

Je pose les mains sur son torse tandis qu'il attrape ma taille et m'attire contre lui. Ses mains se glissent sous mon jean. Je respire son odeur – un tiers transpiration, un tiers savon, un tiers lui – avec une envie vorace. Oh ! ce que c'est *bon*.

Ça fait bien longtemps que le sexe n'a pas été à l'ordre du jour. Mon corps se réveille, tel un dragon après une longue hibernation. La moindre des terminaisons nerveuses pulse, toute ma peau frémit.

— J'ai envie de rester au soleil avec toi depuis que je t'ai rencontrée, murmure Alex, ses lèvres effleurant mon cou.

— Moi aussi, je gémis, en déboutonnant son jean, histoire de faire avancer les choses.

— Mais j'étais ton patron. Ça aurait foiré… Mais dis-moi, tu es d'accord ?

J'ai pratiqué le judo pendant trois ans au lycée. En deux temps, trois mouvements, je lui fais une prise simple et l'envoie valdinguer au sol, ignorant son cri de surprise. Lorsque je l'enjambe et le regarde de toute ma hauteur, je me sens pour la première fois depuis longtemps aux commandes de ma vie. Je m'agenouille, prends son visage entre mes mains et l'embrasse longuement, langoureusement. *Toi. Tu es bien là.* C'est fou comme la bouche d'un homme révèle sa personnalité (pour cette raison, je n'ai pas tellement aimé embrasser Steve). Puis je dégrafe mon soutien-gorge, l'enlève et je me délecte de la réaction d'Alex : sans équivoque aucune.

— Je suis d'accord, je réponds en l'embrassant encore. On ne peut plus d'accord.

18

Nous ouvrons l'œil en fin d'après-midi. Une brise fraîche refroidit nos peaux brûlantes. Alex a un sourire languide. Puis le présent nous rattrape.

— Merde ! s'écrie-t-il en se levant. Quelle heure est-il ? On s'est *endormis* ?

— L'air de la campagne met tout le monde KO.

— Il est 6 heures. Demeter doit être de retour, affirme-t-il après une estimation silencieuse.

— Possible.

Et voilà ! Retour à la réalité. Mais je refuse que la bulle idyllique éclate. Alex, lui, a déjà repris ses esprits et boutonne adroitement sa chemise.

— Il faut qu'on rentre. Je dois…

Il s'arrête et je finis sa phrase dans ma tête. *Je dois virer Demeter.*

Il a l'air stressé, accablé. Certains patrons prennent peut-être leur pied en renvoyant leurs collaborateurs et en s'imposant par la force, mais ce n'est pas le genre d'Alex.

Sur le chemin du retour, je prends le volant. Secouée par les cahots, je ne peux m'empêcher de parler franchement.

— Cette perspective te déplaît, n'est-ce pas ?

— Quoi ? Être obligé de renvoyer une femme qui est mon amie et mon mentor ? Oui, ça me déplaît. Curieux, non ? Et savoir qu'elle ne se laissera pas faire rend la tâche encore plus difficile.

— Et si elle n'était pas ton amie et ton mentor ?

Nous passons une série de bosses, Alex raide et silencieux sur son siège. Puis il avoue en soupirant :

— OK ! Touché ! Je ne suis pas taillé pour le rôle de patron.

— Ce n'est pas ce que je voulais dire.

— Pourtant, c'est la vérité. Je déteste gérer les gens, ça ne me convient pas. Je n'aurais jamais dû accepter ce poste.

Tiens donc, le fameux Alex Astalis manque d'assurance dans son job.

— Tu as déjà observé l'aiguille d'une boussole s'agiter dans tous les sens avant de trouver la juste direction et de s'immobiliser ? demande-t-il subitement. Je suis comme elle. Je ne sais plus où j'en suis.

— Demeter est comme ça. Totalement décousue.

— Je suis dix fois pire qu'elle. Les véritables patrons ne se comportent pas de cette façon. Ils sont concentrés. Ils peuvent sérier les problèmes. Ils aiment affronter les difficultés, adorent les longues réunions ennuyeuses. Tout ce que *moi*, je hais. Et pourtant, je suis un patron.

— Personne n'aime assister à de longues réunions ennuyeuses, j'objecte. Pas même les grands manitous.

— Certains, peut-être. Mais plein de managers en raffolent. En tout cas, les bouffeurs de viennoiseries.

Je pouffe de rire.

— Les bouffeurs de *viennoiseries* ?

— C'est comme ça que je les appelle. Ils prennent place autour de la table de réunion, piochent un croissant et se calent dans leur fauteuil avec un air d'intense satisfaction. Tu sais à quoi ils me font penser ? Aux passagers d'un vol long-courrier qui se foutent de tout sauf de savoir s'ils auront assez d'espace pour allonger les jambes.

— J'en déduis que tu n'aimes pas beaucoup les croissants.

— Je ne m'assieds jamais en réunion. Ça rend les gens fous. Je suis incapable d'affronter les conflits, faire preuve d'autorité sur le personnel. Ça m'emmerde. Et ça nuit à la créativité. Voilà pourquoi je ne devrais pas être le patron.

Il soupire en regardant le paysage défiler avant de poursuivre :

— Chaque fois qu'on monte en grade, on s'éloigne de ce qu'on voulait faire au début. Tu ne crois pas ?

— Non. Si j'obtenais une promotion, j'approcherais *plus* de mon but. Mais je suis complètement différente de toi.

— À t'entendre, je suis vieux.

— Forcément, puisque tu es surdoué.

— Ah ! Ah ! Tu comptes donc en années de chien ? Mais qui a dit que j'étais surdoué ?

— Je te rappelle que tu as inventé Whenty à vingt et un ans à peine.

— Ah ouais ! fait-il comme s'il avait presque oublié. C'était… un coup de chance, je dirais. J'ouvre cette barrière ?

Sous mon œil attentif, il sort et fait coulisser la barrière, j'avance de quelques mètres et attends qu'il la referme et remonte dans le Defender. Bien que le moteur tourne toujours, je ne repars pas immédiatement. Je profite d'être en zone neutre pour le charcuter un peu plus.

— C'était un coup de chance ou tu voulais impressionner ton père ?

J'aimerais ajouter : *C'est à cause de lui que tu ne supportes pas les confrontations ?* Mais laissons le docteur Freud dormir en paix.

Pas de réponse. Puis, après un moment :

— C'était probablement le cas. Ça l'est peut-être encore aujourd'hui. Mais arrête avec tes sermons !

— Ça, je l'ai bien cherché ! je m'exclame en souriant.

Nous repartons et, quelques minutes plus tard, Alex se confie :

— J'ai parfois peur de me trouver à court d'idées. Que serais-je sans créativité ? Par moments, j'ai l'impression de n'être rien d'autre qu'un appareil vide qui passe son temps à télécharger des idées.

— Tu es le plus drôle, le plus séduisant et le plus sexy de tous les mecs, je rétorque.

Il sourit comme si je blaguais. En fait, il en est vraiment persuadé. Incroyable mais vrai : Alex Astalis a besoin que je lui remonte le moral.

— Si tu ne passais pas ton temps à refonder des images de marque dans le monde entier et à rafler toutes les récompenses, tu ferais quoi ?

— Bonne question ! Je vivrais dans une ferme. Je conduirais un Defender – le summum du fun –, je me goinfrerais de scones de Biddy.

Nous sommes arrivés dans la cour. Alex pose sa main sur la mienne.

— Et j'embrasserais une belle fille tous les jours.

— Il faut d'abord que tu déniches une ferme avec une belle fille, je lui fais remarquer.

— Ce n'est donc pas une option standard ? Il y en a une ici en tout cas.

Une belle fille. Comme ces mots sont précieux ! J'aimerais les enfermer dans un bocal pour toujours. Mais je souris d'un air nonchalant, comme si j'avais pu ne pas entendre.

— Il n'y en a pas partout, non.

— Alors, je vais faire une recherche sur Internet. Sanitaires, prairies, moutons, belle fille avec taches de rousseur comme des poussières d'étoile.

Il effleure mon nez.

— Tiens, en voilà justement une.

Il m'embrasse et je retrouve l'adorable et tendre Alex, à la personnalité méconnue. Vous savez quoi ? Je suis amoureuse de ce garçon. Tout serait parfait si j'avais oublié la remarque de Demeter – *Il faut être tombée sur la tête pour s'amouracher d'Alex Astalis*.

Pourquoi « tombée sur la tête » ? Il faudra qu'elle m'explique.

— Apparemment, ton job ne te rend pas heureux. Peut-être que tu devrais en changer, je suggère, la tête bourdonnante après notre long baiser passionné.

— Tu as sans doute raison, approuve-t-il, le regard absent. Alors que toi, Katie, tu *es faite* pour être chef. Tu le seras un jour, je le sais. Tu seras une grande boss.

— Qu'est-ce que tu racontes ?

— Mais oui. Tu as ce qu'il faut. Ce que moi je n'ai pas. Tu sais y faire. Je t'ai vue avec ta femme de ménage. Tu sais ce que tu veux, tu l'obtiens, le tout sans casse. C'est un talent, tu sais.

Je le regarde avec nervosité. Personne ne m'a jamais dit des choses pareilles. Mon manque d'assurance reprend le dessus et je me sens soudain sur la défensive. Il ne dit ça que pour être gentil – sinon quoi ? Pourtant, il n'a pas l'air de vouloir me flatter. On dirait qu'il parle sincèrement.

— Allez, dit-il en ouvrant sa portière. Je ne peux pas remettre indéfiniment le moment fatidique. Allons voir si Demeter est rentrée.

J'espère à moitié que Demeter est rentrée. Qu'elle va nous accueillir avec son panache habituel et nous raconter, en faisant les cent pas sur ses longues jambes, que tout est arrangé, qu'elle a parlé à Adrian et que tout va *pour le mieux dans le meilleur des mondes*. Mais non, elle brille par son absence.

Le beau soleil s'est couché. Papa a allumé un grand brasier au centre du village de yourtes, comme chaque mardi. Au programme, saucisses grillées, marshmallows rôtis et chansons. Les gens adorent chanter en chœur autour du feu après avoir avalé quelques bières – même si la qualité du répertoire est fonction des pensionnaires. (Nous avons eu un ancien accompagnateur de Sting et c'était génial, bien mieux que la soirée spécial Queen animée par papa. Saoulant !)

Biddy allume les lanternes dans l'allée. Son visage s'éclaire d'un sourire chaleureux quand elle m'aperçoit.

— Salut ! je dis, le souffle un peu court. Tu n'aurais pas vu Demeter, par hasard ?

— Non, ma Katie. Elle n'est pas partie pour Londres ?

— Si, mais je pensais qu'elle serait déjà de retour.

Quelle galère, cette histoire ! Posté devant le village de yourtes, Alex ne quitte pas son téléphone des yeux. Le pauvre ! Il doit être en train de consulter ses mails. Je m'approche et lui tape sur l'épaule.

— Écoute, pour le moment, tu ne peux rien faire. Viens t'asseoir près du feu et… relaxe-toi.

En général, le feu de camp fait ressortir le côté enfantin des gens. J'espère que ça marchera avec Alex qui peut se montrer si joyeusement loufoque. Nous nous asseyons sur l'herbe ; les flammes éclairent son visage d'une lueur orangée. Le bruit familier des bûches qui crépitent me calme très vite, tout comme l'odeur particulière du feu dans la nuit. Alex profite-t-il du moment ? Non, il a toujours l'air tendu, préoccupé. Vu la situation, je ne lui en veux pas.

En revanche, les autres clients semblent bien s'amuser. Ils font griller leurs marshmallows embrochés sur des piques. De temps à autre, Giles lance un allume-feu au milieu des bûches pour faire jaillir de très hautes flammes.

— C'est un peu dangereux pour les enfants, je lui dis poliment.

— Non, c'est marrant !

Mais il décide d'arrêter et je pousse un soupir de soulagement. Imaginez qu'une flamme monstrueuse crame les sourcils de quelqu'un. Il y a toujours de grands seaux d'eau placés aux points stratégiques, mais quand même.

Bientôt, le feu de camp devient prétexte à dispute. Et même à une véritable prise de bec.

— Ça suffit ! crie soudain Susie. Vous prenez toute la place ! Et vos enfants monopolisent les piques.

— Cool, Raoul ! répond Cleo de sa voix traînante. C'est un feu de camp. Pas besoin de s'énerver.

— Je serai cool quand mes enfants pourront faire griller leurs guimauves aussi bien que les vôtres…

Soudain, la voix entraînante de mon père retentit. Il arrive en sautillant, une canne à la main. Les clochettes attachées à son pantalon blanc carillonnent gaiement. La-la-la… Il s'époumone sur l'air d'accordéon diffusé par un lecteur de CD posé sur l'herbe. Et un, et deux…

— Mick le fermier ! s'égosillent les enfants comme s'ils accueillaient une célébrité. Mick le fermier !

Je plaque ma main devant ma bouche pour ne pas éclater de rire. Papa parle souvent de la danse du Morris, une sorte de bourrée traditionnelle des campagnes anglaises, mais je ne pensais pas qu'il la *pratiquait*. Pour une surprise, c'est une surprise. Le voilà chantonnant, sautant, tapant des pieds et agitant sa canne en mesure. On se croirait au cirque plutôt qu'à une démonstration de danse traditionnelle. Les adultes le regardent, stupéfaits, mais les enfants, emballés, l'acclament et l'applaudissent.

— Qui veut danser avec moi ? demande-t-il aux enfants en sortant une canne ornée de clochettes.

— Moiiii ! crient-ils tous en essayant de l'attraper.

Poppy s'est précipitée la première. C'est l'exquise fillette venue avec son père divorcé. Mais Cleo pousse son fils en avant.

— Harley chéri, montre-nous ce que tu sais faire. Il prend des leçons de danse classique et moderne et des cours de théâtre tous les samedis, lance-t-elle à la cantonade.

— *Fichez-nous la paix !* s'énerve Susie. Poppy, ma puce, va danser.

— Pas la peine de monter sur vos grands chevaux, réplique Cleo. Je faisais simplement remarquer à nos amis que Harley est un danseur expérimenté.

Je croise le regard de papa qui pige immédiatement.

— Tout le monde vient danser avec moi ! Tous les gamins ! Et un, et deux…

— Katie ?

Hal, le fils de Demeter, s'est matérialisé à mon côté.

— Bonsoir, Hal ! Tu as déjà fait rôtir tes marshmallows ? Oh, mais tu n'as pas l'air dans ton assiette. Qu'est-ce qui se passe ? Il y a un problème ?

— C'est Coco. Elle… elle est complètement pétée.

Heureusement, elle est sortie de la yourte à temps pour vomir tripes et boyaux sur l'herbe. Je pose une main réconfortante sur son dos mais je regarde ailleurs. *C'est dégueulasse ! Dépêche-toi, ma petite.*

Dès qu'elle me semble un peu requinquée, je l'emmène vers la douche extérieure. Pas pour la passer sous l'eau – même si c'est tentant –, seulement pour la débarbouiller avec une serviette avant de la ramener vers sa yourte.

Comme cuite, ça pourrait être pire. On a évité le coma éthylique et Coco est assez bien pour marcher toute seule. Ses joues ont repris quelques couleurs, ça va aller.

— Pardon, murmure-t-elle. Je suis désolée.

En pénétrant dans la yourte, je sursaute : voilà ce qui arrive quand deux ados sont livrés à eux-mêmes pendant une journée. Quel foutoir ! Il y a des assiettes et des miettes *partout* – ils ont dû faire une descente dans le garde-manger de Biddy –, des papiers de bonbons par terre, des téléphones, une tablette, des magazines, des produits de maquillage et, au milieu, une bouteille de vodka à moitié vide. Super.

Je mets Coco au lit, glisse une pile d'oreillers sous sa tête et m'assieds près d'elle.

— Pourquoi ? je lui demande en désignant la bouteille.

— J'sais pas, réplique-t-elle en haussant les épaules. J'm'embêtais.

Elle s'embêtait. Je jette un coup d'œil aux magazines et à l'iPad. Je pense au feu de camp, aux marshmallows, aux clowneries de papa, à Demeter qui se tue au boulot pour offrir des sweats Jack Wills à sa fille.

C'est Coco qui mériterait de nettoyer l'écurie à fond. J'aurais dû l'exiger.

— Où as-tu trouvé cette vodka ?

— Je l'ai achetée. Tu vas le dire à maman ?

— Je n'ai pas encore décidé, je dis d'un ton sévère. Tu sais, Coco, ta mère t'aime énormément. Elle travaille super dur pour te payer tous tes trucs à la mode. Et tu n'es pas tellement sympa avec elle.

— Bah, on lui a dit merci pour les vacances, proteste Coco.

— Alors c'est comme ça ? Tu remercies une fois et tu crois être quitte ? Et qu'est-ce que ça veut dire de la surnommer Madame Invisible ? S'il y a bien une chose que ta mère n'est pas, c'est invisible. Et tu sais quoi ? C'est méchant. Vraiment méchant.

Coco et Hal échangent des regards coupables. Ce sont sûrement de braves gosses ; ils ont juste pris la mauvaise habitude de critiquer leur mère. Et leur père les laisse faire. Bon, pour le moment il est absent.

Tout d'un coup, je me dis que, si Demeter est arrivée à cacher certaines de ses qualités à son équipe, elle a probablement fait de même avec ses enfants.

— Dites-moi, vous *savez* en quoi consiste le boulot de votre mère ?

— L'image de marque, répond Coco d'une voix blanche.

À mon avis, elle ne sait même pas ce que ça veut dire.

— OK. Savez-vous à quel point elle est formidable, brillante et intelligente ?

Le frère et la sœur n'ont pas l'air de comprendre. Il est clair qu'ils n'ont jamais pensé à leur mère sous cet angle.

— Comment tu le sais ? interroge Hal.

— J'ai travaillé dans le même domaine. Crois-moi, ta mère est une vedette. Une *star*.

Un instant plus tard, Hal vient s'asseoir à côté de moi. C'est comme si j'allais lire une histoire à deux gosses pour les endormir. *Il était une fois un monstre effrayant qui s'appelait Demeter. Mais cette femme n'était pas vraiment un monstre. Ni même très effrayante.*

— Votre mère a cent idées à la minute, je leur dis. Elle déborde de talent. Quand elle regarde un emballage, elle sait instantanément ce qui cloche et ce qui convient.

— Ouais, tu parles qu'on sait ! fait Coco en levant les yeux au ciel. Tu l'accompagnes au supermarché et, genre, elle donne son avis sur chaque boîte, chaque paquet, chaque sachet.

— Mais vous ne savez peut-être pas que ces avis lui ont rapporté des tas de récompenses. Qu'elle encourage la créativité de son équipe. Qu'elle transforme les idées en concepts en moins de temps qu'il ne faut pour dire *oui*.

Ils m'écoutent attentivement.

— Votre mère, c'est l'énergie personnifiée. À son contact, les gens réfléchissent, s'investissent, bossent dur. Elle est originale, stimulante. Elle m'a stimulée, *moi*. Sans elle, je ne serais pas qui je suis.

La dernière phrase était surtout destinée à marquer le coup, mais en la prononçant je me rends compte qu'il y a du vrai là-dedans. Si ça n'avait pas été pour Demeter, je n'aurais jamais produit autant d'efforts. Je n'aurais pas créé la brochure d'Ansters Farm. Nous n'aurions peut-être même pas démarré le glamping.

— Vous avez beaucoup de chance de l'avoir comme mère, je conclus. Je le sais d'autant mieux que je n'en ai pas eu.

— Biddy n'est pas ta mère ? s'étonne Coco.

— C'est ma belle-mère. Elle n'était pas là quand j'étais jeune. J'ai grandi sans maman, alors j'observais *beaucoup* celles des autres enfants. Je m'y connais en mères : la vôtre est une des plus formidables. Elle traverse un moment difficile au travail, j'ajoute. Vous êtes au courant ?

Pas de réponse. Bien entendu qu'ils ne savent rien. C'est un problème chez Demeter, cette tendance à vouloir protéger tout le monde. Faire en sorte que Rosa ne se sente pas rejetée. Que ses enfants ne s'aperçoivent pas qu'elle est stressée. Maintenir coûte que coûte une apparence de perfection.

Mais il est temps d'en finir. Coco et Hal ne sont plus des gamins. Ils peuvent tout à fait soutenir leur mère.

— Je sais de source sûre que les choses ne sont pas évidentes pour elle. Vous pouvez l'aider en vous montrant gentils, reconnaissants, en rangeant la yourte, en évitant de toujours réclamer un nouveau gadget, de vous plaindre et de vous venger sur la vodka.

Je fixe Coco qui évite mon regard.

— D'accord, marmonne-t-elle.

— Je vais ranger, propose Hal qui semble vouloir faire des efforts.

— Parfait. Hal, tu gardes un œil sur ta sœur, d'accord ? Ne la quitte pas. En cas de problème, viens me voir ou alerte n'importe quel adulte. Je reviens dans une demi-heure.

— OK, fait Hal avec vigueur.

— Tu vas pas le dire à maman, hein ? geint Coco. S'il te plaît.

Elle est pâle et, pour une fois, elle a laissé tomber son petit air arrogant. En fait, elle ressemble à une gosse de dix ans. Mais pas question d'abdiquer. C'est trop facile.

— Ça dépend, je dis en quittant la yourte.

En traversant le pré, je tombe sur papa, assis tout seul sur un banc, en train de siroter une bière. Il a enlevé son chapeau de Mick le fermier, ses clochettes sont silencieuses. Pour tout dire, il a l'air épuisé.

— Coucou, papa.

Ses yeux se plissent avec affection.

— Coucou, Kitty-Kate. D'où viens-tu comme ça ?

— Coco avait trop bu. Il a fallu que j'aille m'en occuper.

— Elle a *trop bu* ? Tous les adolescents se pintent. Je me souviens justement d'un soir où tu étais rentrée d'une fête dans un triste état. Tu avais à peu près son âge.

Je grimace en me rappelant l'épisode. J'avais sérieusement forcé sur les « black velvets » – moitié Guinness et moitié champagne. *Pas glorieux.*

— J'étais très inquiet, raconte papa. Je t'ai veillée toute la nuit comme un pauvre idiot. Le lendemain matin, tu t'es réveillée fraîche comme un gardon et tu as dévoré une platée d'œufs au bacon.

J'avais oublié qu'il était resté auprès de moi. Il avait vraiment dû se faire un sang d'encre. Sans personne avec qui le partager.

— Désolée, je dis en le serrant contre moi.

— Pas besoin, ma puce. C'est à ça que servent les papas.

Il prend une gorgée de bière en faisant tinter les clochettes cousues le long de son pantalon.

— J'ai bien aimé ta danse de Morris. C'était marrant.

— Ça les distrait, hein ?

Nouveau grand sourire. Mais le masque de fatigue n'a pas disparu.

— Papa, tu en fais beaucoup trop. Biddy aussi. Vous dépensez tellement d'énergie !

— Oui, mais c'est drôlement payant. Regarde : le feu, les clients, les yourtes. Tout ça fonctionne. J'ai finalement réussi quelque chose, Kitty-Kate. *Tu* as réussi quelque chose.

— Nous avons réussi *tous ensemble*, je rectifie. Et la moitié du succès revient à Mick le fermier.

— Ah, ça me permet de rester jeune ! s'exclame-t-il, ravi, avant d'ajouter d'un ton hésitant : Toi aussi, tu devrais faire attention à ne pas te tuer à la tâche.

— *Moi ?*

— Je t'ai vue devant ton ordinateur l'autre jour, tu semblais vraiment stressée. Les gens de ton agence t'en demandent trop. Avec tout le travail que tu abats déjà ici !

Quand il me tapote l'épaule, mon cœur se serre si fort que je dois fermer les yeux. Alex a raison. Je patauge dans un sacré bourbier. Impossible de continuer à mentir au sujet de mon boulot. *Impossible.*

— En fait, papa…

Je suis dans mes petits souliers. Comment présenter la chose ? Par où commencer ? Et s'il piquait une crise ?

Il attend tout en suivant des yeux une silhouette qui s'approche dans le crépuscule, sans doute un client en veine de promenade.

— Papa, il faut que je t'avoue un truc. C'est au sujet de moi… et… de mon boulot à Londres.

— Oui ?

Son visage se ferme. Il n'a pas très envie de m'entendre jacasser à ce sujet. Et encore ! Il ne se doute de rien.

Mon malaise augmente.

— Bon, ce qui se passe, c'est que…

— Dave ! s'écrie papa d'une voix de stentor. Dave Yarnett ! Qu'est-ce que tu fais là, vieille branche ?

Dave Yarnett ! C'est bien lui, hélas ! Avec sa dégaine inimitable et sa sempiternelle veste de cuir noir, sa barbe grise bien taillée et ses yeux malins, sa bedaine moulée dans un faux tee-shirt Calvin Klein.

— Mick ! (Grande bourrade dans le dos de mon père.) Je ne fais que passer. Mais je voulais te montrer en priorité mon nouvel arrivage. Un lot de tapis persans. Ça t'intéresse ?

— Papa, tu n'as pas besoin de tapis persans !

Dave me lance un regard gentiment réprobateur.

— Écoute, Katie, c'est une occasion unique que je propose à ton père. Vos clients ont des maisons à décorer, pas vrai ? Un pote de Yeovil m'a filé tout un stock de tapis persans anciens. J'ai quelques meubles aussi. Jette un coup d'œil dans mon camion, Mick, ça ne t'engage à rien.

— J'y vais, je regarde et je reviens aussi sec, m'annonce papa, un peu contrit.

Je le connais. Incapable de résister au boniment commercial de Dave Yarnett.

— Bon, vas-y, je grommelle, à la fois soulagée et coupable.

Je lui parlerai plus tard. Dans un moment mieux choisi. Quand j'aurai préparé mon speech. Et descendu une ou deux vodkas.

— Hé ! N'achète *aucun* tapis sans me consulter ! je crie, alors qu'il s'éloigne en compagnie de Dave. N'oublie pas que nous sommes associés.

Je reste un moment à regarder le ciel changer graduellement de couleur, passant du bleu foncé intense à l'indigo suave. Le camion de Dave s'en va et papa revient vers le feu de camp. Pourvu qu'il ne projette pas d'ajouter un bazar de tapis persans au camping Ansters Farm !

Et si j'allais moi aussi faire rôtir des guimauves et m'offrir une pause douceurs ? En chemin, j'aperçois la voiture de Demeter qui roule dans l'allée. Oh my God ! Elle est de retour.

Je pique un sprint et arrive dans la cour au moment même où elle sort de sa voiture, les sourcils froncés, fixant une feuille de papier dans sa main. Première constatation : elle n'a pas bonne mine du tout.

Je m'apprête à l'accueillir mais Alex me devance.

— Bonsoir, Demeter, dit-il en sortant de la cuisine, le téléphone à la main.

Quel air menaçant ! On dirait un bourreau.

— J'aimerais avoir un entretien avec toi. Biddy m'a donné la permission d'utiliser le salon.

Voilà ce qu'il fabriquait. Il préparait la salle d'exécution.

— *Tout de suite ?* Alex, j'arrive à l'instant. J'ai besoin d'un peu de temps…

— Tu as eu tout le temps qu'il te fallait.

Il parle d'une voix forcée. À mon avis, il s'est mis en condition, il a répété son discours.

— Les choses n'ont pas cessé de se détériorer depuis des mois. La situation est devenue catastrophique et tu le *sais*. Il faut qu'on discute.

Elle ferme sa portière et s'approche de lui d'une démarche hésitante. Dans son visage blême, ses yeux ressemblent à deux trous noirs.

— Je dois d'abord vérifier quelque chose. S'il te plaît, Alex. Donne-moi jusqu'à demain.

Il se plante devant elle, le visage tendu, en évitant de croiser son regard.

— Demeter, ça me déplaît d'avoir à faire ça, et tu le *sais* d'ailleurs, mais j'y suis obligé. Tout est en train de déraper, il faut arrêter le massacre. Nous inventerons une histoire pour la presse, tu toucheras des indemnités confortables… Écoute, il serait préférable de parler de tout ça dans le salon.

— Tu peux toujours courir ! Alex, cette histoire est insensée. On peut très bien envisager les choses sous un autre angle et je voudrais te le prouver.

Il l'ignore, poursuivant son discours comme s'il lisait une fiche.

— C'était trop lourd pour toi. Tout le monde le pense à l'agence. Un job trop costaud. Mais tu n'es pas responsable…

— Arrête ton baratin et ouvre tes oreilles ! OK ? Ce matin, je suis retournée à la maison et j'ai passé en revue de vieux mails à la recherche de… Je n'avais rien de précis en tête, en fait. Je voulais simplement comprendre ce qui se passe.

Elle désigne alors un grand sac poubelle rempli à ras bord de mails imprimés. Quelques feuilles s'échappent, emportées par la brise.

— J'hallucine ! s'écrie Alex.

— Ils étaient dans mon grenier, précise Demeter. J'ai l'habitude d'imprimer mes mails, c'est vieux jeu, d'accord, mais… Peu importe, j'ai trouvé ça.

Elle brandit un papier qu'Alex regarde à peine.

— Oui, c'est un mail, constate-t-il.

— Regarde-le ! s'exclame Demeter. Je t'en conjure.

— Tu me *tues* ! Mais soit…

Il commence à parcourir le texte puis relève les yeux presque aussitôt. Expression ? Zéro.

— C'est un mail de Lindsay, une fille de chez Allersons, que Sarah t'a transmis il y a deux semaines. *Et alors* ?

Il en a plus qu'assez, c'est clair. Néanmoins il reprend sa lecture à haute voix.

Chère Demeter, je vous remercie. Laissez-moi vous dire que nous apprécions la patience dont vous faites preuve…

— Stop ! *La patience dont vous faites preuve.* Tu vois ? Il s'agit de *ma patience.*

— Ça prouve quoi ?

— Pourquoi les gens d'Allersons apprécieraient-ils ma patience ? Quelle raison avais-je de me montrer patiente si, comme ils le prétendent maintenant, ils attendaient nos recommandations urgemment ?

— Qui sait ? C'est juste une façon de s'exprimer.

— Pas du tout ! C'est super important. Ce mail correspond à *ma* version des faits : ils m'ont dit de ne pas bouger avant d'avoir leur consentement définitif et je leur ai répondu. Je croyais perdre la boule, mais à l'évidence je suis parfaitement saine d'esprit.

— Demeter, on a tout examiné. Sarah nous a montré les échanges de mails. *Aucun* ne colle avec ce que tu racontes.

— Justement !

— Justement quoi ?

— Je ne sais pas exactement… Au moins…

Elle perd de sa niaque, tout d'un coup. La moulinette Demeter est en panne.

— Ça semble tiré par les cheveux, mais il se pourrait que quelqu'un se soit introduit dans mon ordinateur pour foutre le bordel dans mes mails.

Alex semble au comble de l'exaspération.

— Oh, vraiment ! ironise-t-il.

— Je *sais* que j'ai reçu un mail de Lindsay nous expliquant qu'ils nous donneraient le feu vert après avoir reçu les résultats d'une enquête. Je l'ai *vu* et je l'ai *lu* !

— OK ! Montre-le-moi. Il est dans ton ordinateur ?

Demeter semble accablée.

— Non. Il a… disparu. Je suis allée à Londres pour retrouver la copie imprimée, mais en vain. En revanche, je suis tombée sur celui-là qui, au fait, n'est pas non plus dans mon ordinateur. Je *sais*, c'est dingue. Mais j'en ai la confirmation, regarde !

Elle lui fourre le papier dans les mains.

— Donne-moi le temps de vérifier toutes ces copies papier. Je suis certaine d'avoir été piratée. Il y a un *truc pas net*, en tout cas….

— Pas de théorie du complot, s'il te plaît ! Demeter, au nom de notre vieille amitié, je te le demande. Si tu te répands en divagations de ce genre, les gens vont croire que… De toute façon, qui pourrait bien s'en prendre à toi ? Et pourquoi ?

— Je l'ignore, gémit Demeter. C'est incompréhensible…

Pendant qu'ils parlent, j'étudie le mail qu'Alex a dans la main. Un détail me frappe.

— Hé ! Regardez l'adresse. Ce devrait être demeter.farlowe@cooperclemmow.com. Sauf qu'ici nous avons demeter_farlowe@cooperclemmow.com. Ce n'est pas le même compte.

Silence. Même Alex reste sans voix. L'air intrigué, il inspecte l'adresse à son tour.

— Fais voir ! s'écrie Demeter en lui reprenant la feuille. Je ne m'en suis même pas *aperçue*.

— Il y a plein d'explications possibles, commente Alex. Par exemple, un essai du département informatique. À moins que tu aies oublié que tu avais créé un nouveau compte mail…

— Moi, créer un compte mail ? Tu plaisantes. Je ne saurais pas comment m'y prendre. C'est Sarah qui s'occupe de tout ça. Elle trie mes mails, me les fait suivre. Elle est la seule qui…

Elle me regarde. Je la regarde. La même idée nous vient au même moment !

Sarah.

C'est comme si un voile se levait. Subitement, ma vision s'éclaircit. *Sarah*. Bon sang !

Demeter est couleur cendre. Je vois que, comme moi, elle tourne et retourne l'hypothèse dans sa tête. Sarah ? *Sarah ?*

Tout se met en place. Les mails transformés, les messages volatilisés… Sarah et son dévouement à la fois sans limite et hostile… Demeter plantée dans l'open space, regardant son téléphone avec un air égaré…

— *Sarah ?* je lance.

— Sarah, acquiesce Demeter avec une tête d'enterrement.

— Qui est Sarah ? demande Alex en nous dévisageant tour à tour.

Demeter étant trop sidérée pour ouvrir la bouche, je réponds à sa place :

— C'est l'assistante personnelle de Demeter. En gros, tout passe par elle. Elle rédige les mails à sa place. Parfois, *comme si elle était elle*. Elle retrouve ceux que Demeter a effacés par erreur. Par conséquent, elle peut facilement… en falsifier un.

— Mais pourquoi ? demande Alex, perplexe. Quel intérêt aurait-elle ?

Demeter et moi échangeons un coup d'œil. Difficile d'expliquer l'atmosphère d'un bureau à quelqu'un qui n'y passe pas quarante heures par semaine.

— Pour me faire chier ! s'écrie Demeter. Je ne vois pas d'autres motifs.

— D'accord ! Mais ça ne m'explique pas ses véritables raisons.

Demeter ne cesse de croiser et décroiser ses longs doigts.

— Mes rapports avec elle ne sont pas… parfaits.

— Elle ne t'a jamais pardonné d'avoir viré son copain, j'ajoute. Elle m'a raconté toute l'affaire par écrit. Avec beaucoup d'amertume. Alors on peut imaginer qu'elle t'en veuille à mort, qu'elle souhaite se venger…

— Bon, on arrête tout de suite ! nous interrompt Alex. Ces accusations sont *extrêmement* graves.

Mais je continue sur ma lancée :

— Réfléchis, Demeter. Elle gère ta messagerie, alors aucun problème pour jongler entre différents comptes. Contrôler quels mails tu lis et lesquels tu ne vois pas, répondre en ton nom, envoyer des messages ou les supprimer. En fait, si elle le veut, elle peut animer toute une correspondance bidon.

Je me souviens que Sarah se vantait du nombre de mails qu'elle écrivait à la place de sa patronne. « J'ai été Demeter *tout l'après-midi* », disait-elle de sa voix de martyre. Et qui vérifiait tous ces envois ? Sûrement pas Demeter, j'en mettrais ma main à couper.

— Assez ! aboie Alex. Vous n'avez aucune preuve.

— Ça, c'est une preuve ! rétorque Demeter en agitant le mail sous le nez d'Alex. Le texte n'est pas logique. Il y en a d'autres du même tonneau. Je les ai *vus*.

— Mais tu as dit que tu avais *répondu* à ces mails, objecte-t-il.

— Oui. Tout ça est fou ! Complètement abracadabrant !

Elle se tient la tête dans les mains, au comble du désespoir. Je l'interroge :

— Tu as déjà vérifié sur quelle adresse mail tes réponses atterrissaient ?

— Bien sûr que non. L'adresse est enregistrée dans mes contacts.

— Je te parie que tes réponses ne sont jamais arrivées chez Lindsay. Et on peut le *démontrer*, je fais, prise d'une inspiration subite. Demande à cette fille si elle t'a bien envoyé ce mail et, si sa réponse est négative, alors…

— Contacter Allersons ? Vous n'y pensez pas, intervient Alex. Ils ne voudront jamais plus nous parler.

— Alors il faut réquisitionner l'ordinateur de Sarah, je suggère. Les techniciens peuvent tout retracer.

— Proposition irrecevable, Katie. Tu ignores sans doute que le moral de l'équipe est au plus bas. Il n'est pas question d'ouvrir une enquête sur la base de fables à dormir debout. Demeter, je t'aime et te respecte beaucoup, mais c'est terminé. *Clôturé.*

— Tu ne vas quand même pas la licencier après ça ?

— Il n'y a pas de « ça », explose-t-il. Demeter, quand tu as parlé de *preuve*, j'ai cru que tu parlais *d'évidence inattaquable*. Pas d'un mail et d'un scénario tiré par les cheveux. Désolé. Je t'ai donné une chance de te disculper, mais c'est fini. Terminus, tout le monde descend.

Mon cœur cogne.

— Alex, je t'en supplie, attends jusqu'à demain, implore Demeter. La nuit porte conseil.

— J'ai l'agence sur le dos. Je dois conclure. Si tu refuses de m'accompagner au salon pour statuer dans les règles…

— Arrêtez tout ! je crie d'une voix que la panique rend aiguë. Ne la renvoyez pas !

— Trop tard !

Les mots claquent comme un coup de fusil.

— C'est impossible. Reprenez-la !

Mais Alex est déjà en route vers le village de yourtes où le feu de camp brûle de toutes ses flammes. Certains pensionnaires chantent, accompagnés par une guitare, et Steve Logan se trouve parmi eux. Je le vois se balancer au rythme de *Brown Eyed Girl*, la chanson de Van Morrison.

— Tu ne peux pas faire ça, je glapis en courant derrière Alex. Ce licenciement est contraire aux procédures. Contraire aux conventions européennes.

J'ai lancé cette menace au hasard. Vraisemblable ou pas ? Je dirais : plausible.

— *Je t'en prie,* Alex, implore Demeter qui nous a rejoints. Ce mail montre qu'il y a un truc louche et…

Elle s'interrompt brusquement parce que papa vient de surgir de l'obscurité, reprenant son numéro de bourrée à grand renfort de clochettes.

— Tralala. Et un, et deux…

Il agite ses cannes vers Demeter qui sursaute, lâchant le mail.

— Oh merde ! je crie alors que la feuille s'envole.

— Rattrape-la ! s'égosille Demeter en courant derrière le papier.

Nous nous précipitons toutes les deux à la poursuite du papier volant. À proximité du feu, il nous faut enjamber les gamins, ce qui provoque des exclamations de toutes sortes. Tant pis pour les « oh » et les « aïe » ! Il *faut* qu'on mette la main sur ce mail.

— Excusez-moi... pardon...

Je frôle Cleo et Giles allongés devant le feu avec Nick qui gratte sa guitare.

— Ne vous gênez pas ! Il y a de la place pour tout le monde, proteste Cleo.

— Quel enfer ! halète Demeter qui vient de louper la feuille de peu.

— Rattrape-la !

— Ben, je fais quoi, à ton avis ?

— Non ! Pas ça !

Je panique parce que Giles est sur le point de lancer un allume-feu dans les flammes.

Trop tard ! Les flammes s'élèvent en produisant un appel d'air qui happe instantanément le bout de papier. Vingt secondes plus tard, il n'en reste qu'un minuscule tas de cendre.

Le choc me paralyse. Demeter, elle, ressemble à un fantôme.

— Demeter, ça va aller. Moi, je te crois. Il se passe un truc *zarbi* avec ton ordi. Oh, fais gaffe ! Ton pantalon. AU FEU !

Alerte incendie ! Le revers du pantalon large de Demeter commence à se consumer.

C'est la goutte d'eau qui fait déborder le vase.

— *Non ! Non !* hurle-t-elle en tapant frénétiquement des pieds pour étouffer le feu.

— Prenez les seaux ! crie papa en arrivant à fond de train. Il y a le feu ! Les seaux !

— J'arrive ! J'arrive !

La voix stridente et monocorde de Steve couvre le vacarme, puis j'entends quelques piaillements. Demeter dégouline, Steve à côté d'elle, l'air enchanté, un seau vide à la main.

Incroyable mais vrai.

— Merci ! dit Demeter, frissonnante, en repoussant ses cheveux mouillés. Mais fallait-il vraiment que vous balanciez *toute* cette eau glacée sur moi ?

— Santé et sécurité, c'est ma devise. Et puis vous le méritez – hein, Katie ?

Il me lance un énorme clin d'œil et je me fige.

— Espèce de *débile* ! je parviens à articuler malgré ma rage. Crétin ! *Abruti !*

— Je me suis vengé de ta part. Voilà ce que ça coûte de te faire des tours de cochon ! À présent, ne touchez plus à Katie, lance-t-il à Demeter, sinon vous aurez affaire à *moi.*

Je pourrais le tuer.

— N'importe quoi ! Qu'est-ce que tu sous-entends ?

— Toute la vérité, rien que la vérité, Katie.

Et j'ai droit au regard entendu de ses yeux globuleux.

— Tu lui as demandé de me noyer ? Je n'y crois pas, fait Demeter.

— Pas du tout ! je m'exclame.

Mais elle est bien trop au bout du rouleau pour percuter. Elle secoue la tête et rétorque :

— Tu ne m'en as pas fait assez baver ? Tu ne m'as pas assez punie ? C'est quoi, le prochain châtiment ? Tu vas me ligoter avant de me jeter aux chiens ? Bordel ! Je *sais* que je t'ai virée sans y mettre les formes. Je sais que tu es persuadée que j'ai fichu ta vie en l'air. Mais je *devais* te renvoyer. Ça faisait partie de mon job. Je n'avais pas le choix, tu comprends ? C'est difficile, mais parfois il faut passer à autre chose…

— Te renvoyer ? la coupe papa. De quoi parle-t-elle ?

Je sursaute. Papa fixe Demeter d'un œil inquisiteur.

— *Merde !* dit Demeter. Ça m'a échappé, Katie !

— C'est une connaissance de Londres ? Katie, qui est *cette personne* ?

— Elle travaille chez Cooper Clemmow, explique Steve avec un air de sinistre importance. J'ai regardé sur Google. Elle s'appelle Demeter Farlowe, d'après ce que j'ai lu.

Il montre ensuite Alex du doigt et ajoute :

— Et lui aussi, il travaille là-bas. Ce sont les patrons de Katie à Londres. *Voilà* qui c'est.

Mâchoires serrées, papa les dévisage.

— Pourquoi avoir caché qui vous étiez ? Pourquoi ce grand mystère ?

— C'est délicat, dit Demeter en me regardant.

— Vous êtes venue pour virer Katie ? s'indigne mon père. Ça ne se *peut* pas ! Non, ça ne se *peut* pas ! Ma Katie est une employée modèle. Toujours sur son ordinateur ou son téléphone, à travailler jusqu'à pas d'heure… même pendant son *congé sabbatique*. Quel genre de patrons vous êtes ? Des exploiteurs, c'est tout !

— Arrête, papa ! Tu as tout faux. Ils ne sont pas venus pour me licencier. À vrai dire…

J'ai les jambes en coton et du mal à déglutir.

— À vrai dire, j'ai essayé de t'en parler tout à l'heure…

Les larmes se mettent à couler sur mes joues tandis que tous m'observent, stupéfaits. Demeter continue de dégouliner et Alex… Alex me regarde avec une extraordinaire expression de gentillesse et de tristesse.

— Papa et Biddy, je dis soudain. Il faut que je vous parle. Maintenant.

Les faits sont faciles à raconter. Les raisons, beaucoup moins.

Après leur avoir expliqué mon renvoi, ses causes précises, mes tentatives pour retrouver un job, au fond, je ne leur ai pas dit grand-chose. Nous sommes dans le salon – l'endroit parfait pour ce genre de confession. Papa et Biddy sont assis sur le vieux canapé en chintz rose délavé.

— Mais, Katie…

Papa n'a pas besoin d'ouvrir la bouche. Son visage choqué parle pour lui. Il a l'air de ne plus comprendre le monde et j'ai l'impression que c'est ma faute. Je retiens mes sanglots.

— Papa, je ne voulais pas t'inquiéter. Je pensais que si j'arrivais à me dégotter un boulot assez vite, je…

— C'est à ça que tu étais occupée, dit gentiment Biddy.

— J'ai postulé pour tellement de jobs. Tellement… (Le seul souvenir de ces multiples candidatures m'épuise.) Je me disais que vous n'aviez pas besoin de savoir. Désolée. Je suis vraiment désolée, papa.

Je me mords les lèvres et ferme les yeux, rêvant de pouvoir revenir trois mois en arrière, quand j'avais l'occasion d'agir différemment.

— Pas de quoi être désolée, Kitty-Kate, me console papa d'une voix enrouée par l'émotion, en serrant très fort mes mains dans ses grandes patoches. Tu as traversé des moments pénibles. J'aurais préféré être au courant et t'aider, mais c'est fait. Tu sais, ce qui nous importe, c'est ton bonheur. Au diable ces gens ! Tu es revenue, tu diriges Ansters Farm. Tu es une fille formidable et brillante. Si ces gens de Londres ne s'en aperçoivent pas, nous, nous le savons. Pas vrai, Biddy ?

Je reste interdite. Biddy secoue la tête en fronçant les sourcils.

— Mick, ce n'est pas aussi simple, intervient-elle avec sa sagesse habituelle. Katie ne *veut* pas faire sa vie personnelle et professionnelle ici. Je me trompe, mon chou ?

L'atmosphère du salon devient irrespirable, comme si un poison s'y était infiltré. L'heure est venue de dire toute la vérité. Mais sans blesser mon père.

— Papa…

La tension m'empêche presque d'articuler.

— Papa, je veux vivre à Londres. Je veux faire un autre essai. C'est difficile à comprendre pour toi, mais c'est mon rêve. Je ne veux pas te briser le cœur pour autant et je sais que tu seras malheureux de me voir repartir. Je suis coincée. Je ne peux pas… Je ne sais pas…

Les pensées se bousculent dans ma tête, confuses et incohérentes. Je pleure à chaudes larmes. Papa, lui, a l'air ravagé.

— Katie, pourquoi es-tu si certaine que je refuse que tu vives à Londres ?

Il est sérieux ?

— Tu sais bien. Tu n'as pas arrêté de me répéter que Londres est cher, sale et dangereux. Tu m'as parlé d'un appartement en vente à Howells Mill…

— Mick ! bondit Biddy. Pourquoi veux-tu que Katie achète un appartement à Howells Mill ?

— Ce n'était qu'une *suggestion*, se récrie papa.

— Je me sens *tout le temps* coupable. En permanence.

Quel soulagement de prononcer ces mots ! Quelle angoisse, aussi ! Je m'aventure sur un terrain sur lequel je n'aurais jamais osé mettre les pieds auparavant.

— À mon tour de m'exprimer, annonce Biddy, nerveuse mais résolue.

Ma belle-mère m'étonnera toujours !

— Je m'efforce toujours de me tenir à l'écart quand vous êtes en conflit. De ne pas me mêler de ce qui ne me regarde pas. Mais à présent, je crois que c'est le moment *d'intervenir*. Parce que je vois les deux personnes que j'aime le plus au monde – vous savez ça, au moins ? – se faire du mal. Je ne le supporte plus. Mick, tu te rends compte que tu exerces une pression sur elle en lui parlant d'acheter un appartement par ici ? Et tu sais parfaitement ce que je pense de notre dernier séjour à Londres…

Biddy précise à mon intention :

— Ton père aurait dû s'excuser pour les choses ridicules qu'il a dites. Non, Mick, laisse-moi continuer ! Je *sais* que tu t'inquiètes pour Katie, mais huit millions de personnes vivent à Londres dans une relative sécurité, *en tout cas* sans se faire attaquer ou arnaquer.

Mine contrite de papa. Quant à moi, l'éloquence inattendue de Biddy me laisse bouche bée.

— Autre chose, Katie : nous ne sommes pas idiots, nous savons combien la vie à Londres est difficile, hors de prix, entre autres. Nous lisons les journaux, nous regardons les nouvelles à la télé. Mais toi, tu ne parles que des aspects positifs, comme si tu vivais dans un rêve. Tu occultes les moments difficiles, pourtant il doit bien y en avoir. Dis-moi la vérité, Katie.

Pause silencieuse. J'ai presque envie de me jeter aux genoux de Biddy et de la serrer contre moi.

— Tu as raison. Ce n'est pas rose, pas rose du tout, j'avoue finalement.

— La perfection n'est pas de ce monde, philosophe Biddy en passant un bras sur mon épaule. Tu en demandes trop, mon chou. Il ne faut pas. Celui qui a dit que la vie devait être parfaite est un sinistre menteur. Ça n'a pas plus de réalité que les idées que tu peux te faire au sujet du cœur brisé de ton père. Jamais tu ne briseras son cœur, sois en sûre, ma Katie.

Lentement, timidement, mes yeux se lèvent vers ceux de mon père. Tout au long de ma vie, son regard a été mon repère, ma boussole. Dans ses profondeurs bleues, son amour pour moi rayonne. J'y distingue toutefois quelques petites réserves.

Biddy n'a pas tout à fait raison. Je lui ai un peu brisé le cœur. Peut-être et seulement en grandissant.

— Excuse-moi, Kitty-Kate. J'imagine ce que ça représente pour toi. Je vais être honnête : je ne suis pas fou de Londres, mais puisque tu l'aimes, je l'aimerai peut-être aussi un jour. Je *l'aimerai* un jour, se corrige-t-il après un bref coup d'œil à Biddy.

— Si je ne retrouve pas de boulot, ce ne sera peut-être pas la peine.

Et j'essaie de rire de ma sortie.

— *Quels salauds !*

Papa brandit un poing vengeur que Biddy calme aussitôt en posant une main sur son bras.

— Mick, Katie est une adulte. Elle va trouver sa voie et nous ne devons pas interférer. Et maintenant, allons nous occuper de notre glamping.

En se levant, elle me lance un clin d'œil. Je ne peux pas m'empêcher de lui adresser un grand sourire en retour.

19

Plutôt que de rejoindre la chorale autour du feu de camp, je choisis une tasse de thé dans la cuisine. Je ne suis pas la seule : assise à la table en formica, un turban sur la tête, des vêtements secs sur le dos, je trouve Demeter et m'arrête net :

— Tu es là ?

— Biddy m'a dit que je te trouverais ici. Je voulais m'excuser pour avoir trahi ta confiance, Katie.

— Ne t'en fais pas. J'envisageais de tout dire à mon père, alors tu m'en as donné l'occasion.

— Quand même ! Je n'aurais pas dû.

D'un air las, elle ajoute en tirant nerveusement sur ses manches :

— Si j'ai bien compris, je dois aussi te remercier pour t'être occupée de Coco. Hal m'a tout raconté.

— Pas de problème !

Le pauvre Hal semblait perturbé par la cuite de sa sœur. Je comprends qu'il ait tout répété à sa mère.

— Je ne sais pas ce que tu leur as dit, mais Hal a déposé un bouquet de fleurs sur mon lit. Il les a cueillies dans le jardin, alors je dois aller m'excuser auprès de Biddy. Et, pour la première fois, Coco s'est montrée conciliante. Une vraie *grande personne.*

— Qui sait ? Elle commence peut-être à considérer un peu plus le monde de ton point de vue. Demeter, tu…

Comment le formuler ?

— Tu devrais être plus sévère avec tes gamins. Ils te traitent parfois par-dessus la jambe.

Long silence. Elle tripote toujours ses manches. Si elle continue, son pull va finir sans plus de forme.

— Je sais, soupire-t-elle, mais ce n'est pas facile. Je me sens coupable de les voir si rarement. Alors quand ils me demandent des choses, je veux leur faire plaisir.

— Tu es une personne différente quand tu es avec tes enfants et au bureau. *Totalement* différente, j'accentue. Et pas en mieux.

— Oui, mais pour les mêmes raisons : ne pas faire de vagues…

— Ça doit être compliqué, avec ton mari parti et tout le reste. J'ai entendu votre conversation dans la grange, hier. Pardon !

— Pas la peine de te sentir coupable. Nous n'étions pas spécialement discrets. Voilà, notre vie est en pleine évolution.

— La situation n'est pas marrante. Je te plains sincèrement.

— Ça va !

Elle se renverse sur sa chaise, les yeux clos, l'air las. J'aperçois de fines ridules autour de ses yeux.

— Non, en fait, ça ne va pas, corrige-t-elle en se redressant. C'est difficile de trouver un équilibre entre deux carrières et une vie de famille… James a vraiment essayé de refuser ce gros job pour ne pas me laisser avec toute la pression sur le dos. De mon côté, j'étais tellement prise par mon boulot que je n'ai rien remarqué. Mais nous y voilà. Il faut nous réorganiser. Enfin, le problème va se résoudre de lui-même puisque, dorénavant, je serai à la maison. (Petit sourire triste.) C'est un des avantages de perdre son travail.

— Mais non ! je proteste. Ça ne va pas arriver.

— Tu es adorable, Katie, mais je n'y échapperai pas. Alex a seulement accepté de reporter l'entretien de licenciement à demain, 10 heures, et j'aurai droit au cirque officiel. C'est le processus obligé quand on perd son boulot. Comme tu le sais.

— Ça signifie que, à cet instant précis, tu n'es pas encore virée. Il peut changer d'avis. Personne n'a rien entendu, ce soir. Pas de témoins, pas de documents signés. Officiellement, il ne s'est rien passé.

— Bien essayé ! Mais je serai virée.

— Tu peux encore te battre. Défendre ta cause. Tu as examiné les mails du sac ?

— Oui. La plupart sont plus anciens que je le croyais. Donc je n'ai rien.

Je branche la bouilloire électrique et sens mes forces revenir.

— Écoute, Sarah a créé de sérieuses embrouilles. Pas seulement avec tes mails, mais aussi avec ton emploi du temps, tes messages, tout. Elle *voulait* te faire douter de toi.

Je me souviens de Sarah affirmant calmement : « C'était mardi. Ça a toujours été *mardi* », et de l'incompréhension dans les yeux de Demeter.

— Je me suis posé des questions, dit-elle. Mais maintenant que j'y réfléchis, tout semble logique. Je ne me suis rendu compte de rien parce qu'elle a agi très progressivement. D'abord quelques petites étourderies, mails égarés, documents effacés, rendez-vous intervertis… Je pensais lui avoir donné des instructions et elle m'affirmait catégoriquement le contraire. Ensuite, les bévues sont devenues des erreurs graves. Inquiétantes. Humiliantes. Je ne voulais pas qu'on en parle trop parce que j'ai vraiment cru que j'avais un truc grave. Tu ne sais pas combien de fois j'ai tapé « démence » sur Google.

— Quelle salope vicieuse ! Il faut la virer.

— Mais qui va gober une histoire pareille ? gémit Demeter. J'y crois à peine moi-même ! Je *suis* tête en l'air, c'est vrai, surtout quand je suis stressée. J'oublie d'envoyer des mails, de dire des choses à James… Et tu vois bien comment je me suis comportée avec toi ! Une fois encore, je m'excuse. J'étais *tellement* tendue ce jour-là. J'avais l'impression que mon univers basculait dans le vide. Avec moi, tête la première.

— C'est bon ! je dis sincèrement.

— Laisse-moi t'expliquer. Ce jour-là, j'ai vérifié ma liste de choses à faire dans mon agenda. Sarah avait mis une croix à côté de *Parler à Cat*. Comme si c'était fait. J'étais dans un tel état… Je ne savais plus où j'en étais… Mais *comment* j'ai pu douter autant de moi-même ? se lamente-t-elle.

— C'est le *but* qu'elle voulait atteindre. Tu es d'une nature distraite et ça te chiffonne. Elle en a joué. C'est un monstre. Il faut la coincer.

— Je n'ai pas de preuve. Ce serait ma parole contre la sienne. Comme elle est très maligne, elle a dû couvrir ses traces.

— Pas maligne à ce point-là, j'objecte. On peut solliciter un spécialiste en investigation numérique.

Ricanement de Demeter.

— L'agence ne permettra jamais à un expert de ce genre de poser un pied dans l'immeuble. Tu as vu la réaction d'Alex ? Et il est censé être de *mon* côté. Tout le monde chez Cooper Clemmow souhaite me voir partir avec un minimum de vagues. Je suis une femme entre deux âges qui présente un problème embarrassant. Ils me donneront de bonnes indemnités de départ… et voilà.

Elle semble vaincue. Rien à voir avec ma flamboyante ex-patronne. Impossible que cette perdante consentante soit Demeter. Non ! Je ne l'*accepte* pas.

— Tu dois te battre ! je m'exclame. C'est quand ton adversaire pense que tu vas abandonner qu'il faut appuyer sur le champignon et redoubler de vitesse.

— J'ai déjà entendu ça quelque part, dit Demeter. D'où sort cette citation ?

— De *Prends le taureau par les cornes*, j'admets d'un air penaud. J'en ai finalement acheté un exemplaire. Soldé.

— C'est bien, hein ?

— Oui. Particulièrement le chapitre intitulé *Ne permettez pas à votre garce d'assistante de prendre le dessus. Ce n'est pas seulement elle que vous laissez gagner, c'est aussi l'axe du mal.*

Demeter laisse échapper un petit rire. Moi pas. Je suis terriblement sérieuse.

— Si tu ne te bagarres pas, moi je le ferai. Quoi qu'il en coûte.

Je m'approche encore pour lui insuffler un peu d'esprit rebelle.

— Tu ne *peux* pas te laisser jeter dehors comme une malpropre. Tu es la *boss*, Demeter.

— Merci. C'est sympa, dit-elle en me serrant la main.

— Ton mari est au courant ?

— Oui, dans les grandes lignes. Mais il ne peut pas vraiment comprendre. « On va les poursuivre en justice » : voilà ce qu'il a dit. Typique de James. Mais, honnêtement, il ne peut pas m'être d'une grande aide depuis Bruxelles.

— Bon. Voici ce que je te propose. Cette nuit, on réfléchit et demain, première heure, on se voit pour établir un plan de bataille.

Demeter secoue la tête avec incrédulité.

— Tu crois vraiment pouvoir persuader Alex ?

— *Il le faut.*

Puis, après une pause calculée, j'ajoute très innocemment :

— Tu sais où il est ?

— Maintenant ? Aucune idée. Mais dis-moi… Tous les deux, vous…

— Non ! Enfin, nous…

Alerte rouge ! Je sens que je deviens écarlate, m'éclaircis la voix, me verse une tasse de thé… Je gagne du temps, quoi !

— Oh my God ! s'écrie Demeter en me fixant. Tu *es*… Je le savais ! Dis-moi que tu n'es pas amoureuse !

Ma bouche s'agite bizarrement, un peu comme celle d'un poisson.

— Non ! Bien sûr que non ! Ne sois pas ridicule !

— Katie, ne t'entiche pas de lui. Protège-toi ! Ne le laisse pas prendre ton cœur.

— Et pourquoi ?

— Parce que tu vas souffrir. Alex est adorable, mais incapable de s'engager. Il aime la nouveauté. Les nouvelles villes, les nouvelles idées. Il enchaîne. Boum ! Boum ! Boum ! Aujourd'hui, tu es la nouveauté, mais dans peu de temps…

Je revois Alex sur le toit de l'immeuble s'emballant pour des expériences virtuelles avec autant d'enthousiasme que si elles étaient réelles. Puis j'efface cette image. Pourquoi ? Parce qu'elle est hors sujet.

— Ne te fais pas de souci, j'affirme avec autant de conviction que possible. Ce n'est pas *sérieux*. Et je ne m'attends pas à ce que ça le devienne. C'est seulement… pour le fun.

— Si tu le dis, fait Demeter sans trop y croire. J'ai connu bon nombre de ses copines et, parmi elles, beaucoup de cœurs brisés. On le surnomme Alex Aller Simple, parce qu'une fois qu'il est parti, il ne rebrousse pas chemin. Il ne pose pas les pieds deux fois au même endroit. J'en ai vu des filles brillantes et intelligentes attendre, pleines d'espoir. Elles savaient au fond d'elles-mêmes qu'il ne reviendrait pas.

— Alors pourquoi espéraient-elles ? je demande malgré moi.

— Parce qu'il est dans la nature humaine de souhaiter des choses impossibles. Tu bosses dans le marketing, tu le sais bien.

— Alors pas de souci. Je n'attends rien, je n'espère rien. Juste un peu de distraction.

— OK. Il faut que je retourne auprès de Coco et Hal, dit-elle après un coup d'œil à sa montre. À demain. Merci, Katie.

Elle se lève et, tandis qu'elle m'embrasse, un coup résonne à la porte et Alex fait son entrée.

— Salut, Demeter !

— Salut ! Qu'est-ce que tu veux ?

— Voir Katie.

Quand ses yeux se plongent dans les miens, j'y découvre un désir si puissant qu'il me coupe le souffle. Flash-back immédiat de l'épisode dans la prairie.

— Salut, Alex !

— Tout va bien ?

— Absolument.

Je frissonne de partout. Je n'ai qu'une envie : passer une nuit de délices avec ce mec qui me transforme en flaque. Je veux qu'il me touche, qu'il me parle. Je veux partager ses pensées et ses blagues… ses soucis et ses moments de tristesse… ses certitudes et ses doutes. Je veux connaître tous les côtés secrets que je devine.

— Je vous laisse vaquer à vos petites affaires, annonce Demeter.

Son coup d'œil assassin à Alex me donne envie de rire.

— C'est bon, Demeter. *Ça n'arrivera pas*, j'ajoute en montrant discrètement mon cœur.

— Tu crois ça ! répond-elle en secouant la tête d'un air désenchanté.

20

Il est à peu près 6 heures du matin quand je donne un petit coup sur le mollet nu d'Alex avec mon pied.

— Coucou, monsieur le rat des villes.

Nous n'avons pas fermé l'œil de la nuit. Nous avons somnolé et ri, nous nous sommes rassasiés l'un de l'autre, à l'intérieur de notre bulle. Rien d'autre. Mais maintenant que les oiseaux commencent à chanter et que le soleil filtre à travers les rideaux, la vie réelle reprend ses droits.

— Hum ! grogne-t-il, à moitié réveillé.

— Retourne dormir dans ton lit.

— Quoi ? Tu me fiches dehors ?

— Biddy sera fâchée si tu n'utilises pas ta chambre. Tu es son premier occupant. Fais au moins un essai. De toute façon, je te déconseille ma douche : pas de pression.

— Une minute, réclame Alex.

Il embrasse goulûment mon épaule et me serre contre lui. Comment résister ? Il émane de lui une force magnétique qui m'aspire littéralement.

Une fois la pulsion assouvie, je me demande, un peu tard, si nous n'avons pas été trop bruyants.

— Allez ! Comporte-toi comme un client modèle. On se retrouve pour le petit déj.

Il repousse la couette en levant les yeux au ciel. À mon avis, c'est la douche anémique qui l'a convaincu de déménager. Il doit être du genre à ne pas plaisanter avec le bon fonctionnement des sanitaires.

— À tout à l'heure, dit-il en passant la porte, vêtu de son seul caleçon.

Pas très discret. Même quelqu'un de moins perspicace que Biddy comprendrait… Qu'importe !

Je saute de mon lit, saute sous la douche, saute dans un jean. Un top, un coup de brosse et me voilà trottinant sur l'herbe couverte de rosée en direction de la yourte de Demeter.

— Bonjour ! je dis joyeusement en entrant.

Elle est assise sur son lit, dans un pyjama gris perle, une de nos couvertures en alpaga sur les épaules, et elle tape fiévreusement sur son ordinateur.

— OK, fait-elle comme si elle continuait naturellement la conversation entamée la veille. Il faut commencer par la pile de mails imprimés dans mon bureau.

Je revois les paperasses entassées par terre.

— Tu ne crois pas que Sarah les a triés pour se débarrasser des documents compromettants ?

— Pas ceux de l'armoire. Elle ignore leur existence.

Surprise ! Il existerait donc une zone de mystère pour Sarah dans la vie de Demeter !

— Ça l'énervait tellement que j'imprime mes mails que je le faisais en douce. Et je les cachais dans une grande armoire. Je dois en avoir des centaines là-dedans. L'armoire ferme à clé et j'ai la clé avec moi.

— Des centaines ? Pourquoi garder autant de papiers ?

— Ah, ne commence pas ! se rebiffe Demeter. Je me disais que peut-être, un jour, j'en aurais besoin.

— Ce jour est arrivé, il me semble.

— Eh oui, tu vois !

Avec une confiance renouvelée, je suis certaine qu'elle va gagner. Je le vois bien : elle tape avec énergie, elle déborde d'idées. D'idées et de colère.

— Tu es une autre femme ce matin. On dirait que tu as envie de te battre.

— Oh oui ! Je ne sais pas ce qui s'est passé cette nuit, mais je me suis réveillée en me disant : *pas question*.

J'ai envie d'applaudir. La fille forte et décidée que je connais est de retour.

— Exactement. *Pas question !*

— Je ne veux pas me faire baiser par mon assistante !

— Je t'approuve à cent pour cent.

— Il y a autre chose : je suis sûre qu'elle a un complice. C'est obligé. Certaines infos qu'elle a utilisées provenaient de réunions auxquelles elle n'a pas assisté.

Qui ? Qui ? Je me creuse les méninges.

— Tu as des soupçons ?

— Rosa.

— Ou bien Mark, je suggère.

— Ou Mark. Tout aussi probable. D'autres candidats ?

Sois plus diplomate, Katie ! Ce doit être terrible pour elle de penser que plusieurs personnes veulent sa tête.

— N'y pense plus. On trouvera les coupables en temps voulu. Travaillons plutôt sur notre tactique.

Une demi-heure plus tard, notre stratégie au point, nous partons ensemble prendre le petit déjeuner. Il ne reste plus qu'à trouver Alex, ce qui s'avère très facile. Il est attablé dans la cuisine, à regarder avec stupéfaction Biddy lui servir une platée de champignons. Pour info : trois saucisses, quatre tranches de bacon, deux œufs et deux tomates se trouvent déjà dans son assiette. J'oubliais le pain frit, une spécialité de Biddy absolument *divine* (délice diabolique à 400 calories la seule tranche).

— Quel festin ! s'exclame-t-il poliment, alors que Biddy s'avance avec une autre poêle. C'est énorme. Non, merci, plus de bacon.

Papa est en pleine conversation avec lui.

— Donc, comme je vous le disais, c'est une occasion unique sur laquelle un homme d'affaires avisé comme vous va sauter immédiatement. De toute façon… (mon arrivée a l'air de le chiffonner), on en parlera plus tard. Un peu de sauce HP ?

Et il mord dans un toast.

— Quelle occasion unique ? je demande.

— Rien, fait papa avec un sourire innocent. Je taillais juste une bavette avec Alex. Histoire de passer le temps.

— Tu essaies de lui vendre quelque chose ? Si c'est le cas, *abstiens-toi* !

— Ton père aimerait développer un business de tipis, explique Alex, imperturbable.

— Des tipis ? Papa, c'est quoi cette histoire ?

— Pour étendre la franchise, se défend papa. Si tu n'avances pas, tu recules. Il y a un site disponible à Old Elmford. Et Dave Yarnett peut nous obtenir des tipis…

Oh nooooon !

— Papa, je croyais que tu avais renoncé à acheter des tentes à Dave Yarnett.

— Regarde-moi. Je suis Mick le grand chef ! mime mon père. Les enfants vont m'adorer en chef sioux.

— Pas question ! Nous n'achetons pas de tipis et tu ne te déguises pas en Indien d'Amérique…

Est-ce vraiment le moment pour un exposé sur le « politiquement correct » ? Non.

— … pour *des tas* de raisons, je conclus. En plus, nous voulons parler à Alex, alors, si ça ne t'ennuie pas…

Je lui fais signe de décamper et demande à Biddy de tenir éloignés les autres clients pendant cinq minutes.

— Bonjour, Alex, fait Demeter en prenant place en face de lui.

Elle porte une chemise blanche impeccable. Ses cheveux brillent (elle les a séchés dans ma chambre). Son expression est calme. Bref, elle paraît en forme, physiquement et moralement.

— Bonjour, répond Alex, visiblement pas très emballé de la voir se pointer si tôt. Pas la peine de se précipiter, on peut faire ça plus tard.

— J'ai besoin d'un jour de plus.

— Ah ! Je savais que vous mijotiez un truc, toutes les deux.

— Une journée, je confirme. C'est tout. Et ce n'est rien.

— Impossible, rétorque-t-il. J'ai déjà dit à Adrian que j'avais prévenu Demeter.

— Jusqu'à maintenant, aucune procédure officielle n'a eu lieu, objecte-t-elle. Il n'y a pas eu d'entretien. Tu ne m'as pas expliqué les conditions de mon licenciement. Tu peux donc me donner un jour supplémentaire. Tu le *dois*, en fait.

— Oui, je répète. Tu le dois, sinon…

— Sinon quoi ?

— Sinon, je te considérerai comme un sacré connard. Pardon, papa !

Mais celui-ci m'encourage en agitant son toast.

Demeter non plus ne mâche pas ses mots. Elle devient presque menaçante.

— C'est mon gagne-pain et on ne me l'enlèvera pas comme ça. Je t'ai soutenu, Alex. Je t'ai apporté beaucoup. Tu me dois bien ça, et tu le sais.

Autour de la table, tout le monde retient son souffle. Alex cligne des yeux nerveusement. J'en déduis que les arguments de Demeter ont porté. Il réfléchit… réfléchit…

— OK pour un jour de plus, crache-t-il, l'air de dire *et puis quoi* ?

Demeter pose les mains à plat sur la table. Comme un politicien en passe de convaincre son adversaire.

— Des centaines de mails sont entreposés dans l'armoire de mon bureau. Permets-moi de les consulter.

Il secoue la tête.

— Si tu mets les pieds à l'agence, Adrian ne te lâchera pas. Il va t'attaquer sur le domaine de la gestion des compétences. Tu seras saquée en deux temps, trois mouvements.

À mon tour d'intervenir.

— Nous y avons pensé. C'est moi qui vais y aller, sous un prétexte plausible. Personne ne me suspectera.

— Je donnerai à Katie la clé de l'armoire et un mot pour l'autoriser à entrer. Pré-daté, bien entendu. Personne ne lui refusera l'accès au bureau.

— Ça peut marcher, concède Alex.

— Ça *va* marcher.

— Quelqu'un veut des muffins ? demande Biddy en posant une corbeille pleine sur la table. J'en ai aux flocons de blé, aux pommes, aux myrtilles. Oh, Alex ! Vous n'avez rien mangé, ajoute-t-elle après un coup d'œil sur son assiette.

— Si ! Si !

Et il enfourne une énorme bouchée. Tout en mastiquant, il semble cogiter.

— Il y a un problème. Adrian attend que je lui confirme la fin de la procédure de licenciement. Entretien exécuté dans les règles. Dossier clos.

— Évite-le, s'impatiente Demeter.

— Comment ?

— Tu es injoignable, tu ne captes pas.

— *Toute la journée ?*

— Envoie un mail avec n'importe quel bobard.

— Quoi ?

— J'en sais rien ! Sois inventif ! La créativité, c'est ton rayon, il me semble !

— Pardonnez-moi d'intervenir, dit Biddy toute souriante. Je peux peut-être vous donner un coup de main.

Demeter et Alex la dévisagent comme si la théière était soudain douée de parole.

Demeter reprend ses esprits la première.

— C'est très gentil à vous, Biddy, mais je ne vois pas comment. Bien sûr, vous auriez toute ma reconnaissance si vous arriviez à ce que mon patron me fiche la paix jusqu'à demain.

— La mienne aussi, renchérit Alex.

— Facile. Vous avez son numéro ?

Alex lance d'abord un coup d'œil à Demeter, puis il se fend d'un sourire malicieux.

— Voilà son numéro de portable, dit-il en tendant son téléphone à Biddy. À cette heure-ci, il est probablement chez lui.

— Encore mieux ! Je vais le prendre par surprise. Il sait que votre nom d'épouse est Wilton ?

— Oui, dit Demeter, intriguée.

— Parfait.

Elle compose le numéro sous nos regards anxieux.

— Bonjour. C'est bien Adrian ? Biddy à l'appareil, la femme du fermier d'Ansters Farm, dans le Somerset. (Je remarque qu'elle force sur l'accent local, tout comme je le faisais.) Je suis désolée de vous annoncer, monsieur, que madame Wilton et monsieur Astalis sont souffrants. *Vraiment* souffrants.

On entend une voix qui vocifère dans le téléphone mais Biddy ne bronche pas.

— Les pauvres sont très incommodés. La nuit a été difficile avec nos deux malades. Ils m'ont demandé de vous prévenir.

Nouveau rugissement à l'autre bout de la ligne. Biddy nous fait un clin d'œil.

— Oh non, monsieur ! Ils ne peuvent pas venir au téléphone, mais j'ai un message pour vous. Monsieur Astalis vous fait dire qu'à cause de cette maladie, il n'a pas *tout à fait* terminé le travail qu'il venait faire ici.

Troisième éruption d'Adrian que Biddy écoute placidement.

— C'est ça. Pas tout à fait terminé. Mais il s'en occupe dès qu'il peut.

Alex, partagé entre l'indignation et l'amusement, secoue la tête.

— Oui, quel dommage ! poursuit Biddy. Et en vacances, en plus ! Enfin, ils sont mieux dans leurs lits. J'appellerai le médecin dans la matinée. Je peux leur transmettre vos meilleures salutations et… par exemple leur offrir quelques fleurs de votre part ? Un bouquet du Somerset pour chacun ?

Après avoir écouté la réponse, elle raccroche.

— Il envoie ses amitiés, déclare-t-elle en rendant à Alex son téléphone.

— Biddy, vous êtes géniale, s'enthousiasme-t-il.

Quand il lui tape dans la main, je me sens toute fière. Il adresse ensuite une petite grimace à Demeter.

— Tu l'as, ta journée !

21

J'avais oublié l'odeur de Londres. Oublié l'agitation, la foule, la sensation unique d'émerger des profondeurs du métro pour se retrouver dans la chaleur de la ville et se dire *Je peux faire n'importe quoi, aller n'importe où, être n'importe qui.*

Ansters Farm est un cercle dans lequel on tourne en rond paisiblement sans jamais s'égarer. Londres, en revanche, est une toile d'araignée. Avec des millions de possibilités, de directions, d'objectifs. J'ai oublié le sentiment de… Quoi, au juste ? D'être sur le point de faire quelque chose.

À cet instant précis, en particulier, je me sens comme sur une corde raide. Toute l'opération repose sur moi, Katie Brenner. En chemin pour Cooper Clemmow, je sens les nœuds dans mon estomac et lui ordonne fermement de se détendre.

Demeter et Alex sont planqués dans un café, à deux stations de métro du bureau, pour ne pas tomber sur Adrian. Mais ils ne lâchent pas leurs portables pour rester constamment en contact avec moi. D'ailleurs, comme si elle lisait dans mes pensées, Demeter m'envoie un SMS :

Tu y es ?

Je réponds presque aussitôt :

Presque. Tout va bien.

Je pousse les grandes portes en verre et pénètre dans le vaste hall. Jade, la réceptionniste, me considère avec surprise.

— Bonjour ! Vous êtes Cat, n'est-ce pas ? Vous avez quitté l'agence, si je ne me trompe pas...

— Oui, mais il faut que je monte. J'ai laissé des trucs dans mon bureau que je ne suis jamais venue récupérer. Alors j'ai pensé faire un saut...

Oh là là ! Je jacasse beaucoup trop. La nervosité !

— Allez-y, fait Jade.

— J'ai un mot d'autorisation de Demeter, je lâche sans le vouloir.

— Je vous ai dit que c'était d'accord, répond Jade en me regardant bizarrement.

Elle griffonne sur un pass visiteurs et presse le bouton pour ouvrir la barrière d'accès.

Bon. Premier obstacle franchi. J'entre dans l'ascenseur, pleine d'appréhension. Pour rien. Je suis seule dans la cabine et monte directement à notre étage.

Impression surréaliste en avançant dans le couloir. Tout est pareil. Le sol noir et brillant. La fissure dans le mur après les toilettes pour hommes. L'odeur, mélange de café, de détergent et de parfum d'intérieur Fresh'n Breezy (la marque nous envoyait des échantillons dont Sarah garnissait les diffuseurs. Elle doit continuer).

Et me voilà dans l'open space. Là non plus, rien n'a changé. Mur de briques irrégulières, tables de travail blanches, porte-manteau en forme de bonhomme tout nu. Ah si ! Je repère une nouveauté : une machine à café rouge avec une réserve de sachets Coffeewhite posée dessus. Je tourne les yeux vers mon bureau. Vide. Nettoyé. Aucune trace de ma présence ne subsiste.

L'espace est pratiquement désert. Rosa, Flora, Mark et Liz sont absents. Et Sarah n'est pas là non plus. Ce n'est pas un hasard puisque j'ai prévu d'arriver à 13 h 15, l'heure habituelle du déjeuner. Je soupire de soulagement.

Comme de bien entendu, Hannah est assise à sa table, en train de bosser. Elle lève les yeux.

— Salut, Cat ! Comment vas-tu ?

— Bien. Et toi ?

— Très bien. C'est dommage que les autres ne soient pas là, ils sont tous allés manger un morceau.

— Ça ne fait rien. En fait, je suis venue prendre des trucs dans le bureau de Demeter. Des papiers que j'ai laissés et qu'elle a gardés pour moi.

— D'accord, fait Hannah qui accepte mon histoire sans se poser de questions. Je leur dirai bonjour de ta part, d'accord ?

— Oui, s'il te plaît.

Et, comme si l'idée venait de s'imposer à elle brusquement, elle ajoute :

— Ça doit te faire bizarre de revenir ici.

— Tu as raison, je dis en me forçant à sourire.

Bizarre ? Elle a dit bizarre ? C'est carrément flippant, oui ! Je ne m'attendais pas à me sentir aussi troublée, je pensais avoir dépassé ce stade. Erreur. Vous savez quoi ? Le temps n'a pas cicatrisé la blessure. Elle fait toujours aussi mal.

Soudain, je réalise que nous sommes mercredi, le jour où Flora, Rosa et Sarah se retrouvent pour un verre au Blue Bear. Le rendez-vous hebdomadaire du gang que j'aurais rejoint si j'étais restée. J'ai l'impression que c'était il y a un siècle.

Hannah interrompt le flot de mes souvenirs :

— Tu as un autre boulot ?

— Non.

— Oh ! Tu vis toujours à Catford ?

— Non, j'ai dû rentrer chez moi.

— Oh ! Pas de pot ! Désolée. Je suis sûre que tu vas retrouver du travail. Tu as envoyé des candidatures ?

Hannah se rend compte en rougissant de la bêtise de sa question et je ne fais rien pour l'aider.

— Bon, je vais prendre mes affaires. C'était sympa de te revoir, Hannah.

Avant d'entrer dans la cage vitrée de Demeter, je jette un coup d'œil derrière moi, mais elle s'est replongée dans son travail. Sans une once de curiosité pour ma mission. Même chose pour Jon, installé sur un bureau d'angle et que, finalement, je connais assez mal.

Je m'approche de l'armoire le plus naturellement possible. L'affaire doit être réglée en trente secondes chrono. Fourrer les mails dans un sac sans les trier et m'en aller. Je déplie le grand cabas à linge que j'ai apporté, le pose par terre, prends la clé, l'introduis dans la serrure, ouvre la porte en grand, prête à attraper la première brassée de papiers.

L'armoire est vide.

J'hallucine. Ou, plus exactement, j'ai du mal à percuter. Dans ma tête, c'était clair : j'allais trouver un foutoir de piles et de piles de feuilles, une pagaille à la Demeter. Mais pas ça.

Je referme la porte, puis l'ouvre à nouveau comme si les mails allaient réapparaître par magie. Non. L'intérieur de l'armoire est toujours net, propre et vide. Et le reste du bureau ? Je regarde autour de moi, la peur au ventre. Tout est bien rangé, ordonné, sans l'ombre d'un papier qui dépasse. Un vrai miracle.

Je ressors vite fait et demande à Hannah en riant :

— Incroyable changement ! Que s'est-il passé ?

— C'est Sarah, m'explique-t-elle, le nez sur son écran. Tu sais comment elle est. Une tornade de propreté. Elle a profité des vacances de Demeter pour faire le ménage.

J'essaie de rester calme.

— L'armoire est vide et c'est là que j'avais déposé mes papiers. Ils ont disparu.

Je compte sur son proverbial manque de curiosité. Effectivement, elle ne me demande pas pourquoi j'ai laissé des papiers dans l'armoire de Demeter.

— Oh, désolée, je ne sais pas où ils sont, se contente-t-elle de dire en haussant les épaules.

— J'imagine que Sarah a la clé de l'armoire.

— Je crois, oui. Hier, je l'ai vue sortir des masses de paperasses. Oh, non ! C'était à toi ?

Des masses de paperasses… Adieu les mails, adieu les preuves ! Qu'est-ce que je vais pouvoir dire à Demeter ?

— Je vais avertir Sarah. Elle aura peut-être une solution.

— C'est bon, je réponds, la gorge serrée. Pas la peine de la déranger.

— Ça ne la dérangera pas. Ou alors, je peux en parler à Demeter. Mais en fait, dit-elle en baissant la voix, on raconte qu'elle va devoir dégager.

— Waouh ! Bon, je vais quand même jeter un autre coup d'œil dans son bureau au cas où…

Après dix minutes de recherches, je me rends à l'évidence : il n'y a plus rien ici. *Nada.*

Inutile de jouer les prolongations. Je dois filer. Et aussi me creuser la cervelle. Je dévale l'escalier et me retrouve à l'air libre. Mon téléphone vibre.

Comment ça se passe ?

Je laisse échapper un gémissement. J'avance en pilote automatique. Je suis son seul espoir, alors comment lui annoncer que notre plan a foiré ? Il faut que je trouve quelque chose. Fouiller dans la poubelle du recyclage ? Non, le ramassage est effectué tous les mardis soir. Chercher des indices dans l'ordinateur de Sarah ? Le problème, c'est que son bureau est collé à celui d'Hannah, et j'ignore son mot de passe.

Allez, Katie, concentre-toi...

Ça y est ! Trouvé ! Le Blue Bear. Sarah peut peut-être laisser filtrer une info, à condition que j'arrive à la faire parler, l'air de rien, en confiance…

Forte de ma résolution, je tape pour Demeter :

Je m'aventure hors piste.

Comme vous le savez, je n'ai jamais skié – question de budget –, mais elle comprendra l'allusion.

Sa réponse arrive dans la seconde :

Quoi ???

Mais j'enfouis mon téléphone dans ma poche. Pas le moment de jacasser. Il faut que je reste concentrée.

Dès que j'entre, je suis saisie par le bruit et les effluves de bière. Rosa et Sarah sont debout, accoudées au bar.

Sarah me repère tout de suite.

— Cat ? C'est bien *toi* ? Salut !

Après toutes mes conversations avec Demeter, j'aurais tendance à considérer Sarah comme un démon. Sauf qu'elle n'en a pas du tout l'air. Elle est aussi jolie que d'habitude, avec ses cheveux roux tirés en queue de cheval, ses yeux bleus nettement soulignés et son beau sourire dévoilant des dents impeccablement blanches.

— Hé, Rosa ! C'est Cat.

Toutes les deux ouvrent grand les bras. Et me voilà les étreignant comme mes plus vieilles amies.

— Comment vas-tu ? Tu nous manques, tu sais.

Stupeur et frémissements. Moi qui pensais qu'on m'avait oubliée. Leur accueil est si chaleureux, elles s'intéressent à moi, à ma vie. C'est… gentil.

En revanche, le nom de Cat me semble maintenant complètement étranger.

— Qu'est-ce que tu fais ici ? demande Rosa.

— J'étais dans le coin et je me suis souvenue que vous vous retrouviez ici le mercredi.

— Tu n'es jamais venue avant, constate Sarah en me jetant un drôle de regard. Pourtant, on t'avait invitée.

— Tu bosses où maintenant ? questionne Rosa.

— Je ne suis plus dans l'image de marque. En fait, j'avoue, un peu honteuse, en ce moment, je travaille dans une ferme. Dans le Somerset.

Si je ne me sentais pas aussi humiliée, j'éclaterais de rire devant leurs têtes sidérées. Katie la chômeuse face à Rosa et Sarah ravies de leurs jobs… C'est plus embarassant que je ne l'aurais cru. Je n'aime pas ça. Pour être honnête, si ce n'était pas pour Demeter, je trouverais une excuse et décamperais sur-le-champ.

Rosa paraît vraiment affectée.

— Cat, c'est terrible. Tu as tellement de talent !

— Ce que *Demeter* n'a jamais remarqué, souligne Sarah en serrant mon bras. La garce !

— Comment va-t-elle, au fait ? je demande sans appuyer.

— Tu n'es pas au courant ? s'écrie Sarah, le visage rayonnant. Elle a été virée.

— Non !

Je plaque ma main devant ma bouche. La surprise est feinte, mais pas le choc. Car, pour autant que je sache, elle n'a *pas* encore été virée officiellement. Toutefois la rumeur l'a déjà licenciée.

— Oui, c'est super, insiste Sarah dans un éclair de dents blanches. Tout va changer. Rosa va diriger le service, comme elle aurait dû, dès le début.

Elle serre Rosa contre elle.

— Enfin, rien n'est encore sûr, corrige Rosa avec modestie. Je vais assurer l'intérim en attendant que la direction prenne une décision.

— Et ils t'offriront le job, j'en suis persuadée, s'entête Sarah. Il te revient. L'ambiance sera complètement différente. Plus de drames et de tragédies.

— Et pourquoi elle est renvoyée ? je demande, dans mes petits souliers.

Sarah lève les yeux au ciel.

— Pour *mille raisons* ! Tu sais comment elle est. Finalement, Adrian en a eu marre. Genre : *OK. Je me rends compte que c'est une folle et une menteuse. Elle doit dégager.*

— Flora part aussi, intervient Rosa.

— Vraiment ? Première nouvelle. Nous ne sommes plus tellement en contact. Où elle va ?

— Elle veut voyager. Elle dégage dans un mois.

— Et ?

— Et si tu postulais pour son job ?

Je la regarde, incrédule. Postuler pour le job de Flora ?

— Oh oui ! s'exclame Sarah. Quelle idée topissime ! Tu as bien fait de passer nous voir, Cat.

— Le salaire est meilleur et je sais que tu es à la hauteur, ajoute Rosa. J'ai vu ton travail. Et je ne suis pas comme Demeter. Je veux *aider* les gens à progresser. Tu as un bel avenir, tu sais ça ?

Une drôle de chansonnette résonne dans ma tête. Tout ça semble irréel. *Un job. Un meilleur salaire. Un bel avenir.* Bon. Si Demeter ne récupère pas sa situation… Si Rosa me veut dans son équipe… Je ne peux pas refuser les opportunités qui s'offrent à moi – si ?

Je me sens… comment dire ? Comme une pieuvre dont on tirerait les tentacules dans des directions différentes.

Le barman a déposé sur le comptoir une bouteille de champagne et trois verres. Rosa règle l'addition et me dit :

— Tu vas nous accompagner dans notre QG, la salle de derrière. Flora y est déjà.

— Nous ne carburons pas toujours au champagne, mais aujourd'hui nous célébrons la mort de la sorcière.

Le téléphone n'en finit pas de vibrer au fond de ma poche. Comme si Demeter me donnait un coup de coude.

Instantanément, je reprends mes esprits avec un brin de culpabilité. Tu *pensais* à quoi, Katie ? Il n'existe qu'une seule option. Pas deux. Tu n'es là que dans un seul but.

Un peu abasourdie, je regarde les deux filles en essayant de trouver un biais pour aborder « le » sujet.

— Travailler pour Demeter, ça n'a pas dû être de la tarte tous les jours, je dis à Sarah. Tu n'as jamais pensé à… te venger un peu ?

Regard bleu et presque trop candide de Sarah.

— Comment ça ?

Au secours ! Se douterait-elle de quelque chose ? Ça m'étonnerait, mais il faut que je lui montre vite que je suis de son côté. Genre confidences légères entre copines.

— Ça paraît dingue, mais figure-toi que Demeter passe ses vacances dans la ferme de mon père. Et j'ai trouvé le moyen de lui faire quelques petites misères. Regarde !

Prétendre que je me sens bien en lui tendant mon portable serait mentir. J'imagine la réaction *furibarde* de Demeter si elle savait que je montre une photo d'elle pataugeant dans la vase. Mais je n'ai pas trouvé mieux pour gagner la confiance de Sarah.

— Incroyable ! Trop génial ! Raconte-nous tout. Et envoie-moi la photo !

— Compte sur moi ! je dis en pensant : *Tu peux toujours courir.*

— Tu es impayable, Cat, commente Sarah en me faisant une bise rapide, tandis que Rosa s'empare à son tour de mon téléphone. Dommage que tu aies quitté l'agence.

— Prends-toi un verre et allons retrouver Flora, dit Rosa.

Le pub comporte plusieurs petites salles reliées par des marches et des couloirs étroits. Nous empruntons un passage aux murs rouge sombre décorés de vieilles gravures représentant la ville de Londres, pour arriver dans un local meublé de canapés affaissés et d'étagères bourrées de vieux livres de poche.

— Waouh, du champagne ! s'écrie Flora en levant le poing. Ça tombe à pic !

— Et regarde qui on t'amène.

— Cat ! glapit Flora en se précipitant sur moi. Trop cool de te revoir.

— Nous célébrons la mort de la sorcière, répète Sarah en ouvrant la bouteille. Ce n'est pas trop tôt !

— Je lève mon verre ! dit Flora.

— Tiens ! Savoure ce spectacle, ajoute Sarah en attrapant mon téléphone pour lui montrer la photo de Demeter. Apparemment, Cat a créé une antenne campagnarde des AD.

— Tu es la meilleure ! s'enthousiasme Flora avant d'éclater de rire.

— C'est quoi, les AD ? je demande, l'air de rien.

— Mais tu sais bien !

— Non, elle ne sait pas, fait Flora en me tendant un verre de champagne.

Surprise de Sarah.

— Ah bon ? Mais tu m'as dit qu'elle était des nôtres.

— Oui, elle l'était, s'impatiente Flora. Mais je ne lui ai pas *tout* raconté. Et ensuite elle a été renvoyée. Par la *salope en chef*. Comment ça se passe pour toi, Cat ? Tu n'as pas répondu à mes textos.

— Tout roule, merci. Mettez-moi au parfum, les filles. Les AD, c'est quoi exactement ?

Visiblement, Sarah est maintenant prête à partager ses secrets.

— Les Anti-Demeter, bien sûr ! Une sorte de club d'entraide où nous échangeons d'horribles infos sur elle.

— Tu crois qu'on fait quoi le mercredi ? dit Flora entre deux gorgées de champagne. Question de survie. Sinon, on serait déjà complètement cinglées.

— La pire histoire, c'est quand elle a demandé à Sarah de lui cuire ces ignobles herbes chinoises, se rappelle Rosa en fronçant le nez. L'*odeur* ! C'était avant que tu arrives, Cat.

— Non, la pire, c'était quand elle a demandé à Cat de lui teindre ses racines, renchérit Flora.

— Ah oui, quel culot ! s'indigne Sarah.

— J'avais oublié l'épisode des racines, dit Rosa en se tordant de rire. Cat, nous te décernons l'oscar, catégorie scénario *d'horreur*.

Elle trinque avec moi tandis que je me fends d'un grand sourire, tout en réfléchissant frénétiquement. Pendant que Rosa remplit nos verres, je fais semblant de regarder mes textos, appuie sur la touche « Enregistrer » et remets mon téléphone dans ma poche.

Le plus innocemment possible, je demande :

— Qu'a-t-elle pu faire pour être renvoyée ?

Les trois membres du club AD échangent des regards de conspiratrices.

— Dis-lui, Sarah, fait Flora. Tu sais, Cat, Sarah a été *impressionnante*. C'est *grâce à elle* que Demeter a été virée. Notre copine est une star !

Numéro de modestie de la star.

— C'est grâce à nous trois. Travail d'équipe. De longue haleine, hein, Rosa ?

— *Trop* longue, acquiesce cette dernière.

J'ouvre de grands yeux médusés.

— Comment vous vous y êtes prises ? Il y a eu un problème ? Je crois avoir entendu parler d'une embrouille avec Allersons…

— Sarah est tellement maligne, s'émerveille Flora. Elle a envoyé à Demeter de faux renseignements pour qu'elle arrête de travailler sur le projet. Bien entendu, elle s'est assurée que les gens d'Allersons ne puissent jamais lui parler en direct. Pigé ?

— Je leur ai donné un mauvais numéro de portable, explique Sarah avec un sourire angélique. Et au bureau, je répondais à tous les appels sur sa ligne fixe. Les doigts dans le nez.

— Et le jonglage avec ses mails ! s'excite Flora. Je n'ai toujours pas compris *comment* tu as fait ça.

— Demeter est une étourdie pathologique. C'était vraiment un jeu d'enfant de l'embrouiller.

Son ton méprisant me sidère.

— Et le mail envoyé par erreur au type de Forest Food ? Quelle manœuvre brillante !

— Trop facile. Il était classé dans les brouillons. Je me suis contentée de l'expédier à qui de droit.

— Tu te rappelles ça, Cat ? demande Flora.

— À peine ! Rafraîchis-moi la mémoire.

— Demeter avait tapé une note interne particulièrement désagréable sur le mec avec qui elle venait d'avoir une réunion. Elle l'a fourrée dans ses brouillons et Sarah n'a eu qu'à appuyer sur Envoyer. Dix secondes après, le client savait à quoi s'en tenir. Hilarant ! Et le plus drôle, c'est que Demeter ne s'est jamais *demandé* si elle l'avait expédiée ou pas.

— Règle numéro un : connaître à fond les dossiers Brouillons de sa patronne, récite Sarah avec son habituel sourire en coin.

Je lui rends son sourire tout en me repassant mes souvenirs du scandale. Le regard égaré de Demeter. Son affolement. Quand je pense qu'elles ricanent méchamment, sans le moindre sentiment d'humanité. Qu'elles noient son calvaire dans du champagne…

Elles en ont fait un monstre, en oubliant *littéralement* que c'est un être de chair et d'os.

— Tu ne chamboulais pas aussi son agenda ? je demande en forçant sur la bonne humeur. Parce que franchement, elle se plantait tellement souvent !

— Mais oui, tout le temps !

Elle attrape son téléphone et se lance dans une imitation de Demeter : *Merde ! Merde ! J'étais sûre que la réunion était vendredi. Comment ça se fait ? Je ne comprends pas…*

Elle joue si bien que tout le monde se gondole. En même temps, ma colère monte si vite que j'ai peur d'exploser. *Comment* peut-on se montrer aussi cruelle ?

— Et si on t'avait démasquée ?

— Aucune chance, dit Sarah avec suffisance. J'aurais nié. Il n'y a aucune preuve. Pas la moindre trace. J'ai supprimé les faux mails immédiatement après les lui avoir montrés.

Je revois Sarah attraper le téléphone de sa patronne et pianoter dessus. Tout gérer. Tout contrôler.

— Et pour l'agenda, ç'aurait été ma parole contre la sienne. Comme elle était *notoirement* tête en l'air, personne ne l'aurait crue.

— Tu devrais écrire un livre, conseille Flora. *Comment se venger d'une patronne tyrannique.* Tu as été vraiment excellente.

— Nous avons toutes été excellentes, affirme Sarah. Toi, Rosa, avec la date limite pour la reco de Sensiquo. Tu l'as bien baladée. Et toi, Flora, en me filant plein d'informations…

— Cat, tu te rends compte des efforts qu'il a fallu faire ? Épique, cette histoire !

Katie, continue à sourire, surtout.

— Oui, je vois. Maintenant, ce que j'aimerais comprendre, c'est… pourquoi ?

— Comment ça, pourquoi ? interroge Flora. Il *fallait* qu'on la fasse virer. C'était une question de santé morale et physique. Vous êtes d'accord, les filles ? Après l'avoir eue comme boss, nous avons besoin d'une *thérapie.*

— Oui, résume Sarah. Demeter a sans conteste un effet déplorable sur nos organismes. Elle est nocive. Toxique. Ce que la direction n'a pas saisi.

— On a poussé le bouchon un peu loin, dit Rosa qui semble être la seule à avoir des scrupules. Mais, de toute façon, son renvoi était inévitable. Elle est incapable de diriger un service. Trop étourdie, trop agitée.

— On a seulement accéléré le processus logique, confirme Sarah. Depuis le début, c'est Rosa qui aurait dû être à sa place.

— Vous avez pensé à elle ? je dis en conservant le même ton désinvolte. Et si elle avait été vraiment secouée par vos agissements, au point de croire qu'elle perdait la boule ?

Silence. Cette éventualité ne leur a pas traversé l'esprit.

— Je te rappelle qu'il s'agit de *Demeter* ! s'écrie finalement Flora.

Comme si Demeter comptait pour rien. Comme si on l'avait réduite à une sorte de sous-espèce dépourvue de droits et d'opinions.

Katie, tais-toi. Ne les provoque pas. Contente-toi de filer… Je sais pourtant que c'est impossible.

— Vous la traitez de tyran, mais en fait je ne l'ai jamais vue harceler qui que ce soit.

— Mais si. Elle était toxique. Tu l'as bien vue.

— Non. Elle voulait s'imposer, c'est sûr. Elle manquait de tact, c'est vrai. Mais elle ne *persécutait* personne. (Je respire amplement pour conserver mon calme.) Pourtant, vous l'avez carrément lynchée.

— Lynchée ? s'offusque Sarah.

— Ce n'est pas ça ?

— Cat ! Je croyais que tu étais dans le coup.

— Quel coup ? Pourrir la vie de quelqu'un jusqu'à la faire renvoyer ? Détruire son équilibre mental ? Pardon de jouer les trouble-fête, mais la réponse est non.

— Écoute, Cat, aboie Rosa, tu as *quitté* Cooper Clemmow, tu ne fais plus partie du paysage et tu ne sais *rien* du comportement de Demeter. Tant pis si ça te déplaît !

— Je sais un truc, je réplique. Comme patronne, tu ne lui arrives pas à la cheville.

Sur cette pique, je me lève, le cœur battant à cent à l'heure. Vivement que je me casse ! Mais je me retourne une dernière fois pour les dévisager. Trois incarnations d'agressivité aveugle.

— Vous savez ce qui est le plus triste ? Je vous ai admirées. Je voulais plus que tout vous *ressembler*. Eh bien, maintenant je me rends compte… Vous n'êtes qu'une bande de bourreaux de bas étage.

— Quoi ? s'insurge Flora.

— Tu m'as bien entendue. Minables bourreaux !

Une heure s'est écoulée. Il n'a pas fallu longtemps à Alex et Demeter pour me rejoindre dans un petit café de Chiswick. Pour écouter l'enregistrement et découvrir la vérité. À la fin, personne n'a rien dit. J'avais la conscience tranquille du travail bien fait ; Alex, lui, avait l'air penaud. Quant à Demeter, elle paraissait carrément sonnée.

D'une certaine manière, c'était une victoire pour elle. On aurait pu applaudir. Mais comment se réjouir quand on s'aperçoit qu'on a autant d'ennemies ?

Alex réagit le premier :

— OK ! On apporte l'enregistrement à Adrian.

— Oui, approuve mollement Demeter. Allons-y.

Moi, je me tais. Je me contente de me lever.

Ils se trouvent en ce moment dans le bureau d'Adrian. Je les attends dans sa salle de réunion privée. Marie, son assistante, travaille sur son ordinateur, pas très loin. Elle a eu l'air drôlement surprise quand elle nous a vus débouler mais elle ne m'a posé aucune question. La discrétion incarnée, cette Marie. Que se passe-t-il dans le saint des saints ? Je ne peux faire que des suppositions. Soudain, j'entends mon nom.

— Cat ?

— Mais oui, c'est Cat !

Et qui voilà ? Le trio infernal – Flora, Rosa et Sarah, l'air pour le moins hostile.

— Qu'est-ce que tu fais là ? m'interpelle Flora alors que je me lève. Tu vas voir Adrian ?

— Si tu viens lui parler du job de Flora, je t'arrête tout de suite, prévient Rosa. Je t'interdis de passer au-dessus de ma tête.

Non, mais elle se prend pour qui ?

— Tu ne diriges pas le service, j'assène. Ça ne te regarde pas.

— Elle le dirigera bientôt, dit Sarah.

— Dans ses rêves, oui !

— Quel est ton *problème*, Cat ? demande Flora avec un regard noir.

— Mon problème ?

Juste à ce moment, comme au théâtre, Adrian sort de son bureau accompagné d'Alex et de Demeter. Il a sa tête des mauvais jours. Cheveux ébouriffés, traits tirés.

— Ça défie la raison ! C'est fou ! s'exclame-t-il.

Il s'interrompt en apercevant Rosa, Sarah et Flora. Son visage se crispe davantage, ses sourcils se froncent. Je me dis qu'il va exploser. Mais non. Il les regarde tour à tour et dit seulement :

— Restez ici. J'ai à vous parler.

Puis à son assistante :

— Vous annulez tout pour aujourd'hui.

— Entendu, fait-elle, imperturbable comme toujours.

Et elle attrape son téléphone.

Rosa est dans un sale état : elle a sans doute compris la gravité de la situation. Je la plains – enfin, presque. Flora regarde Demeter comme si elle venait de ressusciter d'entre les morts. Sarah ne se départit pas de son sourire dents blanches, mais un tic sur sa paupière trahit sa nervosité ; et puis, elle n'arrête pas de croiser et décroiser les mains. Difficile de deviner ce qu'elle pense. Et vous savez quoi ? Je m'en contre-fiche.

Je m'éloigne du petit groupe pour aller retrouver une Demeter très émue.

— Tu accuses le coup ? je demande.

— J'irai mieux dans un moment, répond-elle avec lassitude. Katie, je ne sais pas quoi dire. Tu es épatante. Si ce n'était pas pour toi… Viens que je te serre contre moi. Merci. Merci un million de fois.

Flora nous observe, sidérée. Contrairement aux deux autres, elle semble n'avoir aucune appréhension.

— Je ne pige pas, déclare-t-elle. Vous êtes *copines*, toutes les deux ? Depuis longtemps ?

Je ne crois pas qu'elle se rende tout à fait compte de ce qui se passe.

— Pas exactement *copines*, je réponds.

Et Demeter de compléter :

— Notre amitié a connu des hauts et des bas.

Flash-back sur Demeter vautrée dans le marécage, les cheveux couverts d'herbes gluantes, le visage irrité par les orties. Vu son expression, je parie qu'elle se remémore les mêmes images.

— C'est l'amour du yoga qui nous a *vraiment* liées, reprend-elle, très pince-sans-rire.

Sa petite grimace me donne envie de pouffer. *Impossible* de me retenir. Et plus je pense à ce que je lui ai fait endurer – le sac de jute, les pierres, le balayage du crottin –, plus je ris.

— Désolée, Demeter ! *Je n'en reviens pas* de ce que je t'ai infligé !

— Et moi donc ! fait-elle en commençant elle aussi à se tordre de rire.

Flora est totalement ahurie.

— Bon, voilà ce qu'on va faire, annonce Alex. Je vais parler en tête à tête avec Demeter un instant, puis on t'emmène dans un bar, et on va boire à *ta santé* dignement ! Retrouve-nous ici dans une heure, d'accord ?

— Super ! À tout à l'heure !

Je m'efforce d'ignorer les regards de Flora, Rosa et Sarah.

— Merci encore, Katie, dit Demeter en me prenant les mains.

— Putain ! Tu n'es toujours pas capable de retenir son prénom, crache Sarah, toutes griffes dehors. Elle s'appelle *Cat*.

— Tu te trompes, Sarah, je réplique d'un ton tranchant. Je m'appelle *Katie*.

Là-dessus, je passe devant elles la tête haute, trop soulagée de m'éloigner de leurs vapeurs vénéneuses. En franchissant les portes en verre du hall d'entrée, je me sens légère. Réaction à retardement, sans doute. Mission accomplie. Demeter est innocentée.

Avec un sourire béat, je surfe pratiquement au-dessus des marches en me demandant comment je vais tuer le temps jusqu'à mon rendez-vous avec Demeter et Alex. Mon téléphone vibre. Un message de Demeter me disant – déjà – de revenir à l'agence ?

C'est un message de Broth, une agence d'image de marque spécialisée dans le numérique. Il y a deux semaines, j'ai répondu à une offre d'emploi qu'ils avaient postée. Le cœur battant, la main tremblante, j'ouvre le mail et parcours le texte :

Chère mademoiselle Brenner... candidature récente pour le poste d'associée junior.... votre dossier nous intéresse... nous aimerions vous rencontrer... prière de téléphoner pour prendre rendez-vous...

Je suis paralysée. Le sang danse dans mes veines. Enfin, un entretien. Un vrai. Incroyable mais vrai.

22

Je commence le mois prochain. Je gagnerai presque la même chose que chez Cooper Clemmow et, comme les bureaux se trouvent à Marylebone, je songe à déménager dans l'ouest de Londres. Hanwell, peut-être, un quartier assez bon marché.

Les deux filles que j'ai rencontrées ont été très sympa. Elles ont aimé mon book et m'ont *proposé* d'intégrer l'équipe qui s'occupe des jeux-questionnaires. J'aime déjà cette agence. Quand ils m'ont appelée pour me confirmer mon embauche, je n'étais même pas encore descendue du train qui me ramenait à la ferme. Ils me veulent ! J'ai maintenant ce que j'ai toujours espéré ! Je devrais danser de joie. Mais ce n'est pas le cas. Pourquoi ? Mystère.

Ou plutôt non : je connais la réponse.

Premièrement, je n'ai pas vu Alex depuis deux semaines. En résumé, ma grisante journée d'entretien s'est achevée par une nuit chez lui. Le bonheur absolu. Tout était *aussi bien* que dans mes rêves. Comme si j'avais avalé un tube entier de pilules euphorisantes. Il vit dans un grand appartement lumineux de Battersea avec un balcon et (si on se penche) une vue sur la Tamise. Nous avons fait l'amour toute la nuit, les lumières de la ville clignotaient, c'était magique. Puis une matinée idyllique avec croissants et câlins. Et il m'a dit qu'il m'appellerait mais…

Une minute. Je ne suis *absolument* pas du genre à me morfondre. Ni à faire le compte des SMS que je lui ai envoyés (cinq) et de ses réponses (une seule).

De toute façon, j'ai une autre raison de me sentir déçue et vexée : Demeter. Contrairement à Alex, elle n'a pas rompu le contact avec moi. Nous avons parlé au téléphone presque tous les jours. Mais ses réactions ont été bizarres. Par exemple, quand je lui ai parlé de mon nouveau job, je pensais qu'elle se réjouirait. Pas du tout. Elle m'a d'abord conseillé de refuser, sous prétexte que je pouvais trouver mieux (on y croit !). Puis elle a changé d'avis et m'a poussée à accepter, m'a posé mille questions sur le boulot et mon contrat pour finalement s'en désintéresser totalement. Bref, cela fait plusieurs jours que nous n'en avons plus parlé.

Tout ce temps, une question est restée en suspens. Une question qui me chagrine chaque fois que j'y pense : pourquoi ne m'a-t-elle pas offert un boulot ?

Elle aurait pu. Il y a des besoins chez Cooper Clemmow depuis le carnage qui a décimé le département création artistique. Sarah ? Virée. Rosa ? Virée. Flora quittait l'agence de toute façon, techniquement elle n'est donc pas virée mais elle part sans références. Pareil pour les deux autres. Ça va être hyper difficile pour elles de retrouver du travail.

Mais ça vaut toujours mieux que les poursuites que l'agence aurait pu engager contre elles. Que l'agence aurait *dû* engager. Elles ne l'auraient pas volé, surtout Sarah, comme je n'ai cessé de le répéter à Demeter. Parfois, je suis plus en colère qu'elle. J'*adorerais* voir Sarah sur le banc des accusés, froissant son mouchoir rétro, ses joues zébrées de mascara…

Mais Demeter a décidé de ne pas porter plainte. Soyons pragmatiques avant tout, dit-elle. Elle ne veut pas que l'histoire paraisse dans la presse ; elle ne veut pas témoigner au tribunal ; elle ne veut pas être la patronne contre laquelle son équipe a ourdi un complot. Elle veut passer à autre chose. Et Adrian est de son avis. Par conséquent, l'affaire est classée.

Elle a cependant invité le reste de l'équipe pour un déjeuner de mise au point. Au cours de ce « debrief », elle a révélé à Mark que c'était *elle* qui l'avait fait concourir pour le prix qu'il a remporté, et précisé que la candidature de Rosa pour le projet du maire avait été refusée. Elle s'est excusée pour son étourderie et sa brusquerie, puis elle a clairement expliqué la raison du renvoi des trois filles. Apparemment, trois minutes de silence ont suivi sa déclaration. Je *regrette beaucoup* d'avoir manqué ça.

Son service s'est donc remis à fonctionner. Mieux qu'avant, même. Visiblement, tout le monde est enchanté. Il y a forcément des places vacantes, alors quand et qui vont-ils embaucher ? Je n'en sais rien. Et je me refuse à demander.

Au fond, je m'en fiche. J'ai déjà trouvé un job. Un job génial. Je ne vais pas jouer les susceptibles. J'ai des choses plus importantes à faire. À commencer par former Denise afin qu'elle me remplace à la ferme.

— Bon, on reprend ! (J'interprète le rôle d'une nouvelle pensionnaire.) « Bonjour ! C'est bien Ansters Farm ? »

Nous sommes dans la cuisine, en pleine simulation. Le but ? Apprendre à Denise à arrondir les angles avec les clients.

— Ben, sûr que c'est Ansters Farm. C'est marqué sur la pancarte.

— Non ! Tu dis : « Oui, vous êtes arrivée. Bravo ! »

— Bravo d'être en vacances ? ricane Denise.

Je décide de l'ignorer.

— Souris et sois aimable. Genre : « Quel beau chien vous avez ! »

— Ceux qui ont des clébards sont les pires, riposte-t-elle. Des chieurs.

— Ouais, mais ils te paient. Alors tu souris et tu caresses le chien. Pigé ?

— Très bien. Quel beau toutou ! s'exclame-t-elle d'une voix sirupeuse, avec un sourire jusqu'aux oreilles. J'étais impatiente d'accueillir votre merveilleux compagnon à quatre pattes. Je l'aime déjà, en fait, il est tellement mignon ! Tu vois, j'y arrive très bien. Je peux retourner à mon nettoyage, maintenant ?

Je souris intérieurement. Denise sera à la hauteur, pas de doute.

— Tout va bien ? demande Biddy qui arrive du potager avec une botte de carottes.

La mauvaise conscience me rattrape, comme chaque fois – cent fois par jour au moins – que je suis avec elle ou avec papa.

Je ne laisse rien paraître. Biddy ne permettrait pas que je manifeste une *once* de culpabilité. Pas même un gramme.

Quand je lui ai dit que je me sentais mal à l'idée de les quitter, elle s'est fâchée tout rouge.

— Nous sommes tellement fiers de toi, ma Katie. Tu nous as tellement donné. Sans toi, *rien* de tout ça n'existerait. Tu as fait ton devoir. Il est temps de partir et de réaliser ton rêve. Tu le mérites.

Elle est sincère. Et c'est une autre raison qui explique que je ne danse pas de joie : j'aime la ferme. Peut-être plus aujourd'hui qu'hier. Je suis fière du glamping, de mon père déguisé en Mick le fermier, du village de yourtes éclairé aux lanternes. Ansters Farm est une réussite. J'aurai du mal à la quitter.

— Besoin d'aide, Biddy ?

Je roule mes manches et m'apprête à laver les carottes. Tout d'un coup, une voix jaillit derrière moi. J'hallucine !

— Bonjour, Katie !

Alex ?

Une autre voix.

— Katie ! Tu es là, c'est parfait !

Demeter ? Là, c'est du délire !

Je me retourne. Ce ne sont pas des fantômes mais bel et bien Alex et Demeter. Ici, dans le Somerset. Plantés à l'entrée de la cuisine. Elle habillée super mode, lui avec une nouvelle coupe de cheveux, plus courte. La surprise me laisse muette.

— Qu'est-ce que vous faites ici ? j'arrive finalement à articuler.

— Droit au but, comme toujours, fait Alex en souriant. Tu peux engueuler Demeter, c'est son idée. On aurait pu te téléphoner…

— Katie mérite qu'on se déplace, fait remarquer Demeter.

— Avoue que tu cherchais une excuse pour revenir goûter aux scones de Biddy, fait Alex en lui donnant une tape sur l'épaule. Moi aussi, d'ailleurs.

— Peut-être bien, acquiesce Demeter.

— Non mais, sérieusement, qu'est-ce que vous êtes venus *faire* ? je demande à nouveau.

— Bonne question, dit Demeter. Alex, laisse-moi répondre *correctement*. Et pas d'interruption, je te prie ! Bon, Katie, j'ai parlé de toi à Adrian. Nous aimerions beaucoup que tu viennes chez Cooper Clemmow pour un entretien.

Je reste bouche bée. Qu'est-ce que je pourrais bien dire ?

— S'il te plaît ! plaisante Alex. Ce que tu es mal élevée, Demeter ! Tu as oublié de dire « s'il te plaît » !

— J'ai déjà un boulot, je bredouille.

— Chez Broth, confirme Alex. Ne t'en fais pas. Cette agence me doit un service. On s'arrangera si besoin est. Tu n'as encore rien signé ?

— Non, pas encore.

— Parfait, commente Demeter. Comme tu le sais, il y a plusieurs postes vacants à l'agence et nous souhaitons que tu occupes l'un d'eux. C'est bien sûr fonction de l'impression que tu feras sur Adrian, mais je ne m'inquiète pas. S'il te plaît, ajoute-t-elle avec son sourire séducteur.

— À l'attaque, ma fille ! intervient papa qui vient d'entrer dans la cuisine. Allez, allez !

— Mick, quel plaisir de vous revoir ! s'exclame Alex. Comment avance le projet de tipis ?

— Pas très bien. Ce Dave Yarnett n'est qu'un escroc et un menteur. C'était des tipis pour des gosses qu'il avait en stock. Inutilisables pour nous. Alors, vous offrez un boulot à Katie ?

— Seulement un *entretien*, je rectifie.

— Si vous nous la prêtez pour un après-midi, dit Demeter en examinant mon jean et mon tee-shirt de la Factory Shop. Tu as un truc à te mettre ?

— Tout de suite ? On y va maintenant ?

— Après le déjeuner, me reprend Alex. Biddy, on s'inscrit tous les deux pour le gueuleton spécial Somerset.

J'essaie de me souvenir de ce que j'ai de propre et repassé dans mon placard.

— Oh là là ! Et mes *cheveux* ?

— Un brushing rapide et ce sera nickel, déclare Demeter. Mais dis-moi, c'est quoi cette nouvelle couleur ?

Je me mords les lèvres.

— Je voulais me débarrasser des reflets bleus, alors j'ai appliqué un rinçage châtain. Le problème… euh… (pas facile d'avouer la vérité) c'était un truc bon marché que j'ai acheté à Dave Yarnett.

— Non ? s'amuse Alex.

— Oui, un vrai plantage. Mais il était là, avec sa marchandise. Alors… Le pire, c'est qu'il n'y avait pas assez de liquide dans le flacon pour couvrir tous mes cheveux. Tu trouves ça *vraiment* moche ?

Demeter hésite diplomatiquement.

— Pas *vraiment* mais… Tu as sans doute besoin de retouches.

Et, avec un drôle de petit sourire :

— Je peux m'y coller, si tu veux…

S'occuper des cheveux de quelqu'un, c'est intime. Ça crée des liens. Pendant que Demeter m'applique la couleur, nous papotons comme deux vieilles et bonnes copines.

Je lui raconte la soirée passée avec mon père à regarder d'anciennes photos. Des photos de ma mère que je voyais pour la première fois, des photos de mon enfance que j'avais complètement oubliées. Biddy se tenait à l'écart, près de la cuisinière, s'affairant avec ses casseroles. Son éternelle discrétion. Jusqu'à ce que j'aille lui montrer une photo de moi sur un âne, au bord de la mer, et que je lui demande de venir s'asseoir avec nous. Pendant le reste de la soirée, nous avons feuilleté des albums en écoutant les souvenirs de papa. Et j'ai eu le sentiment que nous formions une vraie famille.

Demeter, elle, me parle du gros job de James à Bruxelles.

— La première nuit a été super difficile, grimace-t-elle. Nous avons un lit *immense*, fait sur mesure en chêne français. Se retrouver seule là-dedans, c'est… affreux.

— J'imagine ! je lance, sans pouvoir m'empêcher de noter qu'elle a spécifié « sur mesure en chêne français ».

Je me retiens juste à temps de lui demander si c'est du chêne bio. Demeter est complètement détendue avec moi. Je ne vais pas gâcher le moment.

— La nuit suivante, j'ai fait autrement. J'ai empilé plein de coussins sur le lit et j'ai laissé notre nouveau petit chien dormir avec moi. Il n'est pas censé aller dans les chambres, mais tant pis.

— James va réagir comment ?

Mimique faussement provocatrice de Demeter.

— Il va être furieux. Mais, après tout, il n'avait qu'à pas aller à Bruxelles.

Demeter est d'humeur bien plus légère qu'à l'ordinaire. Sourcils moins froncés, regard plus serein. Elle donne l'impression de mener une vie agréable et raisonnable, malgré l'absence de James. Bref, elle a changé.

Je me dis que la femme que j'ai côtoyée n'était pas vraiment elle, mais sa version stressée, harcelée, brutalisée. Peut-être que la femme heureuse et sûre d'elle que j'ai sous les yeux est *la véritable* Demeter. Celle qu'Alex a fait entrer à l'agence. Celle qu'elle aurait aimé être tout le temps.

Une fois ma couleur rincée, nous nous installons devant le miroir de ma coiffeuse. Elle vaporise un produit coiffant et manie le séchoir tandis que je dévoile certains aspects de ma vie à Londres. La vérité, rien que la vérité. L'appart de Catford, le hamac, les cartons de protéines d'Alan. L'expédition à Portobello avec Flora, ma panique devant les prix exorbitants du café, la consternation d'être prise pour une sans-abri. À la fin, on se tord de rire. Quand je pense que je croyais Demeter *incapable de rire* ! Mais si, elle le fait de bon cœur ! Quand il y a matière.

— J'ai regardé ton compte Instagram, me dit-elle ensuite, pensive. Tu projettes une image de ta vie bien différente.

Je rougis. Je n'ai rien posté sur mon compte depuis des mois.

— Tu sais bien ! C'est l'effet Instagram.

— Oui ! De la frime avant tout. Difficile à *gober*, non ?

Vous savez ce qu'elle sous-entend ? Je vais vous expliquer. Elle veut dire : *Pourquoi croyais-tu à mon baratin puisque que tu savais que ce que tu racontais n'était que de l'esbroufe ?* Bonne remarque.

Comme j'ai eu plein de temps pour y réfléchir, je sais pourquoi. Je *voulais* que Londres soit plein de princesses à l'image de Demeter, avec des vies idéales.

Je croise son regard dans le miroir.

— Des conseils pour cet entretien ? je demande.

— Sois-toi même. Tu n'as pas à t'inquiéter. Alex et moi savons déjà que tu es brillante. Il faut simplement qu'Adrian s'en rende compte par lui-même. C'est sans problème.

— Facile à dire.

Je suis anxieuse.

Rectification : Je meurs de peur.

Demeter joue avec le fil du séchoir.

— J'ai une petite confession à te faire, Katie. Voilà : je regrette que tu ne sois plus à l'agence. J'ai parfois envie de te demander ton avis. *Tu me manques.*

— Toi aussi, Demeter.

Et je ne le dis pas par politesse. Sa voix me manque – cette voix tranchante, énervante, dynamique –, comme sa façon unique d'empoigner la vie.

— OK. Opération sérum, annonce-t-elle en passant le produit sur ses doigts. Tout dépend d'une bonne application, ajoute-t-elle en soulevant mes mèches.

Toujours cette volonté d'épater le client !

— Demeter, tu es experte en coiffure ?

— Je n'y connais rien, répond-elle le plus sérieusement du monde. Regarde ! Pas mal, non ?

— Parfait, je te remercie. Allons-y.

Ce n'est qu'en passant la porte que j'ose lui poser la question qui me turlupine.

— Cet entretien, c'est pour réintégrer mon ancien poste ?

— Non, pas exactement, répond-elle après une minuscule pause. Les choses ont changé, tu sais.

Au secours ! Elle ne va quand même pas me proposer un boulot minable de stagiaire non rémunéré. Non, elle *n'aurait pas* ce culot. Impossible.

Sur un ton qui se veut nonchalant :

— C'est à peu près le même niveau de job ?

Demeter, qui farfouille dans son sac, ne semble pas entendre.

— Allez, pressons-nous !

Nous ne parlons pas du tout du job à pourvoir. Ni pendant le déjeuner, ni quand je fais mes adieux à papa et Biddy, ni pendant le trajet. Alex nous régale d'histoires extravagantes à propos de son enfance. Demeter prend plusieurs appels professionnels sur le haut-parleur de la voiture. Et tous les deux m'interrogent sur notre camping de luxe.

À 4 heures, nous arrivons dans le quartier du bureau. À 4 h 30, je suis dans la salle d'attente d'Adrian, essayant de me remettre en tête le jargon qui va bien. À 5 heures, je suis comme une boule de nerfs dans le bureau d'Adrian. Il regarde mon book avec Demeter. Calmement, en prenant son temps, en étudiant chaque détail. De temps en temps, il fait un commentaire élogieux. Demeter acquiesce. Et moi, j'ouvre puis ferme la bouche, finalement assez contente de ce répit.

Mon précédent entretien ne ressemblait en rien à celui-là. Rien d'aussi *intense*. Adrian m'a déjà soumise à des milliers de questions, dont certaines extrêmement techniques. Épuisant. Ai-je donné des réponses satisfaisantes ? *Sur la conception d'un logo, par exemple, ai-je été suffisamment convaincante ? Sur le projet Fresh'n Breezy, ai-je donné assez d'idées ? Et n'aurais-je pas trop utilisé le terme « maquette ADN » ? (On ne rit pas !)*

L'attente, l'espoir, la crainte me minent…

— Katie, fait soudain Adrian. Demeter me dit que vous avez entièrement créé une entreprise après votre départ du bureau.

Il tient une des brochures qui se trouvaient cachées dans mon dossier.

— J'ai vu ça. Très efficace. Vous pouvez faire des *présentations* ?

Demeter répond à ma place :

— Katie peut enfumer les gens comme personne. Je te le garantis. Elle réfléchit au quart de tour et ses arguments sont imparables.

À moi, avec un clin d'œil :

— J'étais *convaincue* que tu fréquentais les meilleurs restaurants de Londres.

— Comme vous le savez, reprend Adrian, nous réorganisons les équipes et ce n'est pas évident. Il y a beaucoup de travail en perspective. Vous vous sentez d'attaque ?

— Absolument, je réponds en essayant d'avoir l'air ferme.

Regard scrutateur. Comme si l'interrogation suivante était des plus importantes.

— Et vous avez l'énergie pour diriger une équipe ?

Pourquoi il me demande ça ? *Katie, sois professionnelle ! Ne te laisse pas distraire !*

— Oui, je n'ai pas de problème avec les gens. Que ce soit le personnel de la ferme ou les pensionnaires du camping.

— Crois-moi, Adrian. Je l'ai vue à l'œuvre. Elle obtient ce qu'elle veut de tout le monde. Elle peut diriger une équipe.

Nouveau coup d'œil sur mon book. Puis sourire.

— Eh bien, Katie, c'est oui. Content de vous revoir chez Cooper Clemmow ! Nous préparons un contrat qui devrait vous satisfaire.

Un *contrat*. Ça veut dire… Ô joie ! C'est un boulot payé. J'avais peur de poser la question, mais j'ai un salaire.

— *Oui* oui ? fait Demeter.

Un code entre eux deux, c'est clair.

— Sans aucun doute, *oui* oui, confirme Adrian.

— *Bonne* décision !

Elle m'étreint si fort qu'elle manque de m'étouffer.

— Bravo, Katie ! Je suis fière de toi ! s'exclame-t-elle, émue.

— Merci. Mais une chose m'échappe. Pourquoi ces questions au sujet de la direction d'une équipe ? Une junior chargée des recherches n'a pas d'équipe à gérer.

— Non, réplique Demeter. Mais une directrice de création, oui.

Directrice de création. Le gros choc.

Je suis assise dans le bureau de Demeter, une tasse de thé dans la main que je n'ose pas boire de crainte de tout renverser.

Moi, Katie Brenner, directrice de création.

— Tu n'imagines pas le mal que j'ai dû me donner pour y arriver, explique Demeter en faisant les cent pas, encore plus remontée que moi. Je *savais* que tu avais le potentiel pour le job mais il a fallu que je travaille Adrian au corps. Les mecs sont tellement étroits d'esprit. Je lui disais : « C'est *cette* fille que nous aurions dû garder, et virer toutes les autres. » Enfin, c'est fait maintenant.

— Je n'y crois toujours pas. Tu es sûre que je suis à la hauteur ?

— Bien sûr. Tu seras sous ma direction et tu pourras toujours compter sur moi pour t'épauler. Tu es rapide. Tu as de bons réflexes et, surtout, le sens créatif. Une qualité primordiale. Et *innée.* Notre tandem va marcher à la perfection. Tu seras une deuxième Demeter.

Je ris :

— Demeter, tu es unique. *Personne* ne peut être une autre toi.

— Je vais te former et *tu* pourras assister à quelques rencontres de publicitaires à ma place. Et *moi*, je passerai plus de temps avec Coco et Hal.

— Super !

Je m'efforce de rester cool, mais quand même, des rencontres de publicitaires ! Vous imaginez ?

— J'ai besoin de retrouver ma place dans cette famille, affirme-t-elle.

Je m'approche du tableau d'affichage où sont exposées les images illustrant ses succès professionnels, ses succès familiaux, ses succès en long, en large et en travers… Et que vois-je là ? Une nouvelle série de bonheur familial à Ansters Farm ! Demeter et James à côté de leur yourte, une coupe de champagne à la main, sur fond de fanions flottant dans la brise. Coco avec ses longues jambes bronzées, posant sur une balle de foin comme un mannequin de catalogue chic. Hal, appuyé contre une clôture et souriant à une vache curieuse. Le message est clair : *Ceux-là n'ont pas le moindre souci dans la vie.*

C'est ce que penseraient la plupart des gens. Mais pas moi. Plus maintenant.

— Hello ! lance soudain joyeusement la voix d'Alex. Dis donc, Demeter, tu aurais pu *m'annoncer* la bonne nouvelle. Je commençais à m'inquiéter ! Mes compliments, Katie ! Ravi de ton retour chez Cooper Clemmow !

— Merci ! Oh ! Il faut que j'avertisse les gens de Broth que je ne vais pas chez eux.

— *Tant pis pour vous*, mes amis ! Dis-leur ça ! Non, je blague. Ne fais pas cette tête : tu n'as pas à te sentir coupable. Pense que quelqu'un d'autre va avoir la chance de récupérer ce job. Tout le monde y gagne.

Je vois le tableau : une fille qui cherche du travail, comme moi, assise sur son lit sous un hamac, le moral à zéro. Soudain son téléphone sonne. Elle apprend qu'elle est engagée. Alex a raison : tout le monde y gagne.

— Demeter, j'ai besoin de parler à Katie seul à seule. Une minute.

— Dans *mon* bureau ! Tu charries ! Rien qu'une minute, alors !

Elle sort et Alex ferme la porte derrière elle.

— C'est une bonne journée, hein ? fait-il gaiement.

— *Vraiment* bonne.

— Tu le mérites plus que quiconque, Katie. Viens ici.

Il me prend dans ses bras et, dix secondes après, on s'embrasse comme des fous. Alerte maximum ! Je me liquéfie.

— Non ! Stop ! Je vais être renvoyée avant d'avoir commencé.

— Tu es délicieuse, tu sais, dit-il en caressant mes cheveux.

— Toi aussi.

Nos doigts sont entrelacés. Je souris béatement. C'est le moment le plus divinement divin de mon existence.

— Tu as fait beaucoup pour moi, déclare Alex brusquement.

— Je te retourne le compliment.

— Non, tu ne comprends pas. Tu m'as énormément apporté, en me faisant réfléchir.

— À quoi ?

— À ce que le Somerset représente pour toi. Ton implantation là-bas. Tes racines.

— Mes racines ?

— Biddy, ton père, la ferme. Un enracinement, un point d'ancrage, des attaches. C'est ce que je souhaite.

Cette fois, il ne plaisante pas. C'est du sérieux.

— Mon éducation ne m'a pas préparé à ça, dit-il avec une expression crispée, comme s'il repoussait les souvenirs douloureux de son enfance. Mais il n'est pas trop tard, n'est-ce pas ?

— Non, bien sûr. Il faut juste que… (Attention, terrain miné !) tu te décides à te poser. T'impliquer. Tendre la main aux gens, te *rapprocher* d'eux. Et faire en sorte qu'ils deviennent tes points d'ancrage.

Silence dense. Alex me dévisage comme s'il avait du mal à percuter.

— Tu as raison ! s'écrie-t-il au bout d'un moment. Je passe mon temps à courir, à fuir. Mais c'est fini. Je veux de la stabilité. De l'amour. Un amour longue durée. C'est bien de ça qu'il s'agit, non ?

Mon cœur explose de joie.

— Oui, oui ! Tu seras heureux et les personnes que tu aimes le seront aussi.

Nouvelle pause. Ses yeux sombres sont fixés sur moi. Quelle gravité !

— J'ai de nouvelles perspectives en vue. Je vais m'investir davantage. C'est ça ! Je vais partir pour New York.

Quoi ? J'ai dû mal entendre.

— Je vais retrouver mon père, dit-il avec une soudaine passion. Je l'ai ignoré, détesté. Tout ça est absurde. J'y pense maintenant : puisque nous sommes dans le même domaine, nous pourrions peut-être travailler ensemble.

— Tu vas aller *vivre* à New York ?

Je suis tellement bouleversée que ma voix se casse.

— Je dois encore y penser, mais je sais que je veux établir avec mon père les mêmes relations que toi avec le tien. Nous sommes peut-être tous les deux de sacrés connards, mais ça vaut la peine d'essayer.

Difficile de se remettre d'un tel coup de massue.

— Et ton boulot à l'agence ?

— Pas de problème. De toute façon, Cooper Clemmow m'envoie bientôt à New York pour travailler sur la nouvelle image d'American Electrics. *Pas* en tant que grand chef

– on oublie la hiérarchie. J'ai réalisé que je ne suis pas fait pour diriger. La créativité, c'est ce que j'aime. Et je veux me bâtir une nouvelle vie. Stable. *Familiale*. Pour toujours.

Eh bien ! Malgré l'affreuse tristesse qui m'envahit, j'arrive à afficher un sourire encourageant. Moi qui pensais…

Ça suffit, Katie. Ce que tu pensais n'a aucun intérêt.

— Waouh ! New York ! je m'extasie en m'efforçant de ne pas chevroter. C'est cool !

— Je suis bien d'accord. Et c'est *toi* qui m'as donné cette idée.

— Tu m'en vois ravie !

Plus je m'efforce de paraître enthousiaste, plus ma gorge se serre et plus les larmes menacent de déborder. Au fond, sans m'en rendre compte, je l'ai laissé prendre mon cœur. Je ne l'ai pas fait exprès. Mais le résultat est là. Je l'aime.

Je remarque tout d'un coup Demeter qui, plantée sur le pas de la porte, nous observe. Probablement depuis un moment. Étant donné son expression, il est clair qu'elle a tout entendu. Ses paroles carillonnent aussitôt dans ma tête comme autant de signaux d'alarme. *Alex Aller Simple… Il ne pose pas les pieds deux fois au même endroit… Des quantités de cœurs brisés… Ne tombe pas amoureuse… Protège-toi.*

Je sens mon instinct de protection se remettre en marche. La garde rapprochée de mon cœur partir à l'attaque. Je ne dois pas oublier qu'en ce moment ma vie est épatante. Alors, *pas question* de gâcher ça à cause d'un mec. Pas de faux espoirs. Même si l'aventure semblait bien partie.

— Demeter, tu nous laisserais encore une minute ? je demande avec un sourire.

Elle s'éclipse avec un coup d'œil compatissant tandis que je prends une grande inspiration pour me lancer.

— Alex, je ne sais pas comment tu considères notre histoire mais… bon… (sourire insouciant archi-forcé) il semble que nos chemins se séparent ici. Sans rancune, hein ? C'était vraiment sympa. Tu es d'accord ?

Alex, un peu déconcerté :

— Ah bon ! D'accord. Je vois.

Katie, avec un rire léger :

— New York, ce n'est pas la porte à côté. Je vais être hyper occupée… Tu vas être hyper occupé…

Alex, secouant la tête comme pour chasser une pensée désagréable :

— Oui. J'avais *cru* que… enfin… Mais j'ai pigé.

Katie, après s'être éclairci la voix :

— Alors c'est bon. Affaire classée.

Troisième silence. Je m'applique à rester décontractée – extérieurement tout au moins. En vérité, je suis partagée entre le désir de m'applaudir moralement pour avoir si bien clarifié le problème et l'envie d'éclater en sanglots.

— Je suis encore à Londres pendant une semaine ou deux, annonce-t-il soudain. Je me demandais si tu voulais passer la nuit chez moi.

— Pourquoi pas ?

Je m'oblige à garder l'air indifférent, qu'il ne devine surtout pas à quel point j'en ai envie. Il ne s'agit pas seulement du sexe, de sa drôlerie irrésistible, de ses idées loufoques. Il y a aussi nos confidences, nos moments de partage, le désir de mieux le connaître. Pour toutes ces raisons, j'ai fini par le laisser entrer dans mon cœur. Je devrais dire : *terminus*. Destination atteinte. Mais je n'en ai pas la force.

— OK. Pour le fun. Rien que pour le *fun*.

— Évidemment.

Il semble vouloir ajouter quelque chose quand son téléphone se met à sonner.

— Excuse-moi ! dit-il après un regard sur l'écran. Tu permets que…

— Je t'en prie. Vas-y.

Cette interruption est la bienvenue, en fait. J'en ai besoin pour faire le point et raffermir mon comportement. Je m'approche résolument de la fenêtre, en me parlant à moi-même.

Seulement pour le fun. Une parenthèse. Et je vais en profiter. Je me répète : en ce moment, ma vie est épatante. Fantastique. Alex qui disparaît du paysage, *ce n'est pas la fin du monde*. Pourquoi ? Parce que, si on laisse quelqu'un entrer dans son cœur, on peut aussi le faire sortir. Non mais !

23

Je l'ai appelé @*maviepassiparfaite* et deux cent soixante-sept personnes me suivent déjà. À l'exact opposé de ce que les gens publient sur leur compte Instagram. Des photos au naturel, sans mise en scène, et des légendes. C'est fou ce que je m'amuse.

Une image de passagers de mauvais poil sur le quai du métro : *mon trajet appart-boulot pas-si-parfait*. L'horrible ampoule sur mon talon : *mes nouvelles godasses pas-si-parfaites*. Mes cheveux trempés : *le climat pas-si-parfait de Londres*.

J'ai même lancé une tendance. Par exemple, Mark, le type du bureau, a publié une photo de lui en train de croquer dans un doughnut : *mon régime détox pas-si-parfait*. Biddy a noté, sous l'image d'un pantalon déchiré par du barbelé : *ma vie à la campagne pas-si-parfaite*. Ça m'a fait bien rire.

Même Kayla, la fiancée de Steve, a posté la photo du reçu d'un acompte pour une tente (3 500 livres). Légende : *mon mariage pas-si-parfait*. J'espère que Steve est *au courant* et qu'il apprécie la plaisanterie.

Ma copine Fi bombarde ma page de photos de New York. Du coup, je vois sa vie complètement différemment.

Pour commencer, je n'avais pas réalisé combien son appartement était minuscule, jusqu'à ce qu'elle envoie une photo de sa douche – cradingue – avec la légende : *ma location pas-si-parfaite*. Elle a aussi photographié le SMS d'un mec qui lui a posé un lapin dans un bar : *mon rancart pas-si-parfait*. Elle a reçu au moins trente réponses avec des histoires encore plus nulles.

Je l'ai finalement appelée et nous avons eu une sorte de conversation à cœur ouvert, qui a duré toute la soirée. L'occasion aussi de m'apercevoir que sa voix me manquait. Les mots sur écran ne sont finalement qu'un substitut.

Évidemment, elle ne m'a pas dit : *Tu sais quoi ? J'ai inventé ma vie fabuleuse. Je n'ai pas d'amis follement originaux. Et je ne bois pas de margaritas roses dans les Hamptons.* Parce qu'elle a des amis follement originaux. Et qu'elle a bu des margaritas roses dans les Hamptons. Au moins une fois. Mais certains autres aspects de sa vie font la balance. Comme pour tout le monde. Paillettes d'un côté, réalité merdique de l'autre.

C'est d'ailleurs le principe de base que j'ai adopté. Chaque fois que je rencontre quelqu'un d'intelligent et brillant, à qui *a priori* tout réussit, je me dis que, forcément, tout n'est pas parfait dans son meilleur des mondes. Et chaque fois que je traverse un épisode pas très gai, plutôt que de gémir, je me dis que j'ai, comme tout le monde, quelques raisons de voir la vie en rose, même si ce n'est pas toujours évident.

— Katie ?

Je souris en voyant mes deux trésors approcher : papa et Biddy habillés en touristes pour visiter Londres. Des jeans neufs et bien bleus (provenance Dave Yarnett), des tennis blanches bien brillantes (même origine). Tee-shirt *I ♥ London* pour papa, sweat-shirt Big Ben pour Biddy – tous les deux achetés la veille.

Papa tient un plan de métro, Biddy, une bouteille d'eau. Ils s'apprêtent à aller aux Kew Gardens. Ils vont sûrement aimer.

Ils m'avaient promis de venir quand je serais vraiment installée. J'avais imaginé que ce serait au début de l'automne, après la saison. Mais ils ont débarqué alors que je n'ai pris mes nouvelles fonctions que depuis six semaines. Steve et Denise gèrent le camping pendant deux jours. Je leur en suis d'autant plus reconnaissante que je mesure l'organisation à mettre en place avant de partir.

Le souci, c'est que je n'ai pas une seconde à leur consacrer. Ils ne s'en formalisent pas. Au contraire. « Nous pouvons profiter de Londres un maximum », ne cessent-ils de répéter. Papa m'a dit au moins cinq fois qu'il trouve maintenant la ville extrêmement agréable et qu'il ne l'avait pas vue comme il fallait lors de sa précédente visite.

— Parés à appareiller ? je demande.

— Prêts ! répond Biddy. Oh, ma Katie, tu commences à travailler vraiment tôt.

Elle s'interrompt, pique un fard et lance un coup d'œil à papa.

Ils se sont certainement juré de rester positifs en toute circonstance. Devise du séjour : *Pas une critique ne sortira de notre bouche.* J'ai quand même vu qu'ils trouvaient ma chambre petite (heureusement qu'ils n'avaient pas mis les pieds dans la précédente !) et mon trajet pour aller travailler un peu long (pour moi, c'est une partie de plaisir). Depuis leur arrivée, ils ne tarissent pas de commentaires élogieux sur Londres, les Londoniens, le travail dans les bureaux et pratiquement tout ce qui compose ma vie actuelle.

— Elle est bien pratique, cette baie ! s'exclame papa devant mon insignifiante fenêtre de cuisine. Ça donne beaucoup de lumière à la pièce.

— Très utile, renchérit Biddy. Et j'ai remarqué qu'il y avait un restaurant japonais au bout de ta rue. Très exotique ! Très sophistiqué ! Pas vrai, Mick ? C'est vraiment bien, à Londres, tous ces restaurants !

Biddy est un vrai chou. Pour info : ma petite rue n'est ni exotique ni sophistiquée. Mais le quartier n'est pas cher, je suis moins loin de l'agence et j'ai même la place pour un canapé-lit. En plus de ces avantages, je ne suis plus obligée de cohabiter avec des colocs zarbis. Maintenant, si Biddy voit de l'exotisme et de la sophistication, je ne vais pas la contrarier.

Je crois qu'ils ne saisiront jamais ce qui, à Londres, me gonfle le cœur de joie quotidiennement. Ça n'a rien à voir avec le glamour de la ville ni l'illusion de vivre dans une carte postale. C'est moi. J'aime Ansters Farm et je l'aimerai toujours. Qui sait, je finirai peut-être même par m'y installer un jour. Mais en ce moment je vis tout à fond. Les gens, le buzz, les réseaux. Par exemple, j'ai rendez-vous cet après-midi avec les huiles de Disney. Disney, rien que ça !

Bon, pour tout dire, c'est plutôt Demeter et Adrian qui ont rendez-vous et qui m'ont proposé de les accompagner. Mais ça reste un entretien avec Disney. Et c'est excellent pour ma formation.

Après une dernière vérification dans le miroir, je passe un peu de sérum sur mes boucles. Cette fois, j'ai décidé d'assumer. D'être moi-même. Je ne torture plus mes cheveux pour les raidir.

— On y va ?

J'attrape mon sac et pilote papa et Biddy vers le hall d'entrée, vers la porte de l'immeuble, le perron et la volée de marches qui mène au trottoir.

Oui ! J'ai des marches. En pierres grises.

Pas aussi somptueuses que celles de Demeter, mais quand même assez classe. Et je suis aux anges chaque fois que je les descends. Cela dit, je la rejoins sur le fait que, dans l'autre sens, avec des sacs de courses, c'est l'enfer.

— Très commode, cet arrêt de bus ! s'extasie papa en guettant ma réaction.

Il est mignon avec ses compliments ! Tout est prétexte à exprimer son admiration : la rue, les maisons, les buissons, le banc installé près du kiosque à journaux. Et maintenant l'arrêt de bus !

— Très utile, en effet ! Ça me fait gagner plein de temps (pas la peine de mentionner qu'il répand une fumée noire nauséabonde et que des foules de gamins le prennent d'assaut).

Quand nous montons, c'est un peu la mêlée et je me retrouve loin d'eux. D'un signe, je leur fais comprendre que tout va bien et regarde le texto qui vient d'arriver sur mon téléphone.

Salut Katie, comment va ? Jeff

J'ai rencontré Jeff lors d'une conférence. Depuis, on est sortis ensemble deux fois. Que dire de lui ? Il est… bien élevé. Pas mal physiquement. Banal.

Non ! *Pas* banal. Sois positive, Katie ! Optimise tes pensées ! OK : *Waouh ! Un SMS de Jeff ! On est sortis ensemble seulement deux fois et il demande de mes nouvelles, c'est sympa. Adorable. Galant. Un mec plein d'égards, en fait. Et la courtoisie est une qualité essentielle.*

Trouver un homme de *qualité* : voilà mon nouveau but. Pas un homme qui m'excite, mais quelqu'un qui me *porte aux nues*. Pas un homme qui me fait grimper aux rideaux puis fiche le camp à New York, mais un qui m'emmène à… Bracknell (c'est de là que vient Jeff et il en fait une pub magistrale).

Mais il y a un mais ! À mon avis, grimper aux rideaux est nettement plus *jouissif* que se balader à Bracknell. À essayer avec Jeff ? Il faut que je le connaisse mieux. Je tape une réponse :

Salut, Jeff. Quoi de neuf ?

Tout d'un coup surgit un flash-back inopportun. Juste avant mon emménagement et le départ d'Alex pour New York, j'ai été invitée à une réunion de locataires dans mon immeuble. D'un ennui mortel. J'avais envoyé à Alex un texto qui disait :

Au secours ! Je suis cernée par des bouffeurs de viennoiseries.

En réponse, j'avais reçu une série d'images de croissants, pains au chocolat, scones, etc., sur lesquels il avait collé des visages sur Photoshop. C'était hilarant. Réjouissant. Symbolique de notre merveilleuse complicité.

Mais la complicité en question n'est plus qu'un mirage. Oui, un *mirage*. Soyons réalistes. New York est la première étape d'une grande tournée mondiale de Don Juan, en aller simple. Alex ne se manifeste plus, alors que Jeff, à Bracknell, montre qu'il se soucie de moi.

Pour être honnête, c'est moi qui ai rompu le contact. Par instinct de conservation. J'aurais dû arrêter les frais juste après notre tête-à-tête dans le bureau de Demeter, mais j'ai succombé à la faiblesse. Comment résister à la tentation d'une nuit chez lui, puis deux, puis trois…

Nous avons passé plusieurs jours enivrants à profiter du moment présent. Je n'osais pas penser à l'après. Je préférais éviter. On avait décidé que c'était pour le fun, un mot que nous avons beaucoup employé avant de finalement le trouver creux. Là où d'autres auraient timidement parlé d'amour, de relation sentimentale, de complicité, nous avons décliné le vocable « fun » sous toutes ses formes. *Quel fun ! Ce que tu es fun ! Cette soirée était vraiment… fun.*

Je l'ai surpris, à deux reprises, qui m'observait d'un air perplexe, comme s'il se doutait que je jouais la comédie. Les deux fois, il a pris ma main et l'a portée à ses lèvres. Et moi, ces deux fois, je n'ai pas pu m'empêcher de lui murmurer des mots doux à l'oreille. Une manifestation d'amour plus que de fun.

Le mot amour, même prononcé en secret dans ma tête, me perturbait terriblement. *Non, non, non. Ne tombe pas amoureuse… Protège-toi. Il s'en ira, il te laissera.*

Il est parti, il m'a laissée.

— Dis, Katie, ça t'est *égal* que je m'en aille, hein ? m'a demandé un jour Alex, alors que nous étions allongés sur son lit, comme si la question venait de lui traverser l'esprit. C'est vrai que tout ça est fun. Mais…

— Évidemment que ça m'est égal.

Et j'ai feint un éclat de rire désinvolte, insouciant, parfaitement détaché. Franchement, j'aurais mérité un oscar pour cette performance.

Je fais mon jogging.

Le texto de Jeff interrompt ma rumination. *Voilà* la réalité. Jeff est réel. Alex est un fantôme. Une chimère. Un mythe.

Il faut que je trouve une réponse spirituelle. Que je secoue mes doigts brusquement engourdis. Qu'est-ce qu'on peut dire à un type qui fait son *jogging* ?

Lentement, je commence à pianoter.

Ça paraît…

Panne d'inspiration. Ça paraît quoi ? Super fun ? Emmerdant à mourir ?

Au secours ! Voilà qu'un autre souvenir doux-amer me revient. C'est plus fort que moi. Un soir, après quelques martinis, Alex m'a dit :

— Je t'admire infiniment, Katie Brenner. Si tu savais comme je t'admire…

— Tu *m'admires* ?

C'était bien la première fois que ça m'arrivait.

— Tu es forte. Et… (il cherche le mot) honnête. Tu t'es battue pour Demeter parce que tu trouvais que ce qui lui arrivait était injuste. Tu avais toutes les raisons de *ne pas* prendre fait et cause pour elle. Mais tu l'as fait.

— Travail de mercenaire ! j'ai rétorqué en haussant les épaules. Tu ne savais pas ? J'ai touché 5 000 livres pour mon intervention.

Alex a tellement ri que la gorgée de martini qu'il venait d'avaler lui est sortie par les narines. J'arrivais toujours à l'amuser, sans savoir comment, d'ailleurs.

Je me souviens qu'ensuite il y a eu un moment de silence. Du jazz passait en sourdine. J'ai contemplé son visage doucement éclairé par les lumières tamisées. Et, tout en sachant pertinemment qu'il avait programmé son départ, je me suis laissée aller à rêver. Il semblait soudain possible qu'il reste avec moi pour toujours. Qu'il continue à me séduire avec sa fantaisie, son originalité et son sourire contagieux. L'idée de son absence me paraissait insupportable.

Le cœur a ses raisons, je suppose.

Heureusement, nous arrivons à l'arrêt où nous devons descendre pour changer de bus. Bye-bye, mes souvenirs, anciennes illusions et autres sottises encombrantes. Je ferme mon téléphone et montre à papa et Biddy comment se frayer un chemin jusqu'à la sortie à contre-courant d'une marée d'écoliers (manœuvre assez stressante, je leur accorde).

Le second bus file directement vers Chiswick (autant qu'un bus puisse filer dans les bouchons). Un soleil d'été filtre à travers la fenêtre. Biddy se dégotte une place assise. Londres à son meilleur ! À Turnham Green, je les fourre dans le métro, direction Kew Gardens. Après quoi, je marche d'un bon pas vers le bureau.

— Bonjour, Katie, m'accueille Jade, la réceptionniste de l'agence.

Adieu, les pseudos ! Désormais, je suis Katie.

— Bonjour, Jade. Demeter est arrivée ?

— Pas encore.

Elle s'éclaircit la voix et s'avance vers les fauteuils réservés aux visiteurs. Il y a là une fille assise qui torture la bandoulière de son sac. En la voyant, j'ai du mal à canaliser le flot d'émotions qui m'assaille. C'est moi. OK, ce n'est plus moi. Mais c'est comme voir mon reflet.

Elle s'appelle Carly et c'est la nouvelle assistante du département recherches. Pantalon noir ordinaire, barrette en plastique dans les cheveux, expression anxieuse. Quand elle me reconnaît, elle bondit et manque de faire tomber son verre d'eau.

— Bonjour, fait-elle, le souffle un peu court. Vous êtes Katie, n'est-ce pas ? Nous nous sommes vues pendant mon entretien. Je voulais arriver tôt pour mon premier jour alors... Euh, bonjour.

Elle a l'air tellement nerveuse que j'ai envie de l'embrasser pour la réconforter. Mais ça ne ferait probablement que l'effrayer davantage, alors je lui serre la main.

— Bonjour ! Bienvenue chez Cooper Clemmow. Tu vas te plaire chez nous. Demeter n'est pas encore là mais je vais t'installer. Comment était ton trajet ? j'ajoute en allant vers l'ascenseur. Atroce ?

— Pas trop. J'habite à Wembley... Ça pourrait être pire.

— Je connais. Crois-moi.

— Oui. J'ai vu votre page Instagram. *Mon trajet pas-si-parfait* et les autres photos. Super bien. Et vraiment... *vraies*.

— C'est le but, je réponds en souriant.

En arrivant dans l'open space, j'observe ses réactions devant le mur en briques dépareillées, le porte-manteau en forme d'homme tout nu, le gigantesque bouquet de fleurs en plastique que Sensiquo vient de faire livrer.

— C'est *cool*, souffle-t-elle.

Son enthousiasme est contagieux.

— Oui, c'est bien, je confirme.

La semaine dernière, les gosses du centre communautaire de Catford sont venus – nous avons organisé une journée d'information en complément de nos donations. Eux aussi ont été drôlement impressionnés par le bureau. Même Sadiqua, malgré ses efforts pour ne pas le montrer. Et son culot. « J'aimerais être animatrice à la télé. Vous connaissez pas des gens dans une émission de télé-réalité ? » demandait-elle à tout le monde.

Cette gamine ira loin. Je ne sais pas précisément où, mais loin.

Je montre à Carly son poste de travail et lui dis :

— Excuse-moi, j'ai oublié. Tu viens d'où, déjà ?

— Des Midlands, répond-elle, un peu sur la défensive. Un coin pas du tout connu près de Corby.

Après un coup d'œil sur ma robe imprimée achetée avec mon nouveau salaire, elle me demande :

— Et vous, vous êtes londonienne ? Vous n'avez pas l'accent, pourtant. Plutôt celui de l'Ouest.

Je n'essaie plus de camoufler mes intonations. En fait, j'en suis fière. Elles font partie de moi. De mon héritage. Comme mes parents. Comme la ferme. Et comme le lait frais de la campagne auquel je dois mes cheveux épais et bouclés. (C'est ce que prétendait mon père pour m'encourager à en boire.)

Dorénavant, je suis ce que je suis. Dommage que ça m'ait pris si longtemps pour l'assumer.

— Je suis une fille de la campagne. Du Somerset, pur jus. Mais je vis maintenant à Londres. Alors j'imagine que je suis les deux.

Demeter ayant des réunions à l'extérieur toute la matinée, je surveille Carly du coin de l'œil. Elle paraît plutôt à l'aise, mais je sais ce que c'est que d'être la petite nouvelle qui essaie de s'intégrer. À l'heure du déjeuner, je la rejoins.

— Viens prendre un verre avec nous au Blue Bear. Ça te donnera l'occasion de rencontrer tout le monde.

Je lis sur son visage comme dans un livre ouvert. Elle est d'abord ravie, puis elle hésite et jette subrepticement un œil sur le sandwich emballé dans son sac. Évidemment : elle s'inquiète pour son budget.

— C'est l'agence qui régale. Une tradition.

On s'en arrangera plus tard, Demeter, Liz et moi. Je suis devenue copine avec Liz maintenant que les trois punaises malfaisantes ont dégagé. En chemin vers le pub, j'envoie un texto à Demeter pour la tenir au courant de nos plans. Elle m'annonce qu'elle va nous rejoindre et m'envoie une photo d'une typo vintage en me demandant : « Tu en penses quoi ? » Je lui réponds que j'aime bien. Et nous continuons à échanger des textos pendant un petit moment.

On communique beaucoup par SMS, Demeter et moi. En fait, on communique beaucoup tout court. Très souvent, nous restons tard au bureau à parler boutique en buvant de la tisane. Un soir, nous avons même commandé un dîner chinois, comme dans mes fantasmes d'autrefois. Nous avançons sur des projets. Nous tâchons de résoudre des problèmes. (Pour être honnête, le plus souvent, Demeter trouve des solutions tandis que je l'écoute *voracement*.)

Avant, je n'avais accès qu'à des miettes de son talent. Aujourd'hui, j'ai la chance de bénéficier de tout son esprit créatif. C'est super intéressant. Correction : c'est *extraordinaire*. Ne vous méprenez pas : Demeter a gardé ses défauts. Elle est toujours roublarde, imprévisible, bordélique, mais c'est fou ce que j'apprends avec elle.

Parfois, quand nous sommes seules et détendues, nous abordons des sujets plus personnels. Je lui parle d'Ansters Farm et elle me donne des nouvelles de sa famille. Le job de James à Bruxelles marche du tonnerre. Ils sont très heureux de leur nouvel arrangement. En fait, le voir seulement une fois par semaine a des avantages, m'a-t-elle confié un jour. (Elle n'a pas précisé lesquels mais je devine.)

Coco a un petit ami. Hal veut faire du combat libre en cage. Elle s'y oppose fermement. (*Des arts martiaux mixtes*, tu te rends compte, Katie ? Pourquoi il ne choisit pas l'escrime ?)

Je suis même allée dîner un soir de semaine dans leur sublime maison de Shepherd's Bush. Soirée top. Coco et Hal, charmants, avaient même fait l'effort de préparer un dessert au citron. Nous étions assis autour de la table en chêne de récupération. Les bougies Diptyque embaumaient l'atmosphère. Les couverts, sûrement achetés en France, apportaient une touche raffinée. Et que dire du petit coin (papier peint imprimé à la main et lavabo ancien) sinon qu'il aurait pu être en photo dans un magazine déco ? Je commençais à me dire que finalement la vie de Demeter frisait la perfection quand Coco s'est mise à pousser des cris. Le chiot venait de vomir partout dans la cuisine. (Au fait, Coco espérait gagner le prix de la photo *Ma vie pas-si-parfaite* en postant sur Instagram le gros plan du désastre. Chouette, hein ?)

Devant le Blue Bear, nous tombons sur Demeter qui arrive de la direction opposée. Très chic dans sa veste de cuir noir.

— Salut ! Tu te souviens de Carly, notre nouvelle assistante de recherche ?

— Bonjour et bienvenue !

Demeter lui serre la main avec son fameux sourire intimidant. Pauvre Carly ! La boss est drôlement impressionnante quand on ne la connaît pas. (Beaucoup moins quand on l'a vue embourbée dans la vase ou en sac à patates.)

Au pub, nous choisissons deux tables hautes avec tabourets, commandons trois bouteilles de vin et distribuons les verres. Demeter ne devrait-elle pas improviser un speech d'accueil ? Au moment où je me pose la question, la porte s'ouvre. Petit remue-ménage autour des tables. Quelqu'un lance à la cantonade :

— Mais c'est Alex !

Alex ?

Je me retourne lentement, la gorge serrée.

Le voilà, en chair et en os. Mal coiffé, pas rasé, sa veste de lin un peu froissée. Il me fixe dans les yeux. Bonjour, les papillons !

— Je sais que pour toi c'était pour le fun, commence-t-il sans préambule. Mais…

Il secoue la tête comme pour chasser une pensée pénible. Puis il plonge à nouveau ses yeux sombres dans les miens. Cette fois, son regard est franc, sérieux, dénué de toute ironie. Arrêt sur image. En une seconde, je devine son message. Mais non, c'est impossible. Je ne peux pas le croire.

L'instant s'éternise. Nous sommes muets. Alex vacille un peu mais se rattrape à un tabouret. Inquiète, je vais vers lui :

— Qu'est-ce qui t'arrive ?

— Je n'ai pas dormi depuis plusieurs nuits. Trop de trucs dans la tête. Et dans l'avion, je n'ai pas fermé l'œil non plus. Katie, j'ai tout faux. Dans tous les domaines.

Il semble si triste, si malheureux. J'attends la suite, sans dire un mot.

— J'en ai assez de toute cette agitation, poursuit-il. Tourner en rond constamment. Ne jamais me poser…

— Je croyais que tu allais faire ça avec ton père. Trouver ton point d'ancrage.

— Erreur de casting, fait-il. Je me suis trompé.

Il ne me quitte pas des yeux. Puis, subitement, il se rend compte qu'une partie de l'équipe de Cooper Clemmow l'observe avec stupeur.

— On peut aller dans un endroit plus tranquille ? demande-t-il.

Nous trouvons un coin un peu à l'écart. Mon cœur bat la chamade. Ma tête tourne. Où on va, là ? Il est venu pourquoi ? Moi ?

— Ça n'a pas marché avec ton père ?

— Qu'il aille au diable ! Lui et ses semblables ! Mais c'est une autre histoire.

Malgré sa grimace comique, je vois bien qu'il est blessé. Que s'est-il passé à New York ? Je sens une soudaine colère m'envahir, à cause de son père. Il va voir un peu, ce sale type…

— Katie, une chose est sûre. Ce n'est pas ton rapport avec ton père que je veux. C'est toi. *Toi.*

Pitié ! Je croyais gérer la situation. L'avoir digérée. Faux, archi-faux. Une fois encore, je me sens fondre.

— Je n'ai fait que penser à toi, dit-il. Tout le temps. Personne n'est aussi drôle que toi. Personne n'est aussi intelligente. Et puis tu as des cuisses incroyablement musclées. Surhumaines, ajoute-t-il avec un coup d'œil sur mes jambes.

Je ne sais pas quoi répondre.

— Alex…

— Une minute, je n'ai pas terminé. Je me suis conduit comme un idiot. Je n'aurais jamais dû te quitter. J'aurais dû me rendre compte que… Bon, c'est du passé. Aujourd'hui, je suis venu pour te demander si tu veux de moi. Si la réponse est non, je partirai. Mais c'est pour ça que je suis là. Oh ! Je me répète. C'est nerveux. Pourtant, je ne suis pas du genre nerveux. Ni du genre à revenir.

— Oui, je murmure, tu as cette réputation.

— Je suis nerveux. Je suis maladroit. Et je l'admets.

Il s'arrête parce qu'il vient de s'apercevoir que tous les clients du bar se sont tus pour nous écouter. Y compris Demeter, qui nous observe, les yeux humides.

— J'avoue ma maladresse, reprend-il en ignorant les spectateurs. Et j'avoue aussi mon amour pour toi. Moi, Alex Astalis, suis amoureux de toi. Je persiste et signe.

J'ai bien entendu ? Il a dit *amour* ?

— Bien sûr, il y a des *tonnes* de raisons contre. Je les ai listées dans l'avion, histoire de me torturer, fait-il en sortant de sa poche un sac à vomi couvert de gribouillis. Une, en particulier. Tu veux du *fun* et rien d'autre. C'est bien ça ? Alors tu dirais que c'est fun de me voir ici et d'écouter mon petit discours ?

Il s'avance vers moi, l'air interrogateur et plein d'angoisse. En même temps, il est tellement *lui-même* que je suis tentée de sauter dans ses bras.

— Le degré zéro du fun, n'est-ce pas ?

— Tu as raison, je dis en essuyant mes larmes. Ce n'est pas fun. C'est… nous. C'est ce que je désire le plus au monde. Nous.

— Nous, répète Alex en s'approchant encore. C'est ça. Nous. C'est ce que je veux.

— Moi aussi.

Je m'arrête là, bien trop émue pour parler. Parce que, dans le fond, Alex n'a jamais quitté mon cœur. Le virer ? Quelle blague !

Katie ! Ressaisis-toi ! Tu es dans un endroit bourré de monde. Comporte-toi dignement. Oui, mais son visage est à un centimètre du mien. Je respire son odeur. Il m'enlace. Au secours ! Je fonds !

Je suis sûre qu'embrasser son patron en public ne fait pas partie du règlement de l'agence. Au fait, est-ce qu'il est toujours mon boss ?

Quand nous nous séparons, *tous* les yeux sont braqués sur nous. Ils n'ont donc pas mieux à faire ? Les conversations reprennent et je regarde Demeter. Elle applaudit et nous lance un baiser avant de s'essuyer les yeux comme une gentille marraine de conte de fées.

— Katie Brenner, pourquoi je suis parti à New York alors que je t'ai ici ?

— Je trouve *incroyable* que tu aies filé, je marmonne, le nez sur le revers de sa veste.

— Je trouve *incroyable* que tu ne m'aies pas retenu, dit-il avant de m'embrasser longuement, amoureusement.

Et si je prenais mon après-midi ? Pour cause de circonstances exceptionnelles.

Alex me passe un verre de vin et nous trinquons. Quand je me blottis contre lui, quelque chose en moi se détend.

Quelque chose qui ressemble à une tension, un stress, une angoisse. Finalement. Finalement. *Finalement.*

— Katie Brenner, dit encore Alex, comme si le fait de prononcer mon nom le rendait heureux, ce soir, je t'emmène dîner. Ce sera la première fois. Tu veux aller où ?

— Papa et Biddy séjournent chez moi, alors…

— Encore mieux. J'espère que tu as compris que c'est la cuisine de Biddy qui m'intéresse en réalité.

— J'ai bien compris, je réponds en riant. Je ne suis pas bête.

— Donc, dîner en famille et puis retour chez moi pour la suite des opérations. On va trouver un restaurant vraiment spécial.

— Tu veux dire exceptionnel ?

— Absolument. Un endroit extraordinairement et spécialement exceptionnel. Tu sais où ?

Si je sais ? Je fouille dans mon sac à la recherche de ma liste de restaurants où, dans ma vie précédente, je rêvais d'aller.

— Un de ceux-là, je déclare. Peut-être celui-ci. Pourquoi pas cet autre, là ? Ah non ! Celui-là alors ? Je ne sais pas…

Alex étudie la liste avec effarement. Je parie que la plupart des filles ne sortent pas une liste de restaurants de leur sac quand on les invite à dîner.

— Ou n'importe où ailleurs, je rectifie en vitesse en rempochant ma feuille. Tu choisis. Tu as sûrement plein d'idées…

— Rien du tout ! s'exclame-t-il en riant. C'est toi la spécialiste. Tu choisis.

— Mais… ce n'est pas le rôle du mec…

— À toi de jouer, Katie ! C'est un domaine que tu aimes. Alors décide du restaurant, mon cher amour du Somerset ! C'est toi la boss !

Remerciements

La vie parfaite, ça n'existe pas. Et je suis comme tout le monde. Mais toutes les personnes brillantes qui m'ont aidée à créer ce livre ont contribué à illuminer mon existence.

Jenny Bond et Sarah Frampton m'ont apporté leur connaissance de la vie citadine et de la vie rurale. Je suis particulièrement reconnaissante à Jenny de m'avoir initiée au monde de la publicité, du marketing et des marques.

Par ailleurs, je ne cesse d'admirer le travail formidable produit par *l'Équipe Kinsella* en Grande-Bretagne, aux États-Unis et dans le reste du monde. Merci à tous ceux et celles qui se donnent à fond pour mes livres. Ma reconnaissance s'adresse particulièrement à mes agents et éditeurs en Grande-Bretagne et aux États-Unis :

Pour LAW : Araminta Whitley, Peta Nightingale, Jennifer Hunt.

Pour Inkwell : Kim Witherspoon, David Forrer.

Pour ILA : Nicki Kennedy, Sam Edenbororough, Jenny Robson, Katherine West, Simone Smith.

Pour Transworld : Francesca Best, Bill Scott-Kerr, Larry Finlay, Claire Evans, Nicola Wright, Alice Murphy-Pyle,

Becky Short, Tom Chicken et son équipe, Giulia Giordano, Matt Watterson et son équipe, Richard Ogle, Kate Samano, Judith Welsh, Jo Williamson, Bradley « Bradmobile » Rose.

Pour Penguin Random House USA : Gina Centrello, Susan Kamil, Kara Cesare, Avideh Bashirrad, Debbie Aroff, Jess Bonet, Sanyu Dillon, Sharon Propson, Sally Marvin, Theresa Zoro, Loren Noveck.

Que vos vies soient à la hauteur de vos moments sur Instagram…

MILLE COMÉDIES

Mais qui est le père ? de Maria Beaumont (2008)
Alors qu'elle est en train de donner naissance à son premier enfant, une jeune femme se remémore la liste de tous ses princes, pas toujours très charmants, et son trajet, souvent mouvementé, sur la route chaotique qui mène au bonheur.

Mariée et mère de deux enfants, Maria Beaumont vit à Londres. Après Tout pour être heureuse ? *(2008),* Mais qui est le père ? *est son deuxième roman à paraître chez Belfond.*

Sexe, amour et amitié de Paul Burston (2003)
Quand Armistead Maupin rencontre Bridget Jones… Les mésaventures tragi-comiques d'un trio prêt à tout au cœur du gay London.

Journaliste et présentateur sur Channel 4, Paul Burston vit à Londres.

Beaucoup de bruit pour un cadavre de Victoria Clayton (2004)
Être ou ne pas être au bord de la crise de nerfs… telle est la cruelle question que se pose Harriet Byng. Il faut dire qu'entre son père, Waldo, acteur shakespearien sur le déclin, sa mère, professionnelle du lifting, et ses quatre frères et sœurs, il y a de quoi faire !

Après L'Amie de Daisy *(1998),* Un mariage trop parfait *(2000),* Accordez-moi cette danse *(2002) et* La Chaleur des moissons

(2003), Beaucoup de bruit pour un cadavre *est le cinquième roman de Victoria Clayton paru chez Belfond.*

Un tout petit mensonge de Francesca Clementis (2005)
Lauren a beau être une brillante femme d'affaires, en société, elle se transforme en reine des gaffes. Pas facile, dans ces conditions, de lier connaissance…
Après Lorna et ses filles *(2004),* Un tout petit mensonge *est le deuxième roman de Francesca Clementis à paraître chez Belfond.*

Bonheur, marque déposée de Will Ferguson (2003)
Un éditeur aux abois découvre un livre qui promet la recette du bonheur. Seul problème : ça marche.

Will Ferguson est né au Canada en 1964. Après un ouvrage polémique, Why I Hate Canadians*, et d'autres essais,* Bonheur, marque déposée *est son premier roman.*

Cerises givrées d'Emma Forrest (2007)
Une jeune femme rencontre l'homme de ses rêves. Problème, l'homme en question a déjà une femme dans sa vie : sa fille de huit ans. Une nouvelle perle de l'humour anglais pour une comédie sur l'amour, la jalousie et le maquillage.

D'origine anglaise, Emma Forrest vit à Los Angeles. Cerises givrées *est son premier roman à paraître en France.*

Une exquise vengeance de Brian Gallagher (2002)
Revenue de vacances plus tôt que prévu, Julie découvre son mari dans les bras d'une blonde pulpeuse. Que faire ? Leur mitonner une revanche des plus originales…

Neuf mois de sursis de Brian Gallagher (2004)
Comment persuader son époux qu'il est temps de faire un bébé, a fortiori quand l'époux en question est lui-même un grand enfant ?

De nationalité irlandaise, Brian Gallagher est né en 1964 à Stockholm. Après Une exquise vengeance (2002), Neuf mois de sursis *est son deuxième roman paru chez Belfond.*

Ex & the city, manuel de survie à l'usage des filles larguées de Alexandra Heminsley (2009)
Une première incursion dans la non-fiction pour Mille Comédies avec cet indispensable et très hilarant manuel à l'usage de toutes les filles qui ont eu, une fois dans leur vie, le cœur en lambeaux.

Alexandra Heminsley est journaliste. Responsable de la rubrique livre de Elle *(UK), elle est également critique sur Radio 2, ainsi que pour* Time Out *et* The Observer. *Elle vit à Londres.*

Chez les anges de Marian Keyes (2004)
Les pérégrinations d'une jeune Irlandaise dans le monde merveilleux de la Cité des Anges. Un endroit magique où la

manucure est un art majeur, où toute marque de bronzage est formellement proscrite et où même les palmiers sont sveltissimes…

Réponds, si tu m'entends de Marian Keyes (2008)
Quand il s'agit de reprendre contact avec celui qu'on aime le plus au monde, tous les moyens sont bons, même les plus extravagants…

Un homme trop charmant de Marian Keyes (2009)
Quatre femmes, un homme, un lourd secret qui les relie tous et cette question : peut-on tout pardonner à un homme trop charmant ?

Née en Irlande en 1963, Marian Keyes vit à Dublin. Après, entre autres, Les Vacances de Rachel *(2000),* Chez les anges *(2004) et* Réponds, si tu m'entends *(2008),* Un homme trop charmant *est son sixième roman à paraître chez Belfond.*

Les Confessions d'une accro du shopping de Sophie Kinsella (2002, rééd., 2004)
Votre job vous ennuie à mourir ? Vos amours laissent à désirer ? Rien de tel que le shopping pour se remonter le moral… Telle est la devise de Becky Bloomwood. Et ce n'est pas son découvert abyssal qui l'en fera démordre.

Becky à Manhattan de Sophie Kinsella (2003)
Après une légère rémission, l'accro du shopping est à nouveau soumise à la fièvre acheteuse. Destination : New York, sa 5e Avenue, ses boutiques…

—•◆•—

L'accro du shopping dit oui de Sophie Kinsella (2004)
Luke Brandon vient de demander Becky en mariage. Pour une accro du shopping, c'est la consécration… ou le début du cauchemar !

—•◆•—

L'accro du shopping a une sœur de Sophie Kinsella (2006)
De retour d'un très long voyage de noces, Becky Bloomwood-Brandon découvre qu'elle a une demi-sœur. Et quelle sœur !

—•◆•—

L'accro du shopping attend un bébé de Sophie Kinsella (2008)
L'accro du shopping est enceinte ! Neuf mois bénis pendant lesquels elle va pouvoir se livrer à un shopping effréné, pour la bonne cause…

—•◆•—

Mini-accro du shopping de Sophie Kinsella (2011)
L'accro du shopping fait son grand retour, flanquée de la pétulante Minnie, deux ans seulement et déjà un caractère bien trempé. Telle mère, telle fille !

—•◆•—

L'Accro du shopping à Hollywood de Sophie Kinsella (2015)
Hollywood ! La ville des stars ! Le paradis du shopping ! Pour l'irrésistible Becky, c'est la consécration, un vrai rêve. Mais aveuglée par les sunlights, notre accro du shopping pourrait bien se brûler les ailes…

L'Accro du shopping à la rescousse de Sophie Kinsella (2016)
Après *L'Accro du shopping à Hollywood*, la suite des aventures de Becky. Gaffes en pagaille, émotions en famille et cascade de fous rires pour un road trip déjanté dans le Grand Ouest américain.

Confessions d'une accro du shopping suivi de ***Becky à Manhattan*** de Sophie Kinsella (édition collector 2009)
Pour toutes celles qui pensent que « le shopping devrait figurer dans les risques cardio-vasculaires », découvrez ou re-découvrez les deux premières aventures de la plus drôle, la plus délirante, la plus touchante des fashion victims…

Les Petits Secrets d'Emma de Sophie Kinsella (2005)
Ce n'est pas qu'Emma soit menteuse, c'est plutôt qu'elle a ses petits secrets. Rien de bien méchant, mais plutôt mourir que de l'avouer…
Quiproquos, coups de théâtre et douce mythomanie, une nouvelle héroïne, par l'auteur de *L'Accro du shopping*.

Samantha, bonne à rien faire de Sophie Kinsella (2007)
Le nouveau Kinsella est arrivé ! Une comédie follement rafraîchissante qui démontre qu'on peut être une star du droit financier et ne pas savoir faire cuire un œuf…

Lexi Smart a la mémoire qui flanche de Sophie Kinsella (2009)
Quand Lexi se réveille dans sa chambre d'hôpital, elle ne reconnaît ni ce super beau gosse qui prétend être son mari, ni cette snobinarde qui dit être sa meilleure amie. Trois ans de sa vie viennent de s'effacer d'un coup…

Très chère Sadie de Sophie Kinsella (2010)
Obligée d'assister à l'enterrement de sa grand-tante Sadie, Lara va se retrouver confrontée au fantôme de cette dernière. Un drôle de fantôme de vingt-trois ans, qui aime le charleston et les belles toilettes, et qui n'a de cesse de retrouver un mystérieux collier…

Poppy Wyatt est un sacré numéro de Sophie Kinsella (2013)
Grosse tuile pour Poppy Wyatt : alors qu'elle doit dîner dans quelques heures avec son futur mari, Magnus, et les terrifiants parents de ce dernier, pas moyen de retrouver sa bague de fiançailles. Et une cata n'arrivant jamais seule, on vient de lui voler son téléphone…

Nuit de noces à Ikonos de Sophie Kinsella (2014)
Pour tenter d'annuler le mariage de sa petite sœur avec un presque parfait inconnu, Fliss est prête à tout, y compris à partir

en Grèce pour saboter la nuit de noces… Sea, sex and fun sous le soleil des Cyclades !

Sophie Kinsella est une véritable star : auteur des Petits Secrets d'Emma*, de* Samantha, bonne à rien faire*, de* Lexi Smart a la mémoire qui flanche*, de* Très chère Sadie *et de* Poppy Wyatt est un sacré numéro*, elle est également reconnue dans le monde entier pour sa série-culte des aventures de l'accro du shopping.*

Un week-end entre amis de Madeleine Wickham alias Sophie Kinsella (2007)
Un régal de comédie à l'anglaise, caustique et hilarante, pour une vision décapante des relations au sein de la jeune bourgeoisie britannique. La redécouverte des premiers romans d'une jeune romancière aujourd'hui plus connue sous le nom de Sophie Kinsella.

Une maison de rêve de Madeleine Wickham alias Sophie Kinsella (2007)
Entre désordres professionnels et démêlés conjugaux, une comédie aussi féroce que réjouissante sur trois couples au bord de l'explosion.

La Madone des enterrements de Madeleine Wickham alias Sophie Kinsella (2008)
Aussi charmante que vénale, Fleur séduit les hommes pour mieux mettre la main sur leur fortune. Mais à ce petit jeu, telle est prise qui croyait un peu trop prendre…

Drôle de mariage de Madeleine Wickham alias Sophie Kinsella (2008)
Quoi de plus naturel que rendre service à un ami dans le besoin ? Sauf quand cela peut ruiner le plus beau jour de votre vie et vous coûter l'homme de vos rêves…

Des vacances inoubliables de Madeleine Wickham alias Sophie Kinsella (2009)
À la suite d'une regrettable méprise, deux couples vont devoir passer leurs vacances ensemble… pour le meilleur et pour le pire !

Cocktail Club de Madeleine Wickham alias Sophie Kinsella (2012)
Pour oublier petits soucis et grosses galères, rien de tel que des copines et quelques cocktails. Mais quand une intruse s'en mêle, la belle amitié pourrait bien voler en éclats…

Un dimanche au bord de la piscine de Madeleine Wickham alias Sophie Kinsella (2013)
Du soleil, un dimanche, une piscine : le rêve ! Mais quand se produit un accident, c'est toutes les rancœurs d'un petit village anglais qui se réveillent…

Sœurs mais pas trop d'Anna Maxted (2008)
Cassie, la cadette, est mince, vive, charismatique et ambitieuse ; Lizbet, l'aînée, est ronde, un peu paresseuse, souvent gaffeuse et très désordonnée. Malgré leurs différences, les deux sœurs s'adorent… jusqu'au jour où Lizbet annonce qu'elle est enceinte. Une situation explosive !

Mariée et mère de deux garçons, Anna Maxted vit à Londres. Sœurs mais pas trop *est son premier roman traduit en français.*

Tous à la campagne ! de Judith O'Reilly (2010)
Les tribulations d'une épouse et mère plus que dévouée en terrain rural inconnu ou comment survivre dans les contrées désolées du Northumberland, quand on n'a connu que la trépidante vie londonienne.

Judith O'Reilly a donc tout quitté pour suivre son mari. Hilarant récit de cette expérience, d'abord relaté dans un blog qui a connu un énorme succès, Tous à la campagne ! *est son premier roman.*

Cruautés conjugales de Damien Owens (2004)
Peter et Mary s'apprêtent à fêter le premier anniversaire de ce jour béni où ils se sont dit oui, pour le meilleur et pour le pire. Depuis quelque temps, c'est surtout pour le pire, car Mary a un problème : Peter l'agace prodigieusement…

Damien Owens est irlandais. Après Les Trottoirs de Dublin *(Belfond, 2002),* Cruautés conjugales *est son deuxième roman.*

Cul et chemise de Robyn Sisman (2002)
Comme cul et chemise, Jack et Freya le sont depuis bien longtemps : c'est simple, ils se connaissent par cœur. Du moins le pensent-ils…

Née aux États-Unis, Robyn Sisman vit en Angleterre. Après le succès de Nuits blanches à Manhattan, Cul et chemise *est son deuxième roman publié chez Belfond.*

Chaussure à son pied de Jennifer Weiner (2004)
Rose et Maggie ont beau être sœurs, elles n'ont rien en commun. Rien, à part l'ADN, leur pointure, un drame familial et une revanche à prendre sur la vie…

Crime et couches-culottes de Jennifer Weiner (2006)
Quand une mère de famille mène l'enquête sur la mort mystérieuse de sa voisine… Entre couches et biberons, lessives et goûters, difficile de s'improviser détective!

La Fille de sa mère de Jennifer Weiner (2009)
Une comédie douce-amère où l'on apprend comment concilier avec grâce vie de couple, kilos en trop et rébellion adolescente.

Des amies de toujours de Jennifer Weiner (2010)
Une comédie aussi désopilante qu'émouvante sur deux amies devenues ennemies jurées. Des retrouvailles explosives et cocasses sur fond de *road movie* à la *Thelma et Louise*.

Jennifer Weiner est née en 1970 en Louisiane. Après Alors, heureuse ? *(2002 ; Pocket, 2004),* Chaussure à son pied *(2004) – adapté au cinéma en 2005 –,* Envies de fraises *(2005),* Crime et couches-culottes *(2006) et* La Fille de sa mère *(2009),* Des amies de toujours *est son sixième roman publié par Belfond.*

Lizzy Harrison pète les plombs de Pippa Wright (2011)
Quand une jeune femme bien sous tous rapports doit se faire passer pour la petite amie d'une rock star en pleine tourmente médiatique. Quiproquos, rebondissements et l'amour au bout du compte…

Âgée d'une trentaine d'années, Pippa Wright vit à Londres. Fan des comédies anglaises, élevée à la lecture des Kinsella et autres Marian Keyes, Lizzy Harrison pète les plombs *est son premier roman.*